D1277261

Маргарет Мэллори

Страж моего сердца

РОМАН

Астрель
Полиграфиздат
МОСКВА

УДК 821.111(73)
ББК 84 (7Сое)
М97

Серия «Очарование» основана в 1996 году

Margaret Mallory
THE GUARDIAN

Перевод с английского И.П. Родина

Компьютерный дизайн Е.А. Коляды

*В оформлении обложки использована работа,
предоставленная агентством Fort Ross Inc.*

Печатается с разрешения издательства Grand Central Publishing c/o
Hachette Book Group USA, Inc.

Подписано в печать 20.04.12. Формат 84х108/32.
Усл. печ. л. 16,8. Тираж 3 000 экз. Заказ № СК 4387М.

Мэллори, М.
М97   Страж моего сердца: роман / Маргарет Мэллори; пер. с англ.
И.П. Родина. – М.: Астрель: Полиграфиздат, 2012. – 317, [3] с.–
(Очарование).

ISBN 978-5-271-43261-3
ISBN 978-5-4215-3557-7

Война окончена, и лэрд Йен Макдональд вернулся в родное
Шотландское нагорье, чтобы зажить наконец с молодой женой мирной и
спокойной жизнью.

Но как выясняется, супруга не готова его принять. Зачем красавице
Шилес мужчина, взявший ее в дом без любви, а потом бросивший на пять
лет ради ратной забавы?

Да будь лэрд хоть трижды хорош собой и отважен — он не завоюет ее
сердца!

Однако время разлуки не прошло для Макдональда даром. Он многое
понял — стал мягче и мудрее. И кажется, научился по-настоящему
любить.

УДК 821.111(73)
ББК 84 (7Сое)

Пролог

Остров Скай, Шотландия
1500 год

Тирлаг Макдональд — старейшая представительница клана, слывшая настоящей прорицательницей, разглядывала своим единственным глазом стоявших на пороге мальчишек. Не часто в ее домик на самом краю моря наведывались гости.

— Зачем, ребятки, вы пожаловали ко мне в такую ненастную ночь?

— Мы хотим узнать, что нас ждет, — отозвался юный Коннор. — Можешь рассказать, что ты видишь в нашем будущем?

Говоривший был младшим сыном вождя — крепким двенадцатилетним подростком с черными как смоль волосами, как у матери.

— Вы на самом деле хотите это узнать? Я ведь и погибель могу накликать. И вам об этом известно.

Четверо юных посетителей обменялись взглядами, но никто из них не отступил. Храбрые ребята, не по возрасту! И все же она никак не могла взять в толк, что заставило их набиться к ней в дом, оставляя лужи на полу, именно этой ночью.

— Боитесь, что умру и не успею предсказать вам судьбу, я права?

Ее единственный глаз остановился на младшем из них, на десятилетнем мальчишке с черными волосами, как у его двоюродного брата Коннора, и с синими, как летнее небо, глазами. Паренек вспыхнул, подтверждая ее подозрения.

— Имей в виду, я умру не так скоро, как ты думаешь, Йен Макдональд.

У Йена брови полезли на лоб.

— Ты меня знаешь, Тирлаг?

— Конечно, знаю. Ведь вы трое, — она ткнула пальцем в Йена и его кузенов Алекса и Коннора, — мои кровные родственники.

Новость о том, что одноглазая горбатая старуха приходится им родней, не слишком их обрадовала. Хмыкнув себе под нос, Тирлаг развернулась и подошла к очагу, чтобы бросить в огонь пригоршню сушеных трав. Огонь вспыхнул и затрещал, над ним поднялись завитки дыма. Она нагнулась вперед и вдохнула резкий аромат. Видения не приходили по желанию, но иногда травы помогали ей открыть завесу.

Уже когда ребята входили в домик, вместе с запахами псины, мокрой шерсти и моря, Тирлаг увидела над их головами яркое оранжевое свечение — верный признак приближавшегося видения. Увидеть свечение, озарявшее сразу четверых, было явлением необычным даже для нее. Она предположила, что такое возможно из-за того, что все эти мальчишки крепко связаны между собой, как воры в одной шайке. Повода сомневаться в своем даре у нее не было.

— Ты первый. — Она скрюченным пальцем ткнула в Йена.

У паренька округлились глаза. Но когда один из приятелей подтолкнул его, обошел стол и встал рядом с ней.

Старуха тут же сунула в его приоткрытый рот маленький гладкий камешек. Оживить видения это не помогало.

Зато добавляло таинственности всей церемонии, а главное — теперь малыш будет стоять молча.

— Смотри, не проглоти камень, мальчуган, — предупредила она. — Не то умрешь.

Взгляд широко открытых глаз Йена метнулся на двоюродного брата Коннора, который ободряюще кивнул ему. Положив руку на голову мальчишки, старуха закрыла глаза. Видение, которое начало формироваться в тот момент, как только он переступил ее порог, обрело явственные очертания.

— Ты женишься дважды, — заговорила Тирлаг. — Один раз в злобе, другой раз — в любви.

— Две жены! — громко расхохотался Алекс, тот, что с белокурыми волосами, явно унаследованными от предков викингов. — Придется тебе покрутиться как белке в колесе.

Йен выплюнул камень на ладонь.

— Я не это хотел узнать, Тирлаг. Расскажи что-нибудь интересное. К примеру, в скольких сражениях я поучаствую? Может, я умру в море?

— Видению не прикажешь, парень. Если ему хочется рассказать о любви и женщинах, значит, так тому и быть. — Она посмотрела на остальных. — Теперь вы.

Те скривились, как будто отведали ее горьких снадобий.

Захихикав, она стукнула ладонью по столу.

— Куда только храбрость ушла, а, ребятки?

— Это не честно. Вы узнали про моих двух жен, — возмутился Йен, — а я про ваших — нет!

С кривой усмешкой Алекс поменялся местом с Йеном.

— Я и без видений знаю, что ты родился на горе девушкам. — Старуха покачала головой. Все четверо мальчишек обещали вырасти в настоящих красавцев, но именно у этого горел дьявольский огонек в глазах. — Позор! Но тут уж ничего не поделаешь.

Алекс ухмыльнулся.

— Звучит просто здорово!

— О-хо-хо! — Старуха взяла с тарелки еще один камешек, сунула в его рот и положила ему руку на голову. Хорошо хоть, что этим утром догадалась набрать камней на берегу. Она поцокала языком. — Ужас, да и только! В один прекрасный день ты приглянешься женщине такой красивой, что глаз не отвести. Она будет сидеть на скале в море. — Тирлаг открыла глаза и стукнула Алекса в грудь. — Но берегись ее, ибо она окажется селки*, принявшей вид женщины, чтобы залюбить тебя до смерти.

— Лучше бы мне досталась селки, чем две жены, — проворчал Йен с другой стороны стола.

Для Макдональдов дать отставку одной жене, чтобы взять другую, считалось само собой разумеющимся. Казалось, это вошло у них в привычку — разбивать сердца женщинам, которые любили их.

Тирлаг снова закрыла глаза. Ее вдруг начал душить смех. Потом она расхохоталась до слез. Ах, какой сюрприз!

— Алекс, я вижу, что ты ухлестываешь за девицей страшной и рябой. — Старуха вытерла глаза уголком шали. — Мне кажется, она вдобавок еще и здоровая. Я не имею в виду, что она пухленькая и все такое, как ты мог бы подумать.

Ребята покатились со смеху. Лица у них раскраснелись.

— Ты, наверное, шутишь, — искоса глянул на нее Алекс. — Я пока не собираюсь жениться. Но когда соберусь, моя девушка будет самой красивой.

— Я вижу то, что вижу. — Она оттолкнула Алекса и двинулась к Дункану. Это был крупный рыжеволосый юноша, чья мать ходила в няньках у Коннора.

— В жилах вот у этого течет кровь морской ведьмы Маккиннон и кельтской королевы-воительницы Ска-

---

* Селки — похожее на тюленя мифическое существо, которое живет в воде и принимает человеческий облик, выходя на сушу. — *Здесь и далее примеч. пер.*

тах, поэтому позаботьтесь, чтобы он всегда был на вашей стороне. — Старуха погрозила пальцем трем оставшимся и повернулась к Дункану. — Так вот, оказывается, откуда у тебя свирепость и такой характер.

Дункан стоял молча, с серьезным выражением лица, когда она, вложив камешек ему в рот, опустила руку на его голову.

И ею тут же овладело чувство горя и потери, которое просто пригнуло ее к земле. Старуха отдернула руку, поскольку была слишком стара, чтобы долго выносить такую тяжесть.

— Ты уверен, что захочешь услышать то, что я скажу тебе, мальчик? — мягко спросила она.

Дункан спокойно посмотрел на нее и кивнул.

— Боюсь, у тебя впереди много горя. — Тирлаг сжала его плечо. — Но поверь моему слову, иногда мужчинам удается изменить свое будущее.

Дункан выплюнул камень и вежливо сказал:

— Благодарю.

Сын вождя подошел к ней последним.

— Меня интересует только будущее нашего клана, — произнес Коннор с камешком во рту. — Будет ли наша жизнь безопасной и обеспеченной в наступающие годы?

Совсем недавно с таким же вопросом к ней подступал его отец. Единственное, что она могла тогда сказать вождю — это то, что в один прекрасный день ему придется отослать от себя сына, чтобы тот уцелел.

Когда старуха положила руку на голову Коннора, она вдруг услышала стоны умирающих и увидела тела мужчин своего клана лежавшие на поле, обильно политом кровью шотландцев. Потом ей предстала картина, как эта четверка мальчишек, ставших крепкими и статными молодцами, идет по морю на корабле. Она вдруг устала, а видения продолжали наплывать одно за другим.

— Тирлаг, что с тобой? — донесся до нее голос Коннора.

Она открыла глаза. Алекс протягивал ей чашку ее собственного виски.

— Глотни немного, и полегчает.

Прищурив здоровый глаз, старуха цедила виски из чашки, смотрела на него и размышляла над тем, как ему удалось добраться до ее запасов.

— Я вижу много опасностей, которые подстерегают вас впереди, — наконец заговорила Тирлаг. — Вы должны не разлучаться друг с другом, если хотите выжить.

На ребят ее слова не произвели большого впечатления. Как настоящие дети горцев, они и без предсказаний знали, что их будущее полно опасностей. А как мужчин, их это скорее подстегивало, чем беспокоило.

Они были юны, и мудрая женщина не стала им говорить всего, что знала. Прикинув, что им следует открыть для их собственной пользы, она обратилась к Коннору.

— Ты хочешь узнать, что тебе нужно сделать, чтобы оказать пользу своему клану?

— Да, Тирлаг, хочу.

— Тогда знай, — сказала она, — что будущее клана зависит от того, кого ты выберешь себе в жены.

— Я? Но следующим вождем должен быть мой старший брат.

Предсказательница пожала плечами. Уже скоро парень узнает, что такое горе.

— Может, скажешь, кого я должен выбрать себе в жены? — беспокойно нахмурившись, спросил Коннор.

— Ох, девушка сама тебя выберет. — Старуха ущипнула его за щеку. — Тебе только должно хватить ума вовремя понять, что к чему.

Она подняла голову и уставилась здоровым глазом на дверь. Тут раздался стук. Алекс, который оказался поблизости, распахнул дверь и рассмеялся, увидев маленькую девчушку с непокорными, торчавшими в разные стороны рыжими волосами.

8

— Это всего лишь Шилес — подружка Йена, — объявил он, пропуская ее внутрь и закрывая дверь от холода.

Большими зелеными глазами девочка обвела комнату, потом ее взгляд остановился на Йене.

— Ты почему разгуливаешь одна по ночам? — спросил Йен.

— Я искала тебя, — ответила та.

— Сколько раз я говорил тебе быть осторожной! — Йен затянул на себе плащ. — Лучше я пойду, отведу ее к отцу.

Старуха подумала, что отца девочки надо выдрать как сидорову козу за то, что позволяет малышке одной бродить в темноте. Но он был не того сорта человек, чтобы беспокоиться о дочери.

— Ты не боишься, что тебя утащат феи? — спросила Тирлаг девчушку.

Шилес покачала головой. Бедняжка знала, что феи воруют только тех детей, которые дороги своим родителям.

— Ладно, пойдем, — проговорил Йен, беря девочку за руку. — По дороге я расскажу тебе сказку про селки.

Шилес взглянула на мальчика, и глаза ее засияли, словно сам Бог послал ей в помощь самого сильного и храброго защитника во всей Шотландии.

Глава 1

Остров Скай, Шотландия
1508 год

Растопыренные руки Шилес задевали о шершавые земляные стены. Эти прикосновения заменяли ей возможность, пока она торопилась вперед в полной темноте. Из-под ног выскакивали ошалевшие от страха мелкие твари и, обгоняя ее, мчались вперед. Она тоже была вне себя от ужаса.

Однако шагов преследователей за спиной не было слышно. Пока не слышно!

Впереди тускло забрезжил свет, предупреждая о конце туннеля. Добежав до него, Шилес бросилась на землю и ползком выкарабкалась на поверхность через узкое отверстие, не обращая внимания на грязь, прилипавшую к подолу.

Она откатилась от лаза, ежевика царапала лицо и руки. На нее обрушились потоки свежего воздуха, смывая влажную могильную затхлость подземного хода. Шилес вдохнула полной грудью, но останавливаться было нельзя.

На нее вытаращились изумленные овцы, а потом брызнули в разные стороны, когда она кинулась мимо них вверх по склону. Только бы не пропустить его! Выскочив наконец на тропу, Шилес перешла на шаг и остановилась за обломком скалы. Грудь все еще ходила ходуном. И тут Шилес услышала топот копыт.

Надо было удостовериться, что это Йен. В ушах громко стучало собственное сердце. Она осторожно выглянула из-за камня.

Как только всадник выскочил из-за поворота, Шилес, выкрикивая его имя, выскочила на тропу.

— Что ты делаешь, Шил! — Йен резко натянул повод и поднял коня на дыбы. — Я чуть не сбил тебя.

Он был так красив со своими черными, летящими по ветру волосами в сиянии закатного солнца, что Шилес даже забыла, зачем торопилась увидеть его.

— Откуда ты взялась? — продолжал Йен. — И где так перемазалась?

— Я сбежала от отчима. — Шилес стала приходить в себя. — Выбралась по подземному ходу, когда увидела, что они не открыли тебе ворота.

— Я собирался переночевать у вас по пути домой, — объяснил он. — Но они сказали, будто ползамка мучается от какой-то заразы, и отправили меня восвояси.

— Они соврали. — Шилес протянула ему руку. — Нам нужно торопиться, пока меня не хватились.

Йен поднял ее и усадил впереди себя. Хотя спина ныла как черт знает что, она прильнула к нему и вздохнула. Все, теперь она в безопасности!

Шилес страшно скучала по Йену, пока он находился в отъезде при шотландском дворе и воевал на границе. Сейчас она снова ощущала себя ребенком, когда Йен всякий раз вытаскивал ее то из одной переделки, то из другой.

Но нынешние проблемы не могли сравниться ни с чем. И тут не было никакого сомнения, ведь сама Зеленая леди наклонилась над ее кроватью и заплакала, глядя на нее. Это ли не предостережение? **11**

Когда Йен развернул коня назад к замку, Шилес резко выпрямилась и обернулась к нему лицом.

— Что ты делаешь?

— Везу тебя домой, — ответил он. — Я не хочу, чтобы меня обвинили в твоем похищении.

— Но ты должен увезти меня отсюда! Эта скотина хочет выдать меня за придурка Маккиннона.

— Следи за языком, — заметил Йен. — Негоже отчима обзывать скотиной.

— Ты не слушаешь, что я говорю. Он собирается отдать меня Ангусу Маккиннону.

Йен остановил коня.

— Должно быть, ты ошибаешься. Даже такая скотина, как твой отчим, не посмеет сделать это. Но все равно, я обещаю, что передам отцу и дяде твои слова.

— Я расскажу все сама, когда ты привезешь меня к ним.

Йен покачал головой:

— Я не хочу, чтобы между кланами разыгралась война из-за твоего похищения. Даже если то, что ты говоришь — правда, до свадьбы пока далеко. Ты еще ребенок.

— Я уже не ребенок, — заявила Шилес, скрестив руки на груди. — Мне тринадцать лет.

— У тебя еще не выросла грудь. И пока она не вырастет, никакой мужчина не захочет жениться на тебе. Ух! Совершенно ни к чему пихать меня своим остреньким локотком под ребра, потому что я сказал правду.

Шилес сдерживалась изо всех сил, чтобы не разреветься. Такое трудно было вынести, в особенности услышав это от человека, за которого она собиралась выйти замуж.

— Если ты не желаешь помочь мне, Йен Макдональд, я пойду пешком.

Когда Шилес попыталась соскользнуть с коня, Йен удержал ее. Взяв лицо в ладони, он большими пальцами погладил ее по щекам. Шилес потребовалось сделать над собой дьявольское усилие, чтобы слезы не полились ручьем.

— Совсем не хотел обидеть тебя, малышка, — сказал он. — Тебе нельзя ходить одной. До ближайшего дома далеко, и скоро стемнеет.

— Я не вернусь в замок, — отрезала она.

— Если я отвезу тебя назад, ты ведь опять сбежишь по подземному ходу?

— Не сомневайся.

Йен вздохнул и повернул коня.

— Тогда двинем вперед. Но если меня обвинят в похищении, это будет твоя вина.

Когда тьма сгустилась настолько, что вокруг стало не видно ни зги, Йен остановился на привал. Если бы не Шилес, он бы скакал не останавливаясь. Но до дома еще далеко, а ехать в полной темноте было рискованно.

Он протянул Шилес половину овсяной лепешки и сыр, и они молча принялись за еду. Ему еще будь здоров как влетит за это. И все потому, что она опять позволила разыграться своему воображению.

Он искоса посмотрел на нее. Бедняжка Шил! Ее прелестное имя произносилось через мягкое «ш». Так тихо шепчут на ухо «Шшш», когда хотят успокоить. Она была трогательной худышкой. Зубы были немного великоваты. Но непокорные рыжие волосы сияли так, что хотелось зажмуриться. Даже если у нее в один прекрасный день и отрастет грудь, вряд ли кто-нибудь захочет взять ее в жены из-за внешности.

По крайней мере пока она не умоется.

Йен раскатал на земле попону и предупреждающе посмотрел на нее.

— Ложись и не болтай.

— Я ни в чем не виновата.

— Виновата, — сказал он. — Хотя ты знаешь, что никто не станет тебя винить.

Шилес свернулась в комочек на краешке попоны, закутав ноги своим плащом.

Повернувшись к ней спиной, Йен завернулся в плед. Сегодня он отмахал много миль и страшно устал.

Сон почти завладел им, когда Шилес вдруг тронула его за плечо.

— Мне что-то послышалось.

Схватившись за меч, Йен сел и стал прислушиваться.

— Наверное, это кабан, — шепотом сказала она. — Или здоровый медведь.

Он со стоном рухнул на спину.

— Это ветер шумит в деревьях. Тебе показалось мало мучить меня целый день?

Теперь сон пропал. Йен слышал, как дрожала Шилес. Кожа да кости — разве может она сама согреться?

— Шил, тебе холодно? — спросил он.

— Вот-вот околею, — угрюмо откликнулась та.

Вздохнув, Йен повернулся к ней и накрыл пледом. Теперь под пледом они лежали вдвоем.

Йен понял, что не заснет. Какое-то время он разглядывал, как ветер раскачивает ветви над головой, а потом прошептал:

— Шил, ты спишь?

— Нет.

— Я скоро женюсь, — сказал Йен и улыбнулся. — Мы встретились при дворе в Стирлинге. Сейчас я еду домой, чтобы сообщить об этом родителям.

Он почувствовал, как Шилес замерла рядом.

— Для меня это так же неожиданно, как и для тебя. Я думал подождать еще пару годков, но когда мужчина встречает ту самую женщину... Ах, Шил, в ней есть все, что мне нужно.

Шилес долго молчала, а потом спросила своим насмешливым, немного хрипловатым голоском:

— С чего ты так уверен, что она — та самая?

— Филиппа — редкостная красавица, поверь мне. У нее ясные глаза и шелковистые белокурые волосы. А фигура... Мужчина забывает обо всем, глядя на нее.

— Хм. Что ты еще можешь рассказать про свою Филиппу, помимо ее внешности?

— Она грациозна, как королева фей, — не унимался он. — И смеется восхитительно звонко.

— И именно поэтому ты собираешься на ней жениться?

Йен хмыкнул в ответ на скепсис в ее голосе.

— Наверное, я не должен говорить тебе такое, малышка. Но есть женщины, которых мужчина может иметь и не женясь на них, а есть такие, с которыми так не поступишь. Она из второй породы, и я жутко ее хочу.

Он положил руку Шилес на плечо и заснул с улыбкой на лице.

Должно быть, Йен спал как убитый, потому что не слышал ничего до того момента, когда вдруг раздался конский топот. Тут же откинув плед, он вскочил с мечом в руках. В это время к их стоянке подъехали трое всадников. Хотя Йен узнал сородичей из своего клана, меча он не опустил.

Только бросил беглый взгляд на Шилес, все ли с ней в порядке. Она сидела, укрывшись пледом с головой, оставив только щелку, через которую наблюдала за происходящим.

— Неужели это наш молодец Йен, который возвращается с войны на границе? — услышал он голос одного из всадников.

— Ну да, так и есть! Нам рассказывали, как ты отважно дрался с англичашками, — заговорил другой. Всадники продолжали кружить вокруг стоянки. — Наверное, они спят много и встают поздно.

— Я даже слышал, что они вежливо предлагали тебе выбирать время и место для схватки, — встрял третий. — Чем еще можно объяснить, что ты храпел и ухом не повел, когда мы чуть не переехали тебя лошадьми? **15**

Стиснув зубы, Йен слушал, как эти трое с удовольствием упражняются в остроумии на его счет.

— Если англичане дерутся как бабы, чего же ты хочешь от него? — опять заговорил первый.

К этим трем подъехали еще трое.

— Кстати, о бабах, что это за девка, которая не побоялась улечься с нашим храбрецом? — возник следующий острослов.

— Мать тебя убьет, если привезешь ей в дом потаскуху, — добавил другой, и все весело заржали.

— Хотел бы я посмотреть, как это будет, — не унимался первый. — Слушай, Йен, дай нам взглянуть на нее.

— Это не баба. — Йен сдернул плед с девчонки, выставляя ее на обозрение. — Это всего лишь Шилес.

Шилес резко натянула плед на себя и оглядела всех.

Мужчины вдруг замолчали. Проследив их взгляды, Йен обернулся. Отец и дядя, который являлся вождем клана, как раз подъехали к месту привала.

Повисла общая тишина, нарушаемая лишь пофыркиванием лошадей, когда отец мрачно переводил взгляд с Йена на Шилес и обратно.

— Возвращайтесь домой, ребята, — приказал дядя всадникам. — Мы едем следом.

Спешившись, отец подождал, пока те не отъехали на приличное расстояние.

— Объясни, что происходит, Йен Макдональд, — спросил он тоном, не предвещавшим ничего хорошего.

— Даже не знаю, как так получилось, что я не услышал вашего приближения, отец. Я...

— Не строй из себя дурака, — закричал отец. — Ты прекрасно понимаешь, что я спрашиваю о том, почему ты разъезжаешь с Шилес. И почему вы спите вместе?

— Это не так, отец! Вернее, да, я еду с Шилес, но я не собирался забирать ее с собой. И мы не спим вместе!

Лицо отца из красного стало багровым.

— Еще скажи, я слепой. Тут может быть только одно объяснение. Вы сбежали и тайно поженились.

— Конечно, мы не поженились!

Всю дорогу до дома Йен представлял, какой гордостью наполнится взгляд отца, когда он услышит его рассказ о битвах с англичанами на границе. Вместо этого отец разговаривал с ним, как с нашкодившим несмышленышем.

— Мы не спим вместе в том смысле, который ты имеешь в виду, отец. — Йен пытался сохранить спокойствие, что ему явно не удавалось. — Это было бы отвратительно. Как ты мог подумать такое?

— Тогда почему девчонка здесь, с тобой? — допытывался отец.

— Шилес вбила себе в голову, что отчим собирается отдать ее за одного из Маккиннонов. Клянусь, она сбежала бы одна, если бы я не забрал ее с собой.

Отец опустился перед Шилес на корточки.

— С тобой все в порядке, девочка?

— Да, спасибо. — Вид у нее был жалостный. На фоне рыжих волос лицо казалось еще более бледным. Нахохлившись под пледом, она напоминала пичужку.

Двумя руками отец осторожно взял ее за руку.

— Ты можешь рассказать, деточка, что все-таки произошло?

Ну, это уже было чересчур. Отец разговаривал с ней, как будто она ни в чем не была виноватой.

— Это правда, Йен отказывался помогать мне. Но я уговорила его, потому что мой отчим решил выдать меня за своего сына, чтобы они смогли претендовать на замок Нок. — Она потупилась и сказала дрожащим голосом: — Это еще не все, но об остальном мне не хочется говорить.

У Шилес всегда была страсть к преувеличениям. И если раньше она не могла оказать никакого влияния на отца Йена, то теперь он был у нее в руках.

— Очень кстати девчонка узнала про их планы и сумела сбежать, — заметил дядя. — Мы не можем позволить Маккиннонам забрать у нас замок Нок. **17**

Отец встал и положил руку на плечо Йена.

— Я понял, что у тебя не было никаких намерений на ее счет, но ты скомпрометировал Шилес.

От предчувствия катастрофы Йену стало не по себе.

— О чем ты говоришь, отец? Я знаю Шилес с пеленок. И она еще маленькая, поэтому никто не подумает ничего дурного из-за того, что мы провели ночь в лесу.

— Те, кто нашел вас тут, уже подумали самое плохое, — сказал отец. — Скоро всем станет об этом известно.

— Но ничего же не было, — настаивал Йен. — Мне это даже в голову не пришло.

— Не важно, — отрезал отец.

— Дело ведь не в добродетели Шилес, да? — стиснув кулаки, спросил Йен. — Все дело в ее землях, которые не должны отойти к Маккиннонам.

— И в этом тоже, — не стал отпираться отец. — Но ты опозорил ее доброе имя, и есть только один способ избежать ущерба. Как только мы вернемся домой, вас повенчают.

Йен был в ужасе.

— Нет. Я не согласен.

— Если ты откажешься, навлечешь позор на мать и на меня. — В глазах отца сверкнула сталь. — Я рассчитываю, что мои сыновья будут вести себя с честью, пусть это потребует жертв. Прежде всего если это потребует жертв.

— Но я...

— У тебя есть долг перед этой девушкой и перед кланом. — Отец был неумолим. — Ты — Макдональд и поступишь так, как от тебя требуется.

— Я соберу людей, — заговорил дядя. — Наверняка Маккиннонам не понравится эта новость.

Шилес беззвучно заплакала, закрывая лицо пледом и раскачиваясь взад и вперед.

— Собирайся, девочка. — Отец, подбадривая, похлопал ее по плечу. — Ты должна выйти замуж, прежде чем Маккинноны тебя хватятся.

Глава 2

Донжон замка Дуарт
Остров Малл
Октябрь 1513 года

— Проклятые паразиты! Вся солома кишит ими. — Йен вскочил и ожесточенно зачесался. — Н-да, гостеприимство Маклейнов оставляет желать лучшего.

— Меня больше беспокоят те Маклейны-паразиты, что о двух ногах, — откликнулся Дункан. — Сейчас наверху они решают, как с нами поступить. И у меня нет никакой надежды на их милосердие.

Коннор потер висок.

— После пяти лет войны во Франции быть захваченными Маклейнами в тот же день, как мы ступили на землю Шотландии, это же...

Йен так же остро переживал унижение, как и кузен. Вдобавок им было просто необходимо вернуться домой. Они бросили все и отплыли из Франции, как только до них дошла весть о сокрушительном поражении шотландцев англичанами при Флоддене*.

— Нам надо выбираться, — обратился Йен к друзьям. — Я полагаю, что Маклейны — какие бы они ни были! — проявят вежливость и устроят нам ужин перед тем, как убить. Вот этим шансом мы и должны воспользоваться.

— Верно. — Коннор подошел к решетке и вгляделся в темноту за ней. — Как только охрана откроет эту дверь, мы...

---

* Битва при Флоддене — одно из самых кровопролитных сражений, состоявшееся 9 сентября 1513 г. Тогда погибло десять тысяч шотландских воинов и практически вся элита: вожди многих кланов, двенадцать графов, пятнадцать лордов, несколько аббатов, архиепископ и король Шотландии Яков IV. С этого момента Шотландия перестала представлять реальную военную угрозу для Англии.

19

— Ах, не нужно никакого насилия, кузен, — заговорил Алекс в первый раз за все время. Вальяжно развалившись на соломе и вытянув ноги, он, казалось, ничуть не беспокоился наличием живности в подстилке.

— Что так? — Йен слегка пнул его носком сапога.

— Я не говорю, что это плохой план, — отозвался Алекс. — Просто он нам не пригодится.

Поневоле удивившись, Йен скрестил руки на груди.

— Может, ты кликнешь фей, чтобы они открыли нам эти двери?

Алекс был мастером рассказывать сказки. Поэтому он дождался, когда воцарится полная тишина, и только тогда продолжил:

— Когда они забрали меня наверх для допроса, то обошлись со мной довольно грубо. Тут как раз в комнату вошла жена вождя и заявила, что должна осмотреть мои раны.

Коннор застонал.

— Алекс, скажи, ты же не...

— Итак, она раздела меня и наложила ароматную мазь на все мои шрамы. С головы до ног. На леди произвели неизгладимое впечатление мои боевые отметины. Вы же знаете, как я ценю чувствительность в женщинах. — Алекс поднял руку ладонью вверх. — Это возбуждающе подействовало и на нее, и на меня. Короче говоря...

— Ты охмурил жену человека, который держит нас в плену? Ты в своем уме? — заорал Дункан. — Лучше нам быть наготове, ребята. Мне кажется, их дебаты насчет того, убить нас или нет, скоро закончатся.

— Вот она — человеческая благодарность. И это после того, как я пожертвовал своей добродетелью ради вашей свободы, — не унимался Алекс. — Леди не собирается рассказывать своему мужу, чем мы с ней занимались. И поклялась вытащить нас отсюда.

— Когда она собирается это сделать? — Для Йена не стоял вопрос, появится ли здесь упомянутая леди. Ради Алекса женщины всегда были готовы на немыслимые поступки.

— Сегодняшней ночью, — сказал Алекс. — И все это не из-за моих красивых глаз, ребята. Она из Кэмпбеллов. Маклейн Лохматый женился на ней, чтобы установить мир с ее кланом. Она его ненавидит и, конечно, сделает все, чтобы как следует ему досадить.

— Ха! — Йен ткнул пальцем в Коннора. — Пусть это будет тебе уроком, когда начнешь искать жену в кланах среди наших врагов.

Коннор потер лоб. От него как от сына вождя ожидали, что он заключит брачный союз с каким-нибудь другим кланом. Теперь, после Флоддена, когда погибло столько мужчин, многие вожди начнут переговоры на эту тему.

— Интересно, что именно ты даешь советы по поводу женитьбы. — Вскинув брови, Алекс выразительно посмотрел на Йена. — А сам, судя по всему, не вполне представляешь, что делать со своим собственным браком.

— Я не женат. — В голосе Йена отчетливо прозвучало предостережение. — Пока брак не вступил в силу, у меня нет жены.

Во Франции Йен изо всех сил старался забыть о своей брачной клятве. По возвращении на Скай он положит конец этой псевдоженитьбе.

Алекс приподнялся и уселся на соломе.

— Кто-нибудь поспорит со мной об этом? Мои денежки уверяют, что этот парнишка не откажется от жены.

Дункан вовремя схватил Йена, иначе бы тот накинулся на ухмылявшегося Алекса.

— Хватит, Алекс, прекрати! — потребовал Коннор.

— На вас противно смотреть. — Алекс встал и потянулся. — Йен женат и до сих пор не может поверить в это. А Дункан отказывается жениться на единственной милой его сердцу.

21

Бедный Дункан! Йен с укором посмотрел на Алекса — эта история не повод для шуток.

— А еще и Коннор, — продолжал Алекс в своей безрассудной манере. — Из дюжины вождей с незамужними дочерями ему придется выбирать, кого обижать всего опаснее.

— О, братья моего отца скорее убьют меня, чем дадут мне право выбора, — отозвался Коннор.

— А мы на что? Мы прикроем твою спину, — пообещал Дункан.

Дядья Коннора будут только рады, если в борьбе за лидерство в клане станет на одного претендента меньше. У его деда — первого вождя Макдональдов Слита родилось шесть сыновей и все от разных жен. С пеленок братья ненавидели друг друга и готовы были порвать друг другу горло.

— Надеюсь, когда мой брат станет вождем, он женится один раз, чтобы избавить клан от междоусобицы, — сказал Коннор, покачав головой.

Алекс фыркнул.

— Ты говоришь о Рагналле?

Действительно, то была призрачная надежда, подумал Йен, но промолчал. В том, что касалось женщин, старший брат Коннора ничем не отличался ни от отца, ни от деда.

— А ты на ком женишься, Алекс? — спросил Дункан. — Интересно, какая шотландская девица поддастся на твои заигрывания, а потом не воткнет тебе кинжал в спину?

— Никакая, — отрезал Алекс. От его шутливости не осталось и следа. — Я уже говорил, что никогда не женюсь.

Сколько Йен себя помнил, отец и мать Алекса жили как кошка с собакой. Даже в горной Шотландии, где эмоции частенько перехлестывают через край, их упорная враждебность друг к другу была притчей во языцех. Из трех сестер — матерей Йена, Алекса и

22

Коннора, только у одной удачно сложилась семейная жизнь. У матери Йена.

Послышался звук шагов. Йен и все остальные положили руки на пояс, где висели кинжалы.

— Пришла пора выбираться из этой дыры, ребята, — тихо произнес Йен. Он прижался к стене возле двери и кивнул другим. По плану или без него, им следовало быть наготове.

— Александр! — позвал женский голос из темноты по другую сторону железной решетки, потом зазвенели ключи.

Йен полной грудью вдохнул соленый воздух. Это было неописуемое удовольствие снова идти по морю. Они увели у Лохматого его любимую парусную лодку. Ведь надо было как-то восполнить нанесенную им обиду. Лодка скользила легко и быстро, и им было хорошо на свежем октябрьском ветру. От кувшина с виски, пущенного по кругу, Йен быстро согрелся. Он вырос в этих водах. Скалы и течения — все было знакомо как свои пять пальцев. И горные вершины вдали — тоже.

Он пристально вглядывался в темнеющую линию острова Скай. Несмотря на то что там его ожидала куча забот, при виде родных мест сердце заликовало.

А проблем действительно будет сверх меры. Отчалив от берега, они почти не разговаривали меж собой. О чем было говорить? Та женщина из рода Кэмпбеллов принесла им жуткую весть о том, что их вождь и Рагналл, брат Коннора, оба погибли при Флоддене. Для клана это было чудовищной потерей.

Дункан наигрывал тихую мелодию на маленькой дудке, которую всегда носил с собой. Грустный напев отзывался в них печалью и болью. Закончив, он сунул дудку в карман шотландки и повернулся к Коннору.

— Твой отец был великим вождем.

Главу клана не слишком любили, но уважали как сильного лидера и бесстрашного воина, что   **23** имеет большой вес в горах. Йен никак не мог свыкнуться с мыслью, что его не стало.

Он сделал большой глоток из кувшина.

— Не могу поверить, что мы потеряли их обоих. — Йен обнял Коннора за плечи, передавая ему виски. — По правде говоря, я не думаю, что кто-нибудь из оставшихся сможет заменить твоего брата.

Йен понимал, что гибель старшего брата стала тяжелым ударом для Коннора. Рагналл был свирепым и отчаянным. Все считали его самым достойным преемником вождя. А еще он был предан своему младшему брату.

— У меня возникла вот какая мысль, — сказал Дункан. — Будь они живы, Лохматый ни за что не рискнул бы развязать войну с нашим кланом, захватывая нас в плен.

— Даже после гибели вождя Маклейн Лохматый все равно должен был остерегаться ответных мер нашего клана. — Йен сделал еще глоток. — Поэтому меня интересует, почему же он не остерегся?

— Йен прав, — сказал Алекс, кивнув в его сторону. — Когда Лохматый пообещал скинуть наши тела в море, мне не показалось, что он сильно беспокоился за себя.

— Кстати, за стенами замка не выставлены дополнительные посты, — заметил Йен. — Что-то тут не то.

— Что ты хочешь этим сказать? — уставился на него Коннор.

— Ты прекрасно знаешь, что он хочет сказать. За этим стоит один из твоих дядьев, — объявил Дункан. — Они понимали, что мы вернемся сразу, как только получим новость о Флоддене. Поэтому один из них договорился с Лохматым перехватить нас.

— Все они лукавые и хитрые ублюдки, — подхватил Алекс. — Но кто из них сильнее всех домогается места вождя?

— Черный Хью. — Коннор употребил прозвище, данное дяде за его коварство. — Хью так и не смирился с той долей, которую получил после смерти моего деда. Его до сих пор гложет обида. Другие расселились на соседних островах, завели собственные дома, но только не Хью.

— Хочется узнать одну-единственную вещь, — сказал Йен. — Что он пообещал Маклейну Лохматому за то, чтобы мы больше не вернулись на Скай?

— Вы вроде как все уже решили. Все как один, — отозвался Коннор. — У нас с дядей нет теплых отношений, но я никогда не поверю, что он желает мне смерти.

Алекс хмыкнул.

— Я бы не доверял Хью.

— А я не сказал, что доверяю ему, — заметил Коннор. — И не могу доверять никому из братьев отца.

— Могу поспорить, — вклинился Дункан. — Хью уже назначил себя главой клана и живет в замке Данскейт.

Йен подозревал, что Дункан попал в самую точку. По традиции клан выбирал себе нового главу из мужчин, состоявших в кровном родстве с прежним вождем. После смерти отца и старшего брата Коннора претендентами на место вождя становились его дядья. Если хотя бы половина из того, что говорилось о них, являлось правдой, то это было сборище убийц, насильников и разбойников. Оставалось большой загадкой, как получилось, что такой благородный человек, как Коннор, мог быть с ними одной крови. По словам некоторых, феи просто все перепутали и подложили новорожденного не в ту семью.

Берег был совсем рядом. Без слов Йен с Дунканом спустили парус, и все как по команде взялись за весла. Мощные гребки соединили их в общем ритме. Для Йена это было так же естественно, как дышать.

— Я понимаю, ты еще не готов обсуждать эту тему, Коннор, — заговорил Йен между гребками. — Но рано или поздно тебе придется сразиться с Хью за место вождя.

25

— Ты прав, — сказал Коннор. — Я еще не готов обсуждать это.

— О! — воскликнул Алекс. — Неужели ты позволишь, чтобы лошадиная задница стала нашим вождем?

— Что я не намерен делать, так это разжигать соперничество внутри клана, — заявил Коннор. — После трагедии, случившейся у Флоддена, междоусобица еще больше ослабит нас и сделает уязвимыми перед врагами.

— Согласен, тебе поначалу нужно быть тише воды, ниже травы, — поддержал его Йен. После пяти лет отсутствия Коннор не мог сразу занять родовое гнездо и объявить себя вождем, тем более что Хью, наверное, уже контролировал замок Данскейт. — Пусть люди сначала узнают, что ты вернулся, и поймут: у них есть альтернатива Хью. Потом, когда Хью покажет всем, что ставит свои амбиции выше интересов клана, — а так оно и есть! — мы выдвинем тебя вперед, как самого достойного предводителя.

Алекс повернулся к Дункану, который греб с противоположного борта.

— Мы с тобой просто какие-то дети несмышленые по сравнению с нашими вероломными кузенами.

— Все великие вожди кланов были вероломными людьми, — усмехнулся Йен. — Это необходимое условие.

— Коннору потребуется стать вероломным, чтобы выжить, — заявил Дункан без тени юмора. — Хью годами пиратствовал на Западных островах и ни разу не попался. Это значит, что он умный и беспощадный. И вдобавок удачливый.

Они замолчали. Вряд ли Коннор признается, но Йен был согласен с Дунканом — на острове Скай жизнь их друга будет в опасности.

— Если ты отправишься в замок, я пойду с тобой, — сказал он. — Ты не знаешь, что там тебя может ожидать.

26

— Ты тоже не знаешь, что там тебя ждет, — сказал Коннор. — Отправляйся домой и убедись, что с твоей семьей все в порядке.

Йен мысленно молился, чтобы его отец выжил в том сражении. Сейчас он жалел, что их расставание прошло в злобе, и еще больше жалел о том, что проигнорировал письмо отца, в котором тот звал его домой. Он должен был биться рядом с отцом и другими воинами клана возле Флоддена. Теперь до самой могилы чувство вины не отпустит его.

— Еще тебе нужно уладить дела с девушкой, — добавил Коннор. — Пять лет — большой срок для ожидания.

Пока они обсуждали дела Коннора, Йен старался не вспоминать о Шилес. Не хотелось ему погружаться в эти заботы и сейчас. Йен отглотнул еще виски из кувшина, который стоял в ногах. Тем временем все подняли весла, и лодка по инерции заскользила к берегу. Чиркнув днищем, она остановилась. Перевалившись через борт, вся компания высадилась прямо в ледяную воду и потащила лодку на берег Ская.

После пятилетнего отсутствия они оказались дома.

— Я подожду отправляться в замок, пока не выясню, куда дует ветер, — заявил Коннор, когда они вытянули лодку за линию прилива. — Мы с Дунканом переплывем на другую сторону пролива и выясним общее настроение.

— Мне кажется, что я все-таки должен быть вместе с вами, — не унимался Йен.

Коннор покачал головой.

— Ты получишь от нас весточку, или мы найдем тебя дня через два-три. А пока поговори с отцом. Он наверняка знает, о чем думает народ в этой части острова.

— Я уверен, что ты не оставишь без дела своего лучшего воина, — обратился к нему Алекс. — Я должен оставаться с тобой или мне лучше отправиться на север и послушать, о чем говорят люди?

— Оставайся вместе с Йеном. — Белые зубы Коннора сверкнули в наступающей темноте. — Он в очень большой опасности.

— Что за чушь! — Вспомнив про Шилес, Йен снова отхлебнул из кувшина и поперхнулся, когда Алекс въехал ему локтем под ребра.

— Хорошо бы не тревожить Йена целую неделю, — попросил Алекс. — Ты ведь не хочешь, чтобы его бедняжка жена осталась неудовлетворенной после такого долгого ожидания.

Все расхохотались в первый раз с того момента, как услышали новость про отца Коннора.

Все, кроме Йена.

— У меня нет жены, — повторил он.

— Земли Шилес очень важны для клана, в особенности замок Нок. — Коннор обнял Йена за плечи. — Он защищает нашу территорию со стороны восточного побережья. Мы не можем допустить, чтобы он отошел в руки Маккиннонов.

— О чем ты говоришь? — процедил сквозь зубы Йен.

— Ты прекрасно знаешь, что мой отец заставил тебя жениться совсем не оттого, что его волновала добродетель Шилес. Ему хотелось, чтобы замком Нок владел его племянник.

— Даже не пытайся намекнуть мне, чтобы я взял Шилес как жену.

Коннор сжал плечо Йена.

— Я прошу лишь о том, чтобы ты помнил о нуждах клана.

Йен рывком скинул руку Коннора со своего плеча.

— Еще раз повторяю, я не пойду на этот брак.

— Ладно, договорились, — согласился Коннор. — Тогда ты должен найти кого-нибудь, кому можно доверять и кто станет ей мужем вместо тебя.

— Может, ты подождешь, пока займешь место вождя, а уж потом начнешь отдавать приказы, — огрызнулся Йен.

Глава 3

Полуостров Слит, остров Скай

Ветер рвал накидку с Шилес. Вместе со своим ближайшим соседом Гордоном Граумахом Макдональдом она стояла на скале, выходившей в море, и всматривалась в даль. На фоне темнеющего неба над материком черной громадой возвышались горы. Нужно было возвращаться домой, помочь приготовить ужин. И ветер пробирал до костей. Но Шилес не уходила, что-то удерживало ее здесь.

— Долго ты еще будешь ждать Йена? — спросил Гордон.

Наблюдая за едва видимой в сумерках лодкой, пересекавшей под парусом пролив, она задумалась над вопросом.

Не услышав ответа, Гордон добавил:

— Ведь ты в нем разочаровалась.

Разочаровалась? Такое возможно? В последнее время она задавала себе этот вопрос каждый день.

Сколько себя Шилес помнила, она всегда любила Йена. Наверное, с того момента, как научилась ходить, ей хотелось выйти за него замуж. Она улыбнулась про себя, вспомнив, как он был ласков с ней, несмотря на шуточки и дразнилки, которыми его награждали взрослые и сверстники за то, что позволял крохотной девчонке, вполовину меньше его, таскаться за собой по пятам, как бездомной собачонке.

— Пять лет сплошного ожидания, — не отставал Гордон. — Такого не заслуживает ни один мужчина.

— Это правда. — Шилес откинула упавшие на лицо волосы.

Свадьба стала самым грустным вспоминанием всей ее жизни. Она относилась к тем женщинам, у которых в прошлом не осталось ничего хорошего —

29

вспоминай не вспоминай. Времени на то чтобы организовать свадебное пиршество и призвать благословение на брак, как предписывали традиции, у них не было. Не было ни подарков, ни добрых пожеланий от соседей. Никакого тебе омовения ног невесты. Никакого обручального кольца. Молодой супруг даже не стал вносить ее на руках в дом через порог.

Супружескую кровать не окропили святой водой: Йен пригрозил спустить священника с лестницы, если тот попробует пойти за ними в спальню.

В общем, не было сделано ничего, чего требует обычай для того, чтобы семейная жизнь удалась. Мать Йена настояла на том, чтобы Шилес переоделась в новое платье, хотя, что новое, что неновое — ей было все едино. Но мать Йена и слышать не хотела, что на невестке останется то самое грязное платье, в котором она появилась у них. К сожалению, единственным новым оказалось платье, которое будущая свекровь сшила для себя.

Шилес быстренько искупалась и переоделась, чтобы заранее приготовиться к приходу матери Йена. Потом потрогала глубокие шрамы на спине, чтобы убедиться, что они не испачкают кровью взятый взаймы наряд. Когда она натянула его через голову, платье повисло на ней мешком. Лиф сползал, подчеркивая отсутствие у нее любого намека на женские прелести. Если бы все прочее не было так ужасно, она посокрушалась бы и по поводу цвета. Яркий красный цвет прекрасно подходил темноволосой матери Йена. Но рыжие волосы Шилес на его фоне казались оранжевыми, а кожа словно пошла пятнами.

Когда мать Йена влетела в комнату, то встала как вкопанная. Изумление, которое она не успела вовремя скрыть, лишь подтвердило самые худшие ожидания Шилес.

— Какой стыд! Мы его не подогнали под тебя, — прищелкнула языком будущая свекровь. — Но ведь ты знаешь, что ушитое платье приносит невесте несчастье.

Шилес не сомневалась, что такой цвет перечеркнет все надежды на счастье и примета оправдается. Невеста должна быть одета в голубое.

Потом наступила самая жуткая часть церемонии. Когда Шилес спускалась вниз по лестнице вместе с его матерью, которая подталкивала ее в спину, она услышала, как Йен кричит на своего отца. Его последние слова были как удар под ложечку, от которого она чуть не упала.

«Ты хорошо рассмотрел ее, отец? Вот, что я тебе скажу, я не возьму ее. И не произнесу ни единого слова из клятвы!»

Но потом отец, вождь клана и дюжина вооруженных сородичей окружили его со всех сторон, и Йен все равно поклялся ей.

Шилес быстро заморгала глазами. Перед ней стоял Гордон, который, встряхнув за плечи, резко вернул ее к действительности.

— Не вздумай снова целовать меня, — предупредила она, отворачиваясь. — Это неправильно.

— Я знаю, что тебе нужен муж, который будет любить и уважать тебя, — сказал Гордон. — Я хочу стать им.

— Ты — прекрасный человек, и ты мне нравишься. — Гордон был вдобавок хорош собой, с соболиными бровями, с добрыми карими глазами. — Но я все думаю, что как только Йен вернется, он обязательно...

Что обязательно? Упадет на колени и будет молить о прощении? Скажет, что жалеет о каждом дне, проведенном вдалеке?

По правде говоря, Шилес не была готова к замужеству, когда это с ней случилось. Ей нужно было бы подождать еще годик или два, прежде чем стать настоящей женой. Но пять лет! С каждым днем отсутствия мужа рана в ее душе становилась все болезненнее. Она уже представляла себя с ребенком на руках, а еще один должен был цепляться за юбки, как у большинства женщин ее возраста. Она хотела, чтобы у нее были дети. И муж.

Шилес глубоко вдохнула острый, солоноватый воздух. Одно унижение за другим! Йен мог делать вид, что не женат, ведь он жил среди тысяч французов, которые ничего не знали об этом. Но она-то жила в его семье, на этом острове, среди людей их клана.

«Где каждый знал, что Йен бросил меня ждать его здесь».

— Если ты не можешь попросить аннулировать брак... — Фраза Гордона повисла в воздухе.

Хотя она могла попросить об аннулировании, ей не хотелось признаваться в этом. Даже Гордону. Во всяком случае, пока. Печальный опыт отца Йена и вождя клана был у нее перед глазами. Если бы ее родственники Маккинноны пронюхали о том, что она так и не вступила в брачные отношения с Йеном, они попытались бы выкрасть ее, а потом объявили бы ее брак недействительным и насильно выдали за кого-нибудь из своих.

Однако ее замужество не было временным или пробным, как у большинства здесь. Каким-то чудом вождь тогда нашел священника. Вождь хотел, чтобы их брак стал настоящим, а ее замок оказался в руках Макдональдов из Слита.

По той же причине было бессмысленно просить вождя, чтобы он поддержал ее обращение насчет прекращения брака. А епископ по одной ее просьбе не стал бы тревожить Рим. Поэтому Шилес написала письмо королю Якову, чтобы тот помог ей. Полгода это письмо хранилось у нее на груди, дожидаясь своего момента.

Увы, теперь и король, и вождь были мертвы.

— Если не можешь попросить аннулировать брак, — снова начал Гордон, — просто разведись с Йеном и выйди за меня.

— Твоя мать будет не в восторге, — сухо засмеялась Шилес. — Даже не знаю, к чему это приведет. То ли ее хватит удар, то ли она воткнет кинжал тебе в спину.

Жениться и разводиться без благословения церкви в Шотландии было дело обычным. Однако у матери Гордона были свои представления о том, какая женщина достойна стать женой ее единственного драгоценного сына. Женщина «бывшая в употреблении» вряд ли ее устроит.

— Это решать не моей матери, — отозвался Гордон. — Я люблю тебя, Шилес, и хочу, чтобы ты стала моей женой.

Шилес вздохнула. Это были именины сердца — услышать, что достойный человек любит ее, даже если он не тот, кто ей нужен.

— Ты же знаешь, что сейчас я и думать не могу, чтобы уйти из семьи Йена.

— Тогда пообещай, что дашь мне ответ сразу, как только сможешь, — настаивал Гордон. — Тут много мужчин, которым ты нравишься, но я буду добрым с тобой. Я человек постоянный и никогда не брошу тебя, как Йен.

Хотя он говорил из лучших побуждений, все равно ее это задело.

— Нам пора возвращаться домой. — Шилес повернулась и двинулась по тропинке. — Меня нет слишком долго.

— Никто не станет тебе пенять за недолгое отсутствие после таких тяжких трудов. — Гордон взял ее за руку. — А когда ты выйдешь за меня, они поймут, что потеряли.

Поднимаясь вверх по тропинке, Шилес оглянулась через плечо и вгляделась в темное море. Где сейчас Йен? Даже после столь долгого времени ей не хватало того мальчишки, который являлся ее другом и защитником. Но она совсем не была уверена, что ей нужен тот злобный молодой мужчина, который бросил ее. Даже если он снизойдет до того, чтобы заявить на нее претензии после своего возвращения. После стольких лет отсутствия!

33

Пять лет она ждала Йена. Это очень большой срок. Завтра она перепишет письмо и отправит его вдове погибшего короля.

— Может, не будешь так налегать на виски? — предложил Алекс.

— Ты же не думаешь, что я трезвым могу встретиться с ними лицом к лицу? — усмехнулся Йен.

Он приложился к кувшину еще раз, опустошил его до дна и закинул подальше. Когда тропа сделала очередной поворот, вдали показался родной дом с курившимся в темное небо дымом над трубой, и он остро ощутил, как соскучился по своим. Как же это здорово — снова вернуться под родную крышу! Если бы еще не проблемы с Шилес...

— Большинство женщин терпеть не могут, когда мужика пробивает на пьяные слезы, братец, — снова заговорил Алекс. — Надеюсь, ты не перебрал и сможешь исполнить свой супружеский долг.

— Оставишь ты меня в покое наконец?

— Ох! — Алекс потер место, куда Йен угодил кулаком. — Я просто хотел взбодрить тебя небольшой шуткой.

— Хорошо, что ты пошел со мной, — вдруг сказал Йен. — Шилес потребуется новый муж из наших. Ты точно сгодишься.

— А мне кажется, что ты ничего не имеешь против нее, — не унимался Алекс.

Йен действительно ничего не имел против Шилес. И желал ей хорошего мужа. Только вот не желал стать им.

Все пять лет этот фальшивый брак тяготил Йена. Не то чтобы брак налагал на него какие-нибудь ограничения или в чем-то мешал ему, нет. Однако где-то в глубине он ощущал его как саднящую рану, которая никак не заживет. Теперь, когда он вернулся на Скай, ему следует определить свое место в клане. Нужно будет обязательно завести себе жену. И это означало,

34

что сначала придется разобраться с Шилес. Он до сих пор начинал злиться, стоило вспомнить, как его принудили жениться на ней. И не важно, специально она тогда так поступила или нет, но в том была ее вина. Как только он избавится от этого брака, тогда сможет простить ее.

Где-то в темноте залаяла собака, предупреждая об их появлении. В нос ударил запах лошадей и коровьего навоза. Они миновали хлев, а затем старенький домишко, в котором начинали совместную жизнь его родители. Впереди засветились забранные ставнями окна двухэтажного дома. Его выстроил отец как раз перед рождением Йена.

Пошарив рукой, Йен наткнулся на щеколду и откинул ее. Когда они переступили через порог, их встретил полумрак и запах горящего торфа.

Не обращая внимания на Алекса, который нетерпеливо подталкивал его в спину, Йен остановился у входа, разглядывая собравшихся у очага людей. Мать сидела в дальнем конце. Она все еще была красива, только сильно похудела. А в заплетенных в косу густых черных волосах появились белые пряди.

Напротив нее на скамье сидела какая-то пара. Скорее всего соседи. Между ними и матерью на полу небрежно развалился какой-то парень с каштановыми, как у его брата, волосами. Неужели этот длинноногий юнец, что-то говоривший баском, его маленький братик Нилл?

Не было видно ни отца, ни Шилес, поэтому первое приветствие пройдет легко.

— Привет, мама! — Йен вышел на свет.

Выкрикнув его имя, она кинулась к нему в объятия через всю комнату. Йен подхватил ее на руки, закружил в воздухе.

— Мама, мама, не плачь. — Он поставил ее на пол. Погладив мать по спине, чтобы успокоить, Йен ощутил, как она исхудала. — Ты ведь видишь, я жив и здоров.

— Ты отвратительный сын. Почему ты так долго не возвращался? — Она шлепнула его по руке, но при этом улыбалась сквозь слезы.

— Тетя Бейтрис, я знаю, что по мне вы тоже скучали, — встрял Алекс, протягивая к ней руки.

— А кто этот бравый молодец? — Йен повернулся к брату.

Мать потеряла трех дочерей. Потом родился Нилл, поэтому между ним и Йеном оказалась разница в девять лет. Когда Йен отправлялся во Францию, брат едва доставал ему до плеча. Теперь в свои пятнадцать лет он стал одного с ним роста.

— Быть не может, что это мой младший брат. — Йен обнял его за шею, потрепал за волосы, а потом подтолкнул к Алексу, который сделал то же самое.

— Ну ты посмотри каков! — восхитился Алекс. — За тобой, наверное, бегают все девчонки острова. Меня-то здесь не было.

Нилл с Алексом обменялись парой дружеских тычков. Потом Нилл перехватил взгляд брата и мотнул головой. Йен совсем забыл про пару, которая сидела на скамье, но по сигналу Нилла обернулся, чтобы поздороваться с ними.

Комната словно отъехала куда-то прочь, когда он увидел молодую женщину. Она уже поднялась и стояла в мягком свете очага, уставившись в пол и стиснув перед собой руки. Такого потрясающего оттенка рыжих волос Йен еще не видел никогда. Сияющей волной они спускались на плечи и грудь, обрамляли нежное лицо, при взгляде на которое замирало сердце.

Когда она подняла глаза и прямо посмотрела на него, Йен задохнулся. У нее были ярко-зеленые глаза — настоящие изумруды. И в них светился вопрос, от ответа на который, казалось, зависела ее жизнь.

О чем бы девушка ни спросила его, Йен был **36** готов сказать да.

Глава 4

Было что-то знакомое в этой красивой зеленоглазой девушке, но Йен никак не мог сообразить что именно.

— Эй! — Алекс толкнул его локтем в бок.

Йен понимал, что пора прекратить пялиться на нее, но ничего не мог с собой поделать. Да и с какой стати, если девушка точно так же пристально смотрела на него. Ему стало интересно, этот мужчина рядом с ней — ее муж? И понадеялся, что нет.

Алекс хмыкнул и, обойдя Йена, через всю комнату подошел к ней и поцеловал в щеку, как будто хорошо знал ее.

— Ах, ты хороша — глаз не оторвать. — Алекс отстранился и взял ее за руки. — Если бы я был твоим мужем, Шилес, я бы не заставил тебя ждать ни единого дня.

Шилес? Йен тряхнул головой. Нет, этого не может быть. Молодая женщина ничем не напоминала ту тринадцатилетнюю худышку, которая осталась в его памяти. Куда делись нескладные руки-ноги и острые локти? Ее тело стало изящным, с плавными линиями. У него пересохло во рту.

Однако вздернутый носик остался прежним. А еще он предположил, что волосы у нее всегда были такими, просто он никогда не видел ее причесанной.

— С возвращением, — приветствовала она Алекса тем грудным голосом, который мужчинам так нравится слышать в темноте.

Шилес никогда и не щебетала пискляво, по-девчоночьи. Но откуда взялось это очарование?

— Вы оба, должно быть, проголодались. Пойдем, Шилес, давай покормим мужчин. — Мать взяла ее за руку и, обернувшись через плечо, бросила на сына озабоченный взгляд. Таким взглядом она смотрела на него, когда мальчишкой он в присутствии взрослых допускал какую-нибудь грубую ошибку.

Йен последовал за ними к столу, но Алекс дернул его за рукав.

— Ты что, идиот? — прошипел он. — Ты даже не поздоровался с Шилес. Что с тобой?

— Ты уверен, что это Шилес? — Йен смотрел вслед рыжеволосой девушке.

— Уверен, дурачина, — все не мог успокоиться Алекс. — Разве ты не слышал, как мать назвала ее по имени?

Пришлось отвести от нее глаза, потому что к ним присоединился брат и другой мужчина. Сейчас, при ближайшем рассмотрении, тот оказался их соседом Гордоном Краумахом Макдональдом.

— Йен, Алекс. — Гордон вежливо поклонился.

Йен натолкнулся на твердый взгляд его карих глаз.

— Гордон.

— Давненько ты не был дома, — сказал он так, словно Йен мог бы отсутствовать еще столько же, чтобы сделать ему приятное. — Тут без тебя многое переменилось.

— Правда? — Йен почувствовал вызов в его словах. — Считай, что теперь все переменится, потому что я возвратился.

Хмуро посмотрев на него, Гордон развернулся и отошел к женщинам, которые в другой половине комнаты расставляли на столе еду.

— Спасибо за приглашение поужинать, — обратился к ним Гордон.

— Мы всегда тебе рады. Это такая малость за все, что ты сделал для нас. — Мать лучезарно улыбнулась ему. — Спасибо, что вывел Шилес сегодня на прогулку.

Ради всех святых, почему мать так рассыпается перед этим вероломным Гордоном?

— Если я потребуюсь тебе, мало ли... — тихо сказал Гордон Шилес. — Ты знаешь, где меня найти. — Говоря, он дотронулся до ее руки, и Йена охватил необъяснимый гнев.

Если Шилес и ответила что-то, он все равно не смог бы услышать. В ушах шумела кровь. Между ними что-то есть? Он был готов помочь Гордону найти дверь, но тому хватило здравого смысла уйти самому.

— Что-то ты не похож на того, кто подыскивает себе замену, — сказал Алекс на ухо ему. — Ты еще не передумал?

— Это не означает, что я позволю Гордону наставлять мне рога, — выдавил Йен сквозь стиснутые зубы.

Он не знал, то ли ему пожалеть о том, что он выпил столько виски, то ли напиться окончательно. Проехав полмира, он чувствовал, что потерялся в собственном доме. Все стали другими — брат, мать. И прежде всего Шилес. Ему до сих пор не верилось, что это она.

— А где отец? — спросил он мать.

— Давай поужинай. — Мать исчезла на кухне. Через минуту она вернулась с миской, над которой вился парок. — Это твоя любимая рыба с овощами.

У Йена заурчало в животе от аппетитного запаха, и он понял, что умирает с голоду.

— Так где же отец? — снова спросил он, усаживаясь за стол.

Краем глаза Йен отметил, как мелькнули юбки Шилес, которая исчезла, поднявшись вверх по лестнице.

Ложка замерла на полпути ко рту, когда до него дошло, что он вправе пойти за ней и закрыться с ней в спальне. Сегодняшней ночью. Прямо сейчас! Не дожидаясь ужина, если ему так захочется. А потом и после ужина. Та самая штука у него между ног была только за.

Собственный порыв удивил его. Пять лет он планировал покончить с этим браком, и чем скорее, тем лучше. И ничуть не сомневался в своей правоте. Его занимал единственный вопрос: как все устроить с наименьшими потерями для Шилес и с наименьшими проблемами для самого себя?

Но Йен обдумывал это, не зная, что она превратилась в пленительное создание с голосом, от

39

которого по коже бежали мурашки, а очертания ее фигуры, стоило лишь ему закрыть глаза, заставляли мечтать о ней обнаженной.

Да, совершенно определенно Йену хотелось завалить ее в постель. Любой поступил бы так же. Вопрос был только в том, захочется ли ему, чтобы она навсегда оказалась последней женщиной, которую он затащит в постель? Нынешней ночью он был не готов решиться на это. Черт, ведь Шилес превратилась для него в настоящую незнакомку. Что в ней осталось от той вечно растрепанной девчонки, которая ходила за ним по пятам и нуждалась в опеке?

Йен понимал, что должен сказать ей что-то. Но что? Он не мог прямо так заявить, что готов стать ей мужем и навсегда связать с ней свою жизнь. Так ничего и не придумав, он встал со стула с урчавшим желудком и двинулся к лестнице.

Но не сделав двух шагов, остановился, услышав грохот в соседней комнате. Йен обернулся и перехватил взгляды, которыми обменялись мать с Ниллом. Что-то загремело во второй раз. Нилл вскочил со своего места.

— Я посмотрю, что с ним.

Быстро шагая вверх по ступенькам, Шилес оставила без внимания грохот бьющейся посуды и раздавшийся затем вопль. На этот раз они смогут управиться без нее. Захлопнув за собой дверь, привалилась к ней и глубоко вздохнула. Пошел он к чертовой матери! За последние пять лет Шилес пришлось столько раз рыдать из-за Йена, что теперь на него не осталось слез.

Голова разламывалась от боли, саднило в груди, и она все никак не могла отдышаться.

Глупые планы, которые она строила будучи еще маленькой девчонкой, теперь разлетелись, как тарелка, которой отец Йена внизу запустил в стену. Она обманывала саму себя. Обманывала, когда уверяла себя, что рассталась с детскими мечтами. Обманывала, когда говорила себе, будто не надеется на то, что Йен захочет жить с ней после своего возвращения.

Если бы она не строила надежд, сейчас ее сердце не ныло бы так от потери.

Когда Йен сначала обнял мать, Шилес это поняла. Так и должно было быть. Ей стоило усилий не обидеться, когда затем он поприветствовал Нилла. Ведь тот скучал по старшему брату почти так же сильно, как она. Однако затем наступила ее очередь. Шилес опустила глаза в пол, затаила дыхание и стала ждать. Это Йен уезжал, поэтому он должен был первым подойти к ней. В любом случае, сама бы она не смогла сдвинуться с места — ноги не шли.

Тут в комнате повисла тишина, и Шилес почувствовала на себе его взгляд. Медленно подняв голову, она заглянула в эти глаза — самые синие во всей Шотландии. Пальцы заледенели, ладони стали влажными, а лиф платья — слишком тесным. Пять лет она ждала этого момента!

Шилес представляла его в воображении тысячи раз. Йен широко улыбается ей, ласково смотрит на нее и заключает в объятия. Он говорит, как скучал по ней, как ему хорошо дома. А потом перед Богом и лицом всей семьи называет ее своей женой и целует. Это будет первый поцелуй в ее жизни!

Подходя к ситуации более реалистично, Шилес могла бы представить, что сначала между ними будет ощущаться неловкость, но потом Йен преодолеет ее и попросит прощения. Но у нее даже в мыслях не было, что он вообще не скажет ей ни слова.

Ни единого слова!

С комком в горле, она глазами умоляла его сделать то, что он обязан был сделать. Вместо этого муженек уставился на нее, как будто у нее вырос хвост и плавники. Если она не нужна ему, он все равно должен был проявить вежливость, поздороваться с ней, хотя бы в качестве старого друга, а потом наедине сказать, **41** хочет ли он быть ей мужем или нет. Такая публичная отставка была унизительной и жестокой.

Шилес походила по своей спальне, стиснув руки так, что ногти вонзились в ладони. Парнишка, которого она помнила, никогда бы не позволил себе быть таким злым. Молодой человек, который назвал ее противной, был способен на такую жестокость. Все это время она постоянно находила для него извинения. Даже сейчас. И это было непростительно.

У нее в ушах зазвучали слова, сказанные Йеном в день их свадьбы. «Ты хорошо разглядел ее, отец?» Ах! Она стукнула кулаком по двери. Там внизу, в своем оре они все равно не услышат ее.

Шилес откинула голову назад. «Господи, зачем Ты сделал его еще прекраснее? Неужели это было так необходимо?»

Йен был красивым юношей с добрыми синими, как небо, глазами, обрамленными густыми темными ресницами. Над такими мальчиками трясутся все матери. Мужчина, который вошел в дом этой ночью, ничем не напоминал того подростка. По правде говоря, глаза у него остались такими же синими, а черные волосы такими же блестящими. Только вокруг него теперь витала другая аура — жесткая и опасная.

Возможно, Йен уже стал таким, когда вернулся после войн на границе. Просто тогда она была слишком мала, чтобы понять это. Но в тот момент, когда он сегодня ввалился в комнату, Шилес почувствовала, распознала и поняла, откуда взялось это ощущение опасности. Вместо того чтобы испугаться, она вдруг испытала возбуждение, которое пронизало ее до самых кончиков ногтей. Ей захотелось быть рядом с ним, ощутить его силу, рукой дотронуться до энергии, исходящей от него.

Шилес понимала его, хотела его... А вот Йен отверг ее.

Ей надо было бросить все и уйти из этого дома.

42 Она знала, несколько мужчин их клана ждут не

дождутся, когда смогут назвать ее женой. И не из-за ее земельного надела.

Оглядев комнату, Шилес принялась решать, что заберет отсюда с собой: плед, который мать Йена соткала для нее, разноцветные камешки, которые они собирали вместе с Ниллом, деревянную шкатулку, которую его отец вырезал ей в подарок.

Она прожила здесь пять лет, но не могла назвать это место своим домом. Не важно, насколько ей нравилась семья Йена. Это была его кровь, его семья. Не ее.

Шилес посмотрела на платье, которое держала в руках, и вспомнила, как они болтали с его матерью, сидя у камелька за работой. Всю жизнь ей хотелось иметь семью, дом, где люди собираются за столом, смеются, заботятся друг о друге. Если бы не ожидание, она была бы здесь счастлива.

Семья Йена с самого начала приняла ее с распростертыми объятиями. К ней по-доброму отнеслись и полюбили ее. Чтобы завоевать благоволение его отца, потребовалось много времени, но она все-таки завоевала его. Тяжело было терять семью, в которую она пришла, рассчитывая сделать своей. Однако тут она находилась как жена Йена. Если это не получается, здесь ей не место.

Куда же она отправится?

Шилес опустилась на пол и уперлась лбом в спинку кровати. У нее не было своей семьи, которая могла бы позаботиться о ней, не было собственного дома. Несмотря на то что она унаследовала замок Нок, сейчас его занимал отчим Мердок Маккиннон. После того как он завладел им, она стала бояться, что он приедет и за ней.

Конечно, можно было уйти к Гордону, но она была не готова к такому шагу.

Отчаяние овладело ею, когда она увидела, что за окном стоит тьма и не видно ни зги. Идти куда-то по такой темноте — настоящая глупость. Да и идти-то некуда! Помимо того, нельзя было бросить эту **43** семью, после всего, что она сделала для нее. Надо будет все еще как следует обдумать.

От усталости закружилась голова. Последние недели оказались тяжелыми. А нынешний день — вообще из ряда вон. Утро вечера мудренее, она встанет и составит себе план на будущее.

Шилес скинула наполовину собранную сумку с кровати. Рухнув в постель, постаралась не вспоминать, что лежит на своем супружеском ложе.

Йену стало не по себе.

— Мама, что это? С отцом что-то случилось?

— Отца ранило под Флодденом, — неуверенно улыбнулась мать. — Но теперь ему лучше.

Она вздрогнула, когда за дверью на пол снова полетела посуда. Потом раздался рев отца:

— Умерли, что ли, все?

Йен кинулся к двери и влетел в маленькую комнатку, в которой раньше спали слуги. Ноги приросли к полу, когда он увидел человека на постели.

Невероятно исхудавший отец лежал под пледом с намотанной на голову повязкой, перекрывавшей один глаз. Из-под повязки к нижней челюсти тянулся глубокий красный рубец. Кожа на открытой стороне лица была желтоватой, как пергамент, от прежнего румянца не осталось и следа.

В его памяти отец был высоким, крепко сбитым воином, который ударом меча мог играючи развалить противника напополам. Проводя основное время в горах и на море, он редко бывал дома. Увидеть его беспомощным инвалидом — было настоящим потрясением.

— Привет, папа. — Йен изо всех сил старался говорить бодро.

— Долго ж ты добирался до дому. — Голос у отца дребезжал, слова выходили с трудом, как будто ему не хватало дыхания. Он перевел взгляд на Алекса, который вошел в комнату на цыпочках и встал у

Йена за спиной. — Тебя это тоже ждет, Алекс Бан Макдональд. Дункан и Коннор вернулись вместе с вами?

— Да, — подтвердил Алекс. — Они отправились на запад, чтобы посмотреть, как там обстоят дела.

Во рту у Йена пересохло. В том месте, где у отца должна была быть левая нога, плед лежал абсолютно ровно. Йен с трудом отвел взгляд от этого места, чувство вины повисло на нем тяжким грузом.

— Ты прав, отец, мне следовало приехать раньше. И быть рядом с тобой на поле возле Флоддена.

— Думаешь, сумел бы уберечь мою ногу, да? — Лицо отца покраснело от гнева. — Нет, сынок. Хорошо, что тебя там не было. Иначе ты остался бы там заодно со всеми. Ты нужен семье, потому что я теперь не опора.

Вне зависимости от исхода Йен считал, что должен был сражаться бок о бок с отцом. Слова отца не освобождали его от ответственности.

— Вот если бы ты сражался рядом, я знаю, ты дал бы мне умереть как мужчине. — Отец сердито посмотрел на Нилла.

Йен глянул на брата, впервые осознав, что тот участвовал в сражении. Не мог же крепкий пятнадцатилетний молодец, которого учили воевать, отсиживаться дома вместе с женщинами и детьми.

Нилл, заиграв желваками, примирительно обратился к отцу:

— Да, ладно тебе, папа. Давай я помогу тебе сесть.

Когда он попытался взять за руку, отец оттолкнул его.

— Я сказал, отстань от меня!

Какая-то более серьезная перемена произошла в отце, помимо потери ноги. Пейтон Макдональд как воин нагонял ужас на своих врагов, но всегда был добр и ласков со своими домочадцами.

— Принеси Йену стул и уйди, — скомандовал отец, не глядя на Нилла. — Алекс, не стой в дверях, зайди сюда. Я должен рассказать о несчастьях, случившихся с нашим кланом. Будущее Макдональдов Слита теперь зависит от вас.

Глава 5

— Ты считаешь, нам уже пора уезжать? — удивился Алекс, когда они шли по двору к хлеву. — Мы ведь только что приехали.

— Нужно найти Коннора и Дункана и решить, что делать, — сказал Йен.

Печальные новости, которыми поделился отец Йена, долго не давали им заснуть. Как они и опасались, Черный Хью со своими подручными взял под контроль Данскейт — замок главы клана, сразу же после того, как воины вернулись из-под Флоддена и погребли своего вождя. Хью объявил себя новым главой клана. А потом, когда Маккинноны напали на замок Нок, новый «вождь» остался в стороне и пальцем о палец не ударил, чтобы вмешаться.

Гнев застилал Йену глаза.

— Коннор сказал, что сам найдет нас, когда мы ему потребуемся, — напомнил Алекс.

— Я не могу рассиживаться, когда так много стоит на кону, — отрезал Йен.

Помимо того, ему хотелось уехать куда-нибудь, хоть на пару дней. В доме все переменилось самым неожиданным образом. То, что отец стал калекой, потрясло его. А вид Шилес смущал.

— Так что ты придумал насчет Шилес? — не отставал Алекс.

— Пока ничего.

— Думаешь, что вдали от нее тебе будет легче на что-нибудь решиться? — продолжал задавать вопросы Алекс. — Ты должен знать, что это абсолютнейшая глупость, кузен.

Глупость или нет, именно это Йен и собирался сделать. Из-за того, что его силком заставили произнести брачную клятву, она никогда не связывала его. Но если он соберется взять Шилес в жены по-настоящему, тогда и клятва должна быть настоящей. Это будет его личное решение, и клятву придется держать. До гроба.

— Мне нужно время, чтобы принять решение, — объяснил он.

— Значит, ты считаешь, что все зависит от твоего выбора, да? — уточнил Алекс. — А ты уверен, что Шилес захочет тебя?

Йен повернулся к кузену, чтобы убедиться, что тот не шутит.

— Все это время она жила в моей семье и ждала меня. — Усмехнувшись, он добавил: — Весь клан знает, что девчонка с детства умирает по Йену.

— Но она уже не несмышленый ребенок, — бросил Алекс через плечо, открывая дверь в хлев.

Он вдруг резко остановился, и Йен налетел на него. Выглянув из-за его спины, он понял что, вернее, кто так поразил его.

Шилес, одетая в мужскую рубашку и старые сапоги, вилами чистила стойло. С полосами навоза на лице и с соломой в волосах, она выглядела именно так, какой ее помнил Йен.

Взяв вилы на изготовку, она обернулась к ним и широко раскрыла глаза от удивления. Потом медленно опустила вилы, опершись концом черенка в грязный пол.

— Только не говорите, что надумали опять уехать, — сказала она, пристально глядя на Йена.

— Всего на несколько дней, — объяснил Йен, почему-то испытывая вину, несмотря на то что у него имелись веские причины уехать.

— Ты серьезно? — Она повысила голос. — Теперь ты знаешь, что тут происходит. Ты же видел, что с твоим отцом.

— Шил, мужчина должен делать то, что должен, — сказал он. — На кону стоит будущее нашего клана.

— Черный Хью сидит в замке вождя уже несколько недель. — Шилес подбоченилась. — Мы **47** уж как-нибудь переживем, если он просидит там еще пару дней.

— Если все откладывать в дальний ящик, это только усугубит положение, — сказал Йен.

— Ты уделил матери всего лишь один вечер, и это после того, как бедняжка пять лет не видела тебя.

Йен ощутил приступ раскаяния, но ему требовалось уехать. Чтобы отвлечь ее от этой темы, а заодно удовлетворить свое любопытство, он спросил:

— Почему ты так вырядилась и почему чистишь хлев?

— Кому-то ведь нужно это делать. — Глаза Шилес полыхнули зеленым огнем. — Ты не можешь. У твоего брата это плохо получается, даже когда он старается.

— Вокруг полно других мужчин.

— Где ты их видишь? — Она с такой силой стиснула черенок вил, что костяшки пальцев побелели. — Нескольких человек мы потеряли в сражении, а остальным Черный Хью запретил помогать нам по хозяйству.

Отец ничего не рассказал ему о подобном оскорблении.

— Дай мне эту штуку, Шил, — попросил Алекс голосом, которым он обычно успокаивал лошадей. — Я понимаю, почему тебе хочется применить вилы лично к нему. Но Йен вообще будет ни на что не годен, если ты воткнешь их ему в сердце.

Когда Шилес в ответ метнула на него грозный взгляд, а потом всадила вилы в землю, Алекс поднял руки вверх и отступил.

— Теперь я понимаю, — тихо сказал он Йену, — девица все так же без ума от тебя.

Йен тоже решил попытать счастья. Когда он двинулся к Шилес, она выставила вилы ему навстречу.

— Даже не пытайся мне объяснять, в чем заключается долг мужчины. — От гнева ее глаза наполнились слезами. — Потому что правда состоит в том, что **48** ты только изображаешь из себя мужчину.

Его терпению наступал конец. Как она смеет издеваться над ним?

— Защищать клан — это не игрушки.

— Настоящий мужчина не бросает семью, когда она нуждается в нем, — возразила Шилес. — А защита клана начинается с собственной семьи.

На этот раз Йена пронзила истина, заключенная в ее словах.

— Я останусь до того момента, когда получу весточку от Коннора, — сказал Йен и протянул руку к вилам. — Ступай в дом, Шилес. Я сделаю все сам.

Она грохнула вилы о стену так, что лошади испуганно заржали, а потом как ураган пронеслась мимо него.

В дверях Шилес остановилась, резко обернулась и бросила ему свое последнее слово.

— Пора повзрослеть, Йен Макдональд, потому что ты нужен своей семье.

Йен с Алексом отправились отмываться на залив. Это было лучше, чем нести грязь к матери на кухню и мыться там в лохани.

— Не думаю, что мы служим нашему клану тем, что чистим хлев, — весело сказал Алекс.

— Нам нельзя растрачивать наши таланты. Мы же воины! — Шутливость Алекса почему-то вдруг разозлила Йена. — Мы должны взяться за мечи, пробиться в замок и скинуть Хью со стены на прокорм рыбам.

— А тем временем Шилес будет чистить навоз вместо тебя? — Вскинув брови, Алекс едко усмехнулся. — У Черного Хью столько же прав быть вождем, сколько и у Коннора. Мы не можем просто взять и скинуть его в море, как бы нам этого ни хотелось.

— Но он захватил место вождя, его никто не выбирал. У него нет такого права, — настаивал Йен. — Это грубая ошибка. Он не созвал схода и не дождался возвращения Коннора.

— Я думаю, что Хью рассчитывал на печальное известие о смерти Коннора.

— Уговорить мужчин выступить против Хью, пока он занимает Данскейт, будет нелегко, — задумался Йен. — Нам нужно придумать какой-то ход, чтобы убедить их в том, что Коннор более приемлемый вождь.

— Что-то есть хочется. — Алекс кинул в него грязным полотенцем. — Наверное, время подошло.

— Кое-что из того, что отец рассказал про то сражение, показалось мне очень странным, — начал Йен, когда они пошли назад к дому.

— Что именно? — заинтересовался Алекс.

— По его словам, англичане неожиданно напали на него с тыла, — сказал Йен. — Ты ведь сражался рядом с ним и знаешь, что он замечает все, словно у него глаза на затылке. Как тогда англичанам удалось незаметно пробраться к нему в тыл?

Алекс сжал плечо Йена.

— В свое время твой отец был великим воином. Но он постарел.

— Да, это верно, — согласился Йен. Настроение упало, стоило ему вспомнить землистое лицо и седые волосы отца. — Теперь я здесь для того, чтобы защищать его тылы.

— Как ты себя чувствуешь сегодня, Пейтон? — Шилес поставила поднос на небольшой столик возле кровати.

— У меня нет ноги, как, по-твоему, я должен себя чувствовать? — ответил тот.

Она решила не помогать ему сесть на кровати, зная, что это наверняка разозлит его. Несмотря на то что у нее был полон рот хлопот, поставила стул рядом и сцепила руки на коленях.

— Почему ты такая молчаливая? — Пейтон искоса посмотрел на нее, отправляя в рот овсяную лепешку.

Шилес плотно сжала губы.

— Да, ладно, скажи. Ты сейчас такая злая, что у тебя волосы дыбом стоят.

— Твой сын просто идиот, — выпалила она. И тут же пожалела об этом.

— О каком из моих сыновей-идиотов ты говоришь? — поинтересовался Пейтон.

— Я никогда не скажу ничего дурного про Нилла, ты это прекрасно знаешь, — сказала Шилес. — И перестань винить его за то, что он поступил с тобой так, как был должен.

— Значит, ты про Йена, да? — уточнил Пейтон.

— Отказываюсь понимать, почему тебя это так развеселило, — отрезала она.

Несмотря на собственную злость, Шилес с удовольствием отметила прежний блеск в его глазах.

— Что такого он успел натворить?

Она не стала говорить, что Йен не считает нужным признать ее или их брак — у нее была своя гордость! — поэтому завела речь о его последних проступках.

— Йен не хочет заниматься ни хлебом, ни домашним скотом. — Она скрестила руки на груди. Сейчас за все должен отвечать Йен, и ему пора научиться этому.

— Йена растили воином, а не крестьянином. У него есть более важные задачи. — Пейтон сурово посмотрел на нее. — Я рассказал ему, как этот дьявол завладел замком Нок.

Шилес промолчала, понимая, что потеря ее замка — это незаживающая рана на гордости Пейтона, да и всего клана. В течение пяти лет ее отчим ждал удобного момента и дождался, когда после Флоддена Макдональды ослабели.

Поставив тарелку на поднос, Пейтон откинулся на подушки. По лицу разлилась бледность.

— Если тебе от этого станет легче, могу сказать, что теперь за моим отчимом будет охотиться привидение замка Нок. — Шилес подмигнула Пейтону. — Сомневаюсь, что Зеленая леди даст ему спокойно выспаться хоть одной ночью.

— Как жаль, что твое привидение не носит кинжала, — устало произнес он.

— Хочешь, я расскажу тебе, как оно предупредило меня, чтобы я бежала из замка в тот день?

— Да, девочка, расскажи. — Пейтон закрыл глаза и заснул, не успела она дойти до середины той старой истории. Ей было больно видеть, что великий человек может быть таким слабым.

Его руки, покоившиеся поверх одеяла, были отмечены шрамами, и у каждого из них имелась своя история. Шилес помнила, как ласково поддерживали ее эти руки в то утро, когда их с Йеном нашли спящими в лесу. Стараясь не разбудить старого вояку, Шилес взяла его за руку и подержала в своих руках.

Пейтону становилось лучше день ото дня. Скоро ей можно будет уйти из этого дома. Так будет лучше для Йена. И для всех.

Но она боялась, что, уйдя от них, ей постоянно, как Пейтону ноги, будет не хватать оставленной здесь части самой себя.

Глава 6

Стоя в дверях, Йен наблюдал за Шилес. Это опять была новая Шилес — чистая, опрятная, тщательно причесанная, в темно-зеленом платье — и такая красивая, что захватывало дух. Должно быть, она вымылась в лохани на кухне, потому что щеки ее еще розовели, а заколотые по бокам лица кудри были слегка влажными.

Ему показалось странным, что отец позволил ей держать себя за руку, как ребенка. Потом понял, что старик спит. Хотя Йен был осторожен и старался не шуметь, Шилес почувствовала его присутствие и обернулась. Сегодня ее глаза казались такими же темно-зелеными, как платье, и блестели, словно от сдерживаемых слез.

— Мать просила передать, что обед на столе, — понизив голос, сказал он. — У тебя все в порядке?

Шилес кивнула, забрала поднос и поднялась. Когда Йен отступил в сторону, пропуская ее, она предупредила:

— Он еще слаб. Пусть спит, ему нужно ложиться пораньше.

Шилес была явно добра ко всей его семье, кроме него.

— Отец хотел поговорить, — возразил Йен. — Мне кажется, ему от этого станет только лучше.

— Может, ты и прав, — вздохнула она. — Просто будь повнимательнее с ним.

Йен следил взглядом за этими провокационными покачиваниями бедер, пока Шилес не скрылась на кухне.

Он продолжал следить за ней и во время обеда. С этими пухлыми губками ее рот был просто создан для поцелуев. Каждый раз, когда она складывала губы, чтобы подуть на ложку, его сердце как-то странно замирало в груди. Но не только сердце откликалось на нее. В полной мере заявляя о себе, его мужское естество становилось во фрунт, что твой английский солдат.

К счастью, Шилес не догадывалась, что было у него на уме. А Йен не мог объяснить себе, чего ждет, наблюдая, как она подносит ложку ко рту, улыбается, наслаждаясь едой, проводит кончиком розового языка по верхней губе.

Может, ему просто нужно сейчас уложить ее в постель и сделать то, что требуется. Если в результате у него появится жена, пусть так и будет, значит, пришла пора.

Алекс — этот дьявол! — сидя рядом с Шилес, развлекал ее, пустив в ход весь свой шарм. Запрокинув голову, она расхохоталась над какой-то шуткой. У нее был прелестный смех — открытый и чувственный.

— Не верю ни единому твоему слову, Алекс Бан Макдональд. — Шилес прижала руку к груди, словно не могла отдышаться. — Ты говоришь, пять человек? Как тогда тебе удалось уйти?

— Ты имеешь в виду, как им удалось уйти? — уточнил Алекс. — Очень просто. Я сказал им, что, если они не исчезнут с глаз долой, я их убью.

Йена вдруг стало страшно раздражать, что Шилес наклоняется к Алексу, не спускает с него глаз, слушает эти побасенки, как будто полностью верит в них.

— Там было три человека, а не пять, — внес он поправку, и ему самому не понравился собственный сварливый тон.

Шилес повернулась к нему, улыбка исчезла с ее лица. «Господи, какие у нее красивые глаза, даже если они глядят серьезно, как сейчас». До него донесся аромат цветущего вереска. Она что, добавляет сушеный вересковый цвет в ванну? Ах, значит, каждый дюйм ее тела несет такой аромат!

— Теперь, после того, как мы с Алексом вычистили хлев, — сказал он, — мы пройдемся, поговорим кое с кем из мужчин на этой стороне острова.

— Зачем это тебе? — спросила Шилес.

Йен вскинул брови.

— Вообще-то это тебя не касается, но мы собираемся понять, что народ думает насчет того, чтобы Хью был вождем клана.

— Я и сама могу рассказать тебе об этом, как, кстати говоря, и Нилл, — сказала Шилес, решительно нарезая мясо. Этой силы было достаточно, чтобы раскромсать стол. — Но если хочешь поспрашивать их сам, то завтра все придут в храм на службу.

— К нам на остров приезжает священник, — объяснила мать. — Отец Брайан окрестит всех детей, которые родились за год, после его последнего посещения нашего острова.

В Шотландии всегда не хватало священников. В отличие от Франции церковь здесь была бедна. Хотя вожди кланов могли бы выделять земли под храмы и монастыри, они не торопились это делать. Из-за того

что церковь мало заботилась о пропитании своих

слуг, мужчины редко шли в священники, а тех из них, кто женился, не выгоняли. Что касалось разводов и заключения браков, в Шотландии церковные законы не всегда соблюдались.

— На мой взгляд, дождаться завтра и пообщаться с мужчинами в церкви — это хорошая идея. — Алекс широко улыбнулся Шилес. — Ты согласен, Йен?

Он кивнул, хотя предпочел бы отправиться вести переговоры прямо сейчас. Ему нужно было почувствовать, что он хоть что-то делает.

— И не забудьте поговорить с женской половиной, — вмешалась мать. — Как говорили в старину, «отвернись от того, кто в грош не ставит женщин».

— Шилес, — вдруг обратился к ней Алекс, — что скажешь, если мы с тобой сегодня покатаемся на лодке?

Алекс явно пытался задеть его. Йен выразительно посмотрел на кузена, чтобы дать понять, что это не предмет для веселья.

— Звучит заманчиво, — мягко улыбнулась Шилес. — Но мне нужно убраться на кухне, а потом перекинуться парой слов с Йеном.

Она произнесла его имя с таким выражением, с каким говорят «дерьмо свинячье».

Потом повернулась и тяжело глянула на него.

— Когда все доешь, сможешь уделить мне несколько минут?

Шилес выглядела теперь совсем по-другому, но осталась такой же прямолинейной, как тогда, когда была беспризорной девчонкой. Ясно, что ей хотелось узнать о его намерениях. Тут Йен снова напомнил себе, что ему необходимо время на принятие такого важного решения.

— У вас нет женщины, которая помогает вам по кухне? — Его это не очень интересовало, просто нужно было поддержать разговор. У них всегда работали женщины из их клана, которые за жилье и питание помогали матери.

55

— К нам приходило много народу посоветоваться с отцом насчет выборов нового вождя, — сказала мать. — Пейтон уговаривал всех дождаться Коннора. После этого Черный Хью обложил нас со всех сторон.

— Потом Хью стал угрожать каждому, кто здесь работал, — продолжила за нее Шилес, — и мы попросили всех уйти.

— Давай, иди поговори с Йеном. — Мать забрала посуду у Шилес. — Я сама все уберу.

Когда Йен встал из-за стола, на кухню вошел Нилл. Шилес не стала выговаривать ему за пропущенный обед, вместо этого она ласково посмотрела на него.

— Нилл, ты можешь побыть со мной и Йеном? Интересно, зачем он ей понадобился?

— Конечно, для тебя что угодно, — улыбнулся Нилл и повесил свою шапку возле двери.

— Спасибо. — Голос у Шилес слегка дрогнул, как будто Нилл сделал что-то такое, что тронуло ее.

Поднимаясь за ней по лестнице, Йен вдыхал запах вереска. Он не спускал глаз с ее узких лодыжек, которые виднелись из-под колыхавшихся юбок. Подняв глаза, он легко представил, какие у нее мягкие, округлые ягодицы.

Шилес завела их в комнату, которая когда-то была его спальней. Сейчас здесь все выглядело по-другому. На подоконнике лежали в ряд красивые разноцветные камешки. На столе в кувшине стояли засушенные цветы. У него все сжалось внутри, когда он вспомнил про их «первую брачную ночь», которую провел до рассвета лежа на голом полу без сна. То был последний раз, когда он видел эту комнату. Йен посмотрел на свою старую кровать. Кровать, в которой теперь спала Шилес. Захоти, он мог бы спать с ней здесь каждую ночь. Его это страшно возбудило, стоило лишь подумать о такой возможности. Если они останутся вместе, он соорудит новую кровать, соответствующую замку Нок, с балдахином на четырех столбах, с тяжелыми занавесями. Такую он видел во Франции.

Шилес села на стул у стола и жестом показала им сделать то же самое. Нилл сел напротив нее, наверное, так было у них заведено. А Йену достался стул между ними, который он и занял, оказавшись лицом к стене.

— Не знаю, понимаешь ли ты, насколько тяжелым было состояние отца, когда его привезли сюда, — негромко начала Шилес, не отрывая взгляда от стола.

— Он две недели пролежал без сознания, — вставил Нилл. — Это чудо, что ему удалось выжить.

Отец предпочел бы умереть, но не оставаться калекой. На его месте Йен думал бы точно так же.

— Поскольку тебя здесь не было, в эти несколько последних недель нам с Ниллом пришлось принять кое-какие решения. — Она заговорила отрывисто. — Надеюсь, ты одобришь то, что мы сделали.

— Что за решения? — поинтересовался Йен.

Шилес встала и сняла стопку бумаг с полки над столом.

— Сколько крупнорогатого скота забить к зиме, сколько овец продать или докупить, все в таком духе.

Она снова села и разложила бумаги перед ним на столе.

— Коли ты теперь здесь, будешь отвечать за все сам. — Шилес помолчала, потом добавила: — По крайней мере до тех пор, пока отец полностью не придет в себя.

Йен погрузился в бумаги. Всю первую страницу сверху донизу занимали колонки цифр.

— И что я должен с этим делать?

— Шилес все тебе объяснит. — Нилл усмехнулся ей. — Она уже несколько лет помогает отцу вести хозяйство и разбираться с арендаторами. Тебе не мешало бы послушать, как он хвалит ее за ум и хватку.

Это он об отце? Отец позволил какой-то девчонке помогать ему да еще и гордится этим? Не хотелось думать, что брат привирает, но и поверить в это было трудно.

Йен смотрел на Шилес, пока она говорила, вслушиваясь в то, как звучала ее речь, пропуская **57** смысл сказанного мимо ушей. От него не укрылось, как часто она обращается к Ниллу за поддержкой. Что поразило его, так это энтузиазм, с которым она относилась к хозяйственной тягомотине. Но еще больше на него произвела впечатление ее проницательность: каким-то непостижимым образом Шилес поняла, что Ниллу необходимо, чтобы к нему относились как к мужчине.

Наверняка отца мало беспокоило, уязвляет он гордость младшего сына или нет. Вспомнив его суровое обращение с Ниллом, Йен испытал к Шилес признательность за то, что она так добра к брату. Надо будет спросить ее, почему отец гневается на Нилла.

Задумавшись над отношениями отца и брата, он не сразу сообразил, что она закончила отчитываться по счетам. И тут Шилес поднялась.

— Теперь мне нужно идти, — сказала она, поправляя юбки, — иначе белье так и останется грязным, а вы — без ужина.

Йен спросил у нее без всякой задней мысли:

— Разве это не обязанность матери — вести хозяйство? — Вслед за этим вопросом у него в голове возник еще один. Он ткнул пальцем в бумаги перед собой. — Почему она не стала заниматься всем этим вместо отца?

— Ты думаешь, что я специально отодвинула ее от дел? — Голос Шилес упал до шепота. — Ты действительно так считаешь?

Обида в ее глазах подстегнула его.

— Я не то хотел сказать, — начал Йен, но она остановила его.

— Впрочем, это не важно. — Хотя весь ее вид говорил об обратном. — Теперь ты возьмешь ответственность на себя, и все заботы лягут на тебя.

— Подожди, — попросил он, хватая ее за руку. — Ты прекрасно справлялась с делами, и я буду просто счастлив, если ты и дальше станешь ими заниматься.

58 — Мое положение не позволяет мне этим заниматься, — отрезала Шилес.

Йен почувствовал себя полным ничтожеством. И не успел он придумать, что сказать, чтобы извиниться, как она вышла из комнаты. Как только Шилес оказалась за дверью, брат стукнул кулаком по столу.

— У тебя нет ни малейшего представления, что здесь творилось, пока ты наслаждался приключениями.

Йен натолкнулся на гневный взгляд брата.

— Ну так просвети меня.

— Я привез отца домой едва живым. — Наклонившись вперед и уставившись на свои руки, Нилл заиграл желваками. — Я не знаю, что бы мы делали без Шилес. Она промывала ему раны каждый день, накладывала мазь, которую приготовила Тирлаг.

Скорбь и чувство вины овладели Йеном. Теперь он никогда не узнает, сумел бы он защитить отца, если бы находился рядом с ним на поле сражения. Но наверняка все сложилось бы по-другому, потому что он владел мечом намного лучше, чем другие.

— Пока отец лежал без сознания, — продолжал Нилл, — Шилес часами сидела возле его постели, разговаривала с ним, читала ему, как будто он слышал каждое ее слово.

Йена удивило то, что, по словам Нилла, получалось, будто Шилес единственная заботилась об отце.

— А что мама?

— Мать перестала говорить, когда до нее дошло, что отец умирает. Она напоминала ходячий труп. — Нилл не поднимал глаза, говорил тихо и невыразительно. — Мы с Шил насильно кормили ее, однако она становилась все слабее. Нам уже стало казаться, что мы потеряем и ее.

Горечь вины подкатила к горлу. Нилл был слишком молод для такой ноши. Эта тяжесть предназначалась для плеч Йена.

— Матери заметно полегчало, когда две недели назад отец пришел в себя. Но он... — Нилл отвернулся и посмотрел в небольшое окно. — В общем, он был в отчаянии, когда очнулся и обнаружил, что лишился ноги.

Йен придвинулся к нему и сжал его плечо.

— Я очень жалею, что меня не было здесь. Мы отплыли сразу, как только узнали про Флодден.

— Тебе следовало вернуться задолго до этого, — твердо сказал Нилл. — Ради Шилес. Ты опозорил ее, уехав так надолго.

Йен никогда не задумывался над тем, что его отсутствие отразится на ней таким образом. До своего возвращения он относился к ней как к несовершеннолетней девчонке, которая еще не доросла до замужества.

— Так или иначе, я поступлю как должно, — сказал Йен. — И я очень благодарен тебе, что ты позаботился о семье в мое отсутствие.

— Благодари Шилес, а не меня. — Брат резко поднялся, оттолкнув стол. Его трясло от гнева. — Она гнобилась как про́клятая ради нашей семьи. Ты видел, какие у нее круги под глазами? Я помогал ей как мог, но этого было недостаточно.

— Теперь я возьму все на себя. — Йен заставил себя не повысить голоса.

— Тогда лучше уговори ее остаться, — не останавливался Нилл. — Без нее нам не справиться.

— Шилес пока никуда не уйдет. — По крайней мере до тех пор, пока он не придумает, как ему поступить.

— Удивительно, что она еще не ушла. — Нилл сверлил его взглядом. — Если хочешь знать, мужики стоят в очереди, дожидаясь, когда у нее лопнет терпение и она бросит тебя.

Глава 7

На соседней кровати храпел Алекс. Йен лежал без сна и смотрел, как в прорезях ставен старого дома начинает светлеть небо. Впереди его ждал сложный день. Важный день для него самого и для всего клана.

60   Оценив все положительные и отрицательные сто-

роны, что открылись ему за двухдневное пребывание дома, Йен решил признать Шилес своей женой. Об этом он скажет ей сегодня, после того, как поговорит с людьми в храме.

В конце концов выбор оказался не трудным. Шилес стала чем-то вроде стержня, вокруг которого сгруппировалась его семья. Это произошло во время его отсутствия, когда родные больше всего нуждались в нем, и поэтому сейчас было невозможно безболезненно удалить Шилес и лишить их опоры. Вдобавок они все полюбили ее. Если откровенно, его немного беспокоило отношение к ней Нилла. Оно было не вполне братским, но Нилл совсем юн и через какое-то время перерастет свое чувство.

Что касается ее отношений с матерью, то Шилес удалось заполнить пустоту в материнском сердце, возникшую после смерти дочерей. Но больше всего удивляла близость Шилес с его отцом. Несмотря на то что ей приходилось много работать по дому, Йен по несколько раз на дню видел ее у постели отца. Казалось, присутствие Шилес благотворно действует на старика. Хотя отец в отличие от матери никогда открыто не скорбел о потере дочерей, тем не менее эта рана, похоже, болела, и Шилес облегчала ему душевные страдания.

Даже если бы не было других причин, Йен должен был бы держать Шилес при себе ради своей семьи. Помимо того, она являлась наследницей замка Нок, отлично справлялась с делами, и ее присутствие горячило ему кровь. Какого еще рожна нужно мужику?

Теперь, когда Йен вернулся домой, чтобы занять свое место в клане, ему требовалась жена. И можно будет не суетиться по этому поводу, ибо та, что уже имелась, полностью соответствовала его требованиям. Единственный минус заключался в том, что он не выбирал ее сам. Но нужно быть ослом, чтобы по этой причине отказаться от Шилес, когда все остальное устраивало его лучше некуда.

Итак, он все разложил по полочкам. Теперь дело оставалось за малым — отвести Шилес в сторонку и поговорить с ней начистоту. Но сначала нужно, конечно, заняться делами клана, чтобы оградить сородичей от Черного Хью. Это главнее! Он утрясет с ней все после сегодняшнего похода в храм.

А потом сразу потащит ее наверх, в спальню.

Йен улыбнулся своим мыслям. Именно это обстоятельство перевесило чашу весов в пользу их брака. Он больше не будет ночевать вместе с Алексом в старом доме. И как только Шилес узнает о его решении, она перестанет упражняться в остроумии на его счет.

Пусть использует свой язык с другой пользой...

— Ты не собираешься вставать? — Йен вдруг увидел, что Алекс, уже полностью одетый, пристегивает к поясу меч.

Йен усмехнулся. Сегодня в первый раз после возвращения домой у него было легко на душе. Ему не терпелось увидеть выражение лица Шилес, когда он ей все расскажет. Йен помнил, как она всегда засматривалась на него снизу вверх, как сияли ее глаза, словно он был самым сильным и самым отважным мужчиной, на которого она могла всецело положиться.

Когда он сообщит ей о своем решении, Шилес снова будет так же смотреть на него. Только теперь глазами женщины. И с желанием женщины. Потом он обнимет ее и поцелует долгожданным поцелуем. Ах, сколько лет прошло после того их первого поцелуя!

А потом подойдет черед и того, что свершится между ними в первый раз...

Кровь Господня, у него ведь еще ни разу не было девственницы. Йен всегда старательно избегал их. Удивительно, но сейчас мысль о том, что он уложит в постель непорочное создание, вдруг показалась ему... возбуждающей. Во всяком случае, мысль о вполне определенной девственнице. Шилес станет его единственной, отныне и навсегда!

— Йен, — позвал Алекс, возвращая его на бренную землю.

Пришлось встать, прикрываясь пледом, чтобы Алекс не увидел, насколько он возбужден. Даже возникла тянущая боль внизу живота. Ничего, ждать осталось недолго. Сегодня! Этой ночью он затащит Шилес в постель.

Но сначала — встреча с людьми. Сначала дело, удовольствие потом.

— Я смотрю, ты во всеоружии готов к посещению храма, — обратился Йен к Алексу, подвязывая свой меч.

— Еще бы. Мне не хочется оказаться там с пустыми руками, рассчитывая лишь на уважение Хью к дому Божьему.

Новость о прибытии Йена и Алекса уже должна была дойти до ушей Черного Хью и наверняка заставила его заволноваться. Он был отнюдь не дурак. И понимал, что если они двое здесь, то где-то рядом обретаются Коннор с Дунканом.

— Сколько при тебе клинков? — спросил Йен, опуская кинжал за голенище сапога.

— Всего пара, — скривился Алекс.

— Держи. — Йен кинул ему еще один. — Вчера я забрал пару лишних в доме.

— Добрый ты человек. — Алекс перехватил клинок на лету.

Шилес не попалась ему на глаза во время завтрака. Он увидел ее с матерью у ворот, когда они вместе с Алексом и Ниллом вывели коней.

— Ты уверена, что я тебе не потребуюсь? — Шилес обратилась к матери.

— Слишком уж ты беспокоишься. — Мать похлопала ее по руке. — Я уже пришла в себя. Так что мы с Пейтоном обойдемся без вас.

Шилес чмокнула мать в щеку и повернулась к мужчинам, которые уже сидели верхом.

— Такой прекрасный день! — сказала она. — Мы можем прогуляться пешком.

— Нет, мы поедем верхом, — возразил Йен.

Действительно, моросило совсем чуть-чуть, что в середине октября в Шотландии могло считаться отменной погодой. Но Йен хотел отправиться верхом на тот случай, если вдруг придется срочно убираться прочь.

Когда Шилес направилась в сторону Нилла, Йен вывел коня вперед и преградил ей дорогу.

— Поедем со мной.

Последовала пауза, и ему показалось, будто Шилес вот-вот откажется. Йен почувствовал досаду. Но тут же напомнил себе, что Шилес еще ничего не знает о его решении. Наконец она подала ему руку, и Йен поднял ее и посадил перед собой. Пустив коня рысью, он крепко прижал ее к себе. Потом обернулся, чтобы попрощаться с матерью, и увидел, что та одобрительно кивнула ему головой.

Его решение сделать Шилес настоящей женой осчастливит сразу двух женщин.

Все разумные мысли вылетели из головы от запаха ее волос, от прикосновения ее ягодиц, уютно устроившихся между его бедер. Но поездка была короткой, поэтому пришлось сосредоточиться на том, что сказать людям, как только они окажутся на месте.

На пути к церкви они должны были проехать мимо замка Данскейт — места пребывания главы клана. Замок стал знаменитым благодаря двум женщинам. Обе они, как утверждала старая Тирлаг, являлись предками Дункана. В древних сказаниях говорилось, что Данскейт за одну ночь построила морская ведьма. Потом великая кельтская королева-воительница Скатах устроила здесь свою легендарную школу героев.

Йен видел замок тысячи раз, но сегодня впервые смотрел на него глазами осаждающего. Данскейт возвышался на скале, вдававшейся в море. От скалы до острова было расстояние в двадцать футов. Если отвесная скала не смогла бы остановить атаку с моря, то непреодолимым препятствием для нападавших стали бы вздымавшиеся ввысь крепостные стены пятифутовой толщины.

Проникнуть в замок можно было двумя путями. Либо воспользоваться воротами, выходящими к морю в дальнем конце и которые, кстати, легко блокировались, либо по огороженному стенами мосту, соединявшему замок с островом. Если повести атаку с моста, то защитники замка просто поднимут разводную часть на своей стороне и придется остановиться. В случае если нападавшие все-таки захватят подъемный мост, тогда им придется сражаться на стенах, а для этого брать с боем лестницу в стене, где не размахнешься мечом, такие узкие у нее пролеты.

— Легко оборонять и трудно взять, — высказал Алекс то, о чем думал Йен.

— Это точно. — Когда они миновали сооружение, Йен прищурился и посмотрел наверх башни. Может, Хью сейчас наблюдает за ними через бойницу?

Было трудно смириться с мыслью о том, что замок, в котором Скатах учила мастерству прославленных воинов древности, сейчас захвачен жадным, бесчестным мерзавцем.

Возле храма уже собралась толпа. Людей было столько же, сколько камней, сваленных у замкового моста. Церковное здание было бедным и неказистым, жалким подобием соборов, которые Йен видел во Франции.

За мыслями о Хью и о стоящей перед ним задаче он совсем забыл поговорить с Шилес. Но теперь было не до того.

— Побудь с ней, — кивнул Йен брату, помогая ей спешиться. — Мне нужно потолковать с людьми.

Как и было запланировано, они с Алексом порознь пошли через толпу, чтобы выяснить, что сородичи думают про Хью, объявившего себя вождем. После полагающихся приветствий некоторые тихо рассказали Йену о притеснениях их семей, которые тво-

65

рит Хью. Самым разговорчивым оказался Тейт Макдональд — жилистый тридцатилетний мужчина.

— Хью силой взял мою сестру, а потом выгнал ее беременную. — Глаза Тейта горели ненавистью.

— Ты ведь не станешь ждать судного дня, чтобы увидеть, как он получит сполна? — спросил Йен. — Я бы не стал.

— Пусть теперь почаще оглядывается. — Тейт подошел бочком и добавил: — Многие поддержат, если ты выдвинешь себя в вожди.

— У меня не та кровь. — Йен был искусным воином и в сражении мог вести людей за собой. Но хороший глава клана должен быть еще терпеливым дипломатом, а терпение не относилось к числу его добродетелей.

— Нет, это должен быть Коннор, — сказал он Тейту. — Коннор тоже вернулся. Он станет прекрасным вождем, даже лучше, чем его отец.

— Передай ему, что я на его стороне, — сказал Тейт.

Йен оглядел Тейта с ног до головы и пришел к выводу, что быстрота реакции, несмотря на небольшой рост, окажет ему добрую услугу в бою.

— Он обрадуется, узнав, что ты с ним заодно.

Начало было положено. За Тейтом последуют другие. Как говорится, одна корова повалит забор, и за ней пройдет дюжина.

— Плохо то, что люди помнят его только мальчишкой, — посокрушался Тейт. — Его давно не видели.

Это была правда. Люди должны узнать Коннора, чтобы самим оценить его мужество и отвагу. Хотя если он обнаружит себя раньше времени, то подвергнется опасности.

— А еще, — продолжил Тейт, — люди негодуют, что, объявив себя вождем, Хью остался в стороне, когда Маккинноны напали на замок Нок. И им не понятно, почему он не пытается забрать его назад.

Потеря Нока тяжелым грузом вины висела на шее Йена. Пусть он получил замок помимо своей воли, но он все равно нес за него ответственность.

На следующее утро, после скоропалительной «женитьбы», они с вождем страшно удивили отчима Шилес известием о ее замужестве и демонстрацией подавляющего преимущества в силе. Как только Маккинноны освободили замок, Йен отплыл во Францию, больше не заботясь о том, как вождь будет управлять Ноком от его имени. Но теперь в нем кипела злоба вперемешку со стыдом. Сородич, который командовал защитой Нока в отсутствие Йена, был убит при осаде замка Маккиннонами.

Пробираясь через толпу, Йен снова и снова слышал претензии из-за потери замка.

— Что ты собираешься предпринять насчет замка твоей жены? — Такой вопрос ему задали не один раз. — Мы готовы сражаться за него, но нам нужно, чтобы вождь повел нас за собой.

«Помяни черта...»

Тут люди, окружавшие Йена, вдруг как по команде посмотрели ему за спину и расступились по сторонам. Он обернулся и увидел, что в сопровождении отряда всадников из замка выехал Хью. Поверх голов Йен обменялся взглядами с Алексом. Кузен кивнул, давая понять, что тоже увидел Хью, и смешался с толпой.

Йен перехватил священника.

— Отец, отведите женщин и детей в храм.

Тот огляделся по сторонам и заметил Хью с охраной.

— Я их, конечно, отведу, но предупреждаю вас, что не потреплю никакого насилия во дворе Божьего дома.

— Тут все зависит от Хью, — заметил Йен. — Я могу только пообещать, что не начну первым.

Потом нашел Шилес и Нилла.

— Побудь вместе со всеми женщинами. — Он положил руку ей на талию и слегка подтолкнул вперед.

Шилес бросила взгляд через плечо на приближавшуюся кавалькаду.

— Я не боюсь Хью.

67

— А надо бы, — возразил Йен и сжал ей руку, чтобы она поняла, насколько он серьезен. — Нилл, проследи, чтобы она оказалась в храме, а сам вместе со священником помоги другим.

И Нилл, и Шилес нахмурились, но у него не было времени начинать с ними спор.

— Уходите оба.

Он подошел и встал рядом с Алексом, как раз когда воинский отряд въехал на церковный двор. Хью сразу нашел Йена в толпе. И Йен ответил ему прямым взглядом.

«Могу хоть сейчас отхватить тебе яйца, Черный Хью».

Остановив коня в ярде от Йена, Хью развалился в седле, бросив стремена. Какое-то время они молча мерили друг друга взглядами. Хью был крупным мужчиной с квадратным лицом и очень походил на отца Коннора и на Рагналла. Из шести братьев он был самым младшим. Ему едва перевалило за тридцать, но годы, проведенные в море, преждевременно состарили его.

Когда отец Коннора стал главой клана, Хью занялся пиратством и, судя по многочисленным рассказам, преуспел в этом ремесле. Некоторые всерьез считали, что он может по желанию вызвать на море туман, поскольку чаще всего именно под покровом тумана его лодки скрывались после нападения на корабли. Другие рассказывали, что Хью закопал несметное количество золота на острове Уист и что попавших к нему в плен детей он скормил морскому дракону, который теперь охраняет его сокровища.

— Мне сказали, что вы вернулись вдвоем, — заговорил Хью, положив руку на рукоятку длинного кинжала у себя на поясе. — Вам надо было прийти в замок и засвидетельствовать свое уважение.

— Если бы в нашем хозяйстве по-прежнему были работники, я сумел бы найти немного времени для визита.

68

— Всем отойти в сторону, — скомандовал Хью, махнув рукой. — Мне нужно перекинуться парой слов с нашими блудными сыновьями.

Он молча дождался, когда толпа отодвинулась на несколько шагов.

— Я просто хотел немного приободрить твоего отца, чтобы он подтвердил мне свою лояльность. — Глаза Хью весело блеснули. — Но коли ты здесь, я могу принять твои уверения в верности вместо него.

Гнев душил Йена. Рука сама собой потянулась за мечом, висевшим за спиной. Один взмах, и он избавит клан от этого подонка.

Йен не стал сбавлять тона.

— Пока мой отец жив, я не стану принимать решения вместо него. — «Скользкий ты ублюдок!»

— Мне сказали, будто он лишился ума, как и своей ноги, — продолжал Хью. — Это твой долг выйти вперед и занять место главы семьи.

— Всем собравшимся здесь, — громко произнес Йен, обводя рукой мужчин, стоявших во дворе, — прекрасно известно, что мой отец вместе с Повелителем островов участвовал во многих битвах, защищая наш клан. Он заслужил уважение своего сына и своего клана.

Народ откликнулся одобрительным гулом и согласным киванием голов.

— Я не буду заступать место моего отца и давать обещания вместо него. — Йен пристально смотрел на Хью.

— А что об этом думает твой отец, Александр Бан Макдональд? — вдруг спросил Хью.

— Если ты спрашиваешь, значит, он не поддержал тебя, — усмехнулся Алекс, давая понять, что ему известно, как его отец не любит Хью. — Можешь не беспокоиться, он полон сомнений насчет твоих способностей командовать людьми.

На шее у Хью запульсировала жилка, он быстро перевел взгляд с Йена на Алекса и обратно. **69**

— В конце концов все вы будете стоять передо мной на коленях, — отрезал он. — Передайте это Коннору, когда увидитесь с ним.

Йен повернулся к собравшимся, предоставив Алексу защищать его с тыла.

— Как сын Пейтона, племянник покойного вождя и член нашего клана, — прокричал он, — я призываю созвать общий сход, чтобы выбрать нового вождя клана, как заведено у нас исстари.

Снова обернувшись лицом к Хью, Йен увидел, что тот разглядывает его с таким выражением лица, словно вот-вот кинется на него и вонзит меч ему в грудь. Гул одобрительных голосов явно заставил его передумать.

— Хорошая идея, — процедил Хью сквозь зубы. — Можем прямо сейчас все вместе отправиться в замок и устроить сход в главном зале.

Люди Хью — головорезы, оставшиеся с ним еще со времен пиратства, вскинули вверх кулаки и громко заорали в знак одобрения. В какой-то момент Йен испугался, что потерял контроль над толпой, но по воцарившейся вслед тишине понял, что его сородичи не согласны с предложением Хью.

— У каждого мужчины есть право выбора нашего вождя, — вышел вперед Тейт. — Нужно известить всех членов клана и заранее сообщить о дате схода.

Снова возник одобрительный гул.

Хью чувствовал настроение толпы так же хорошо, как и Йен.

— Мы одобрим мое вступление на пост вождя клана на сходе по случаю Самайна*, — предложил он. — Я разошлю всем приглашения, чтобы каждый мог прийти в замок и заявить мне о своей преданности.

Вскинув брови, Алекс посмотрел на Йена. Теперь по крайней мере у них не будет нужды пробиваться в замок, прокладывая себе дорогу оружием.

---

70 * Самайн — кельтский Новый год, который празднуют 31 октября.

— А сейчас давайте посмотрим, как будут крестить наших деток. — Хью махнул рукой своему отряду, и толпа разделилась, пропуская их к дверям храма.

— Ну ты и храбрец. — Йен повернулся к Алексу, дожидаясь, пока все зайдут внутрь. — Как ты думаешь, у моего отца есть сомнения в твоих способностях командовать людьми?

— В моих способностях? Я всего-навсего хотел, чтобы Хью вытаращился на меня, как он таращился на тебя. — Обменявшись ухмылками, они направились в храм.

— До Самайна осталось всего три недели. — Алекс понизил голос.

— Будет легче взять замок силой, — откликнулся Йен. — А то попробуй, успей уговорить каждого твердолобого Макдональда за такой короткий срок.

— Жалко, что мать не утопила Хью при рождении.

— Да уж, это большая жалость.

Священник, своей статью и манерами напоминавший воина, громоздился в дверях и заставлял каждого оставлять оружие за порогом.

— Теперь, ребята, складываем мечи в эту кучку, а кинжалы — в эту. Никакого оружия в моем храме.

— Вы и Хью с его отрядом заставили разоружиться? — поинтересовался Йен, когда подошла его очередь.

— А как же, — ответил священник. — Вот и тебя тоже.

— Смелый вы человек, — негромко произнес Йен. — А если вы еще и добрый человек, то должны знать, что Хью — это орудие дьявола.

Темные глаза священника сверкнули огнем, и он согласно кивнул Йену.

— Можете быть уверены, что Хью со своими приспешниками припрятал от вас несколько клинков, — продолжал Йен. — Не хочу показаться невежливым, но это означает, что мы с кузеном тоже должны оставить кинжалы при себе.

— Спрячьте их как следует, — тихо буркнул священник.

Придвинувшись ближе, Йен прошептал ему на ухо:

— Когда подойдет время, нам потребуется каждый хороший человек. Вы тоже, отец.

— Бог на стороне справедливости, — сказал священник. — А сейчас примите участие в божеском деле, заходите внутрь.

Одного взгляда Йена было достаточно, чтобы мальчишки, занимавшие заднюю скамью, встали и нашли себе другое место. Ему с Алексом нужно было сесть поближе к дверям. И к кучкам оружия за дверями. Усевшись, Йен оглядел заполненный до отказа храм, пытаясь отыскать Шилес. И без труда нашел ее в передних рядах. Такие яркие рыжие волосы были у нее одной, хотя рыжих здесь хватало.

— Кто это рядом с ней? — прошипел он на ухо Алексу.

— Рядом с кем?

— Черт возьми, ты прекрасно знаешь, что я говорю о Шилес.

Алекс даже не попытался скрыть улыбку.

— Не сомневаюсь, что это твой сосед Гордон. — И после паузы добавил: — Гордон прекрасный человек. Могу поспорить, что девицы считают его еще и красавцем.

Йен посочувствовал дюжине пронзительно заверещавших младенцев, которых окропили святой водой, когда началась церемония.

— Это же надо, сколько детей родилось в этом году! — удивился он.

— Можно сказать, что нашим мужикам эта зима удалась, — заметил Алекс.

Они первыми оказались во дворе, после того, как окрестили последнего младенца. Капли святой воды еще не успели высохнуть на крошечных детских головенках, как Йен с Алексом уже забрали свое оружие назад.

— Как здорово снова почувствовать его в руках, — сказал Алекс, целуя свой меч.

Когда Хью со своим эскортом вышел из храма, они уже стояли бок о бок с клинками наготове.

Он остановился перед ними.

— Помяните мое слово. Если вы не умрете до Самайна, — тихо, с угрозой произнес Хью, — будете валяться у меня в ногах на сходе.

— Либо ты, либо мы будем покойниками еще до того, — мгновенно парировал Йен.

Он стоял и разглядывал людей, выходивших из храма и шагавших мимо. Большинство из них были ему хорошо знакомы. Каждый человек сейчас понимал, что возвращение горцев из Франции резко изменило баланс сил на острове. Теперь каждому придется сделать выбор в пользу одной из сторон.

Когда последний из эскорта Хью оказался на мосту, ведущему к замку, Йен заметил среди людей Айлизу — сестру Дункана. Глядя на нее, такую хрупкую, с трудом верилось, что она и Дункан рождены одной матерью. Одетая в бесформенную хламиду и повязанная каким-то старушечьим платком, Айлиза держалась компании замужних женщин. Йен узнал ее только тогда, когда она подняла голову и послала ему острый взгляд. Потом качнула головой, давая знать, что хочет поговорить с ним.

Он подошел к этой группе женщин, и они обступили его, расспрашивая о путешествии во Францию. Ему понадобилось время, чтобы отвести Айлизу в сторону.

— Сочувствую тебе из-за гибели мужа при Флоддене. — Они отошли на достаточное расстояние, чтобы их никто не услышал.

Какое-то непонятное выражение пробежало по ее лицу, прежде чем Айлиза опустила глаза и кивнула, принимая его соболезнование.

— Где ты сейчас живешь? — поинтересовался Йен.

— Вернулась в замок.

Йен уставился на нее.

— Это небезопасно. Хью и его подручные — народ свирепый.

Хотя Айлиза с Дунканом выросли в замке, Йен полагал, что она осталась жить в семье покойного мужа.

— Ах, там никто меня в упор не видит, — слабо улыбнулась Айлиза. — А для того чтобы держать их на расстоянии, я намекнула, что учусь волшебству у Тирлаг.

— Мне кажется, Дункан будет против того, чтобы ты оставалась там.

— Это если я позволю Дункану диктовать мне, что делать. — Она закатила глаза. — Я прожила без его инструкций четыре года, пока вы где-то прохлаждались. Он уже попытался, но я в сто раз упрямее его.

Красноречивое признание!

— Но почему ты осталась в замке? — настаивал Йен. — Если тебе не хочется жить с семьей мужа, живи у нас.

— Коннору нужны глаза и уши в замке. Ни у кого, кроме меня, это не получится, — объяснила она. — Хью в грош не ставит женщин. Он даже не догадывается, что я шпионю за ним.

Уж если Дункан не смог уговорить ее, у Йена это тоже не получится.

— Будь осторожной. И не вздумай рисковать.

— Мне нужно передать вам весточку от Коннора и Дункана. — Айлиза понизила голос. — Вы сможете встретиться с ними послезавтра в пещере возле домика Тирлаг.

Из-за спины появился Алекс и обнял ее за узкие плечи.

— Как поживает сестричка Дункана?

— Прекрасно поживает, а ты убери свои руки прочь, Александер Бан. — Айлиза добродушно оттолкнула его. — Влез в какие-нибудь неприятности?

— Неприятности? У меня? Да ты что! Я совершил кучу подвигов. — Алекс усмехнулся своей дьявольской усмешкой. Повернувшись к Йену, он сказал: — Я нашел женщину, которая будет помогать твоей матери и Шилес на кухне.

— Прямо сейчас нашел? — Йен почесал затылок. — Дай-ка подумать. Должно быть, эта девица хорошенькая, но беспутная.

— Я просто пытаюсь помочь родственнице, которую муж выкинул из дома, — укоризненно покачал головой Алекс. — А вы сразу начинаете критиковать.

— Ты ведь говоришь о Дайне, да? — спросила Айлиза.

Дайна? В памяти Йена возник неопределенный образ темноглазой гибкой девушки, которая была старше его года на два. Пару раз он задирал ей юбку, когда подрос настолько, чтобы знать, как обходиться с противоположным полом.

— Что ж, удачи вам! — стала прощаться Айлиза. — Мне пора возвращаться. Я заставила Хью поверить, будто без меня никто не подаст ему достаточно жратвы и эля.

Когда она ушла, Йен повернулся к кузену.

— Мог бы спросить меня, прежде чем кого-то приглашать жить в моем доме.

— Что-то я не заметил, чтобы ты искал помощницу своей несчастной матери и бедняжке жене, — пожал плечами Алекс. — Но если тебе все равно, что они, работая, стирают руки в кровь, тогда...

При упоминании о Шилес Йен обвел глазами двор, на котором еще оставалось несколько женщин.

— Ты видел Шилес? — Ему показалось, что она еще не выходила из храма.

— Она ушла с Гордоном. — Алекс откашлялся. — У них традиционная воскресная прогулка.

— У них — что?

— Не заводись. Она сказала, что мы увидимся дома. — Алекс помолчал. — По воскресеньям Гордон приходит к ним на обед. Это традиция такая.

— Что Шилес вытворяет? — Йен почувствовал, еще секунда, и его мозг взорвется.

— Я думаю, она не вытворяет, а ходит на прогулку.

У Йена зачесались кулаки. Его так и подмывало впечатать кулак в эту усмехающуюся физиономию.

Подлец Гордон!

Йен нашел брата возле лошадей. Вцепился ему в плечо.

— Скажи мне, что у Шилес с Гордоном?

Нилл сбросил его руку с плеча.

— Гордон обеспечивает ей защиту, как и все мы в твое отсутствие.

С этими словами Нилл вскочил в седло, стегнул коня и галопом вылетел со двора. Йен перевел дыхание, удивляясь, что это случилось с младшим братом, который всегда смотрел на него снизу вверх. Придется с ним поговорить. Но сначала он разберется с Шилес.

По дороге домой он пресекал все попытки Алекса завести разговор. Сейчас у него было не то настроение. Он внимательно высматривал Гордона и Шилес, но те как сквозь землю провалились.

Если они не встретились им на дороге, тогда где же они?

Глава 8

Когда они доскакали до дома, Алекс отправился в хлев, заявив, что предпочитает общество животных компании Йена. Нилл, должно быть, тоже куда-то ушел, потому что его нигде не было видно. Йен отыскал только мать. Та сидела возле очага с шитьем.

— Как отец? — спросил он.

— Спит.

Скрестив руки на груди, Йен уселся и стал дожидаться появления Шилес и Гордона.

Мать оторвалась от своего занятия.

— Чем так озабочен, сынок?

— Я пытаюсь понять, почему моя семья одобрительно относится к странному поведению Шилес, которая исчезает куда-то с Гордоном, как только у нее появляется такая возможность. — Слова выходили из него с трудом. — Ты знаешь, как это выглядит со стороны? Шил выросла без матери, которая могла бы объяснить ей, что такое поведение может стоить доброго имени. Почему ты ее этому не научила?

Мать вскинула брови.

— Если тебя так волнует поведение собственной жены, тогда что же ты не вернулся домой раньше?

— Я представить себе не мог, что она расхаживает по всему острову вместе с Гордоном Граумахом Макдональдом. — И эти прогулки, может, еще не самое ужасное, чем она может с ним заниматься.

— Ах, мужчины! — вздохнула мать и вернулась к шитью. — Тебе следовало бы сказать Гордону спасибо за то, что он охранял ее.

— Мне действительно нужно поблагодарить его? — Он постарался удержать себя в руках, чтобы не разораться на мать.

— Нельзя же требовать от нее, чтобы она все время сидела дома, как в клетке, — начала урезонивать его мать. — Отец не позволял Шил выходить одной, потому что боялся, что ее родня Маккинноны попытаются ее похитить. Из-за его ранения и из-за того, что у нас не осталось работников, Гордон, проявляя любезность, сопровождал ее, когда твой брат был занят.

Йен фыркнул.

— У Гордона на уме кое-что другое, а не охрана.

— Он — благородный человек, — заявила мать. — Раз ты не хочешь, чтобы Шилес стала тебе женой, я буду рада, если ее мужем станет Гордон.

Йен резко выпрямился.

— Ее мужем?

— Говори потише. Разбудишь отца.

Перед своим возвращением Йен сам раздумывал о том, как бы подыскать ей мужа. Но Гордон? Его он не представлял в этой роли.

— Это будет удачный выбор для нашей Шилес. Только вот его мать упрется, конечно. — Она прищелкнула языком. — Такой женщине никакая сноха не подойдет.

— Это будет удачный выбор? — повторил Йен. Он не мог поверить своим ушам.

— Да, удачный, — подтвердила мать, перекусывая зубами нитку. — Расстаться с Шилес для меня то же самое, что снова потерять ребенка. Если она не захочет остаться в нашей семье, пусть хоть живет рядом.

— С чего ты решила, что я отпущу ее к Гордону?

Мать отложила шитье и ласково улыбнулась.

— Как ты думаешь, если ты собираешься сделать ее своей женой, не пора ли тебе сказать ей об этом?

Она не успела договорить, как дверь открылась. Йен вскочил. Улыбаясь кому-то через плечо, вошла Шилес. С порозовевшими от холода щеками, с упавшими на лицо кудрявыми прядями волос, она была бесподобна.

Обернувшись, увидела его, и улыбка увяла.

— Где ты была? — Йен преградил ей дорогу, ожидая объяснений.

— С Гордоном. — Шилес сняла накидку и передала Гордону, чтобы тот повесил рядом с дверью.

— Что-то я не увидел вас по дороге, — сказал Йен.

— Мы шли другим путем, — объяснила она, потом повернулась к матери. — Такой прекрасный день для этого времени года! Посиди, Бейтрис. Я сама займусь обедом.

Шилес проскользнула мимо Йена и, не удостоив его взглядом, направилась на кухню. Он двинулся за ней, но тут Алекс просунул голову в дверь.

— Нам с Ниллом нужно, чтобы ты помог подержать лошадь, — сказал он и скрылся.

Весь кипя от возмущения, Йен выскочил во двор и увидел Алекса, дожидавшегося его возле хлева.

— Зачем я тебе потребовался? Ты ведь у нас самый лучший лошадник.

— Мне не нужна твоя помощь, — тихо заговорил Алекс. — Тут внутри твой братец, и он так зол, что коровы от испуга перестанут доиться.

— У меня сейчас нет времени. — Йен стиснул кулаки. — Мне надо поговорить с Шилес.

— Нет, я думаю, прямо сейчас тебе надо побеседовать с братом. Я попытался объяснить ему, что ты не такая уж задница, каким кажешься, но боюсь, он не поверил. — Алекс хлопнул его по спине. — Иди, поговори с мальчишкой.

— Тьфу ты, пропасть! — Ввалившись в хлев, Йен увидел, как Нилл чистит щеткой его коня.

Подняв голову, Нилл посмотрел на брата, а потом запустил щеткой в стену.

Йен перехватил его у дверей.

— Нилл, в чем?..

— Вали назад во Францию! — заорал тот ему в лицо.

Чтобы не получить кулаком в нос, пришлось схватить его за руку. А потом, опережая удар другой рукой, Йен развернул Нилла к себе спиной и заломил ему руки. Его самого затрясло от злости.

— Ты еще слабак по сравнению со мной, поэтому не вздумай нарываться, — прошипел Йен ему в ухо.

В таком состоянии было бессмысленно говорить о чем бы то ни было, и Йен отпустил его.

Он наблюдал, как брат, с напряженно выпрямленной спиной и со стиснутыми кулаками, выходит из хлева. Поговорили, называется! Чтобы успокоиться перед возвращением в дом, Йен дочистил коня.

К тому моменту, когда он пришел к столу, Нилл и Гордон уже сидели по бокам Шилес. Алекс занял место напротив. Йен сел и стал смотреть, как кузен накладывает себе еду.

Мать что-то говорила ему, но слова не доходили до него. Зато ему стало ясно как день, что Гордон задумал увести у него Шилес. Прямо у него из-под носа! Господи Боже, парень глаз от нее не отрывал!

А что начал вытворять Алекс? Тот вовсю распустил свой павлиний хвост. И по тому, как Шил смеялась в ответ на его дурацкие шуточки, это срабатывало.

У Йена кусок не лез в горло.

Шилес решила быть веселой. Черт с ним, с этим Йеном Макдональдом! Сначала он потребовал, чтобы она поехала с ним. Разумеется, только для того, чтобы перед половиной сородичей, собравшихся возле церкви, разыграть из себя любящего мужа. Потом, как только они прибыли на место, услал ее от себя, словно она все еще была ребенком.

Откинув голову, Шилес рассмеялась какой-то шутке Алекса, хотя прослушала ее начало.

Может, попросить Йена сесть рядом? Или это будет чересчур? За пять лет чего она только не наслушалась от других женщин насчет отъезда своего мужа! Если бы сегодня в храме еще какая-нибудь матрона посмотрела на нее с сочувствием, она прямо там же завизжала бы от отчаяния. И дала бы еще один повод посудачить о себе.

К унижению она уже привыкла. Но сегодня было еще тяжелее наблюдать, как матери одна за другой подносили детишек для крещения. И только ее руки были пусты.

Йен даже не стал дожидаться ее на выходе из храма. Хорошо хоть рядом оказался Гордон, который любезно согласился проводить ее до дому, когда вся церемония закончилась. Из-за этого ей, конечно, пришлось терпеть его преданные взгляды, но сегодня ему по крайней мере хватило ума не давить на нее.

— Нам нужно рассказать о людях, которых мы видели, — понизив голос, сказал Гордон, пока другие о чем-то разговаривали.

— Ни в коем случае, — поморщилась Шилес.

Гордону это не понравилось, но он не стал перечить. Ей не хотелось тревожить Бейтрис и Пейтона по мелочам, как раз в то время, когда они стали успокаиваться. Сегодня они с Гордоном увидели трех незнакомых мужчин, которые шли им навстречу по тропинке. И она запаниковала, решив, будто это Маккинноны пришли по ее душу.

Глупость, конечно. Почему за ней должны прийти сейчас, после стольких лет? Но все равно они с Гордоном быстро свернули в лес и короткой дорогой добрались до его дома, где он налил ей стаканчик виски. Его мать в это время недовольно рассматривала ее.

— О чем вы там перешептываетесь? — спросил Йен Гордона с дальнего конца стола.

Она толкнула Гордона в бок, напоминая об обещании никому ничего не говорить.

— О том, что мне, наверное, пора домой. — Гордон поднялся. — Мать будет беспокоиться.

Шилес подняла на него взгляд и благодарно улыбнулась за то, что он сдержал обещание.

— Спасибо, что доставил меня домой в целости и сохранности.

Только Гордон ушел, как в дверь раздался стук.

— Я открою, — объявил Алекс.

Когда он распахнул дверь, на пороге стояла Дайна. Вокруг этой женщины всегда крутились мужики, как будто она владела каким-то тайным знанием, которым хотела с ними поделиться. Сегодня в храме Шилес слышала разговоры, что муж Дайны застукал ее в своей постели с мужчиной — это оказалось сюрпризом только для недотепы мужа — и вышиб ее из дома.

Шилес забеспокоилась, когда Дайна перетащила через порог и бухнула на пол огромную вещевую сумку.

— Спасибо, что согласились принять меня в дом. — Она низко поклонилась матери Йена.

По изумленному взгляду Бейтрис было понятно, что она знать не знала ни о каком приглашении.

— Мы с Йеном от твоего имени позвали Дайну помогать тебе по хозяйству, — объяснил Алекс.

Шилес заметила, что Йен глянул на Алекса так, словно ему не понравилось, что кузен рассказал об **81** его участии в этом деле. Как Йен мог так поступить с ней? Это было еще одно, самое тяжелое унижение.

На память пришел отвратительный случай. Ей, должно быть, уже исполнилось девять. Йен — в который раз! — заявил, что «он теперь мужчина», и чтобы она перестала повсюду таскаться за ним. Конечно, Шилес и не собиралась его слушаться.

Ровно до того дня, когда она, разыскивая его, заскочила в какую-то овчарню и чуть не упала, увидев, как Дайна обнимала его ногами за талию.

Ох, он напрочь забыл о Дайне. Надо было предупредить мать заранее. Зачем Алексу потребовалось приглашать ее? Разве мало забот в доме и без этого?

— Я отнесу Пейтону поесть. — Шилес поднялась, не глядя на Йена. — Ты, наверное, проголодалась, Дайна. Сядь на мое место.

Йен обратил внимание, что Шилес даже не притронулась к еде.

Закончив обед, они с Алексом пошли к Пейтону поговорить. Когда Йен попытался встретиться глазами с Шилес, она внезапно вышла из комнаты. От нее веяло холодом.

Йен собрался последовать за ней, но отец ждал его рассказа о том, чем обернулись дела в храме. В отце проснулся дух старого вояки, когда они принялись обсуждать, как поступать дальше. Разговор затянулся.

К тому времени, когда Йен с Алексом вернулись в зал, там никого не было.

— О черт! — выругался Йен. — Я собирался поговорить с Шилес.

— Поговорить? — Алекс вскинул брови. — Я думал, ты наконец решился завлечь девушку в постель и сделать ее настоящей женой.

— Не так все это просто. — Йен снял с полки кувшин с виски и два бокала. — От ее взгляда у меня

82 замерзают яйца.

— Так Шилес просто переживает оттого, что ты заставляешь ее ждать. — Алекс похлопал себя по груди. — Можешь быть уверен, я бы не заставил.

— Ну да. Ты-то определенно готов запрыгнуть в брачную постель. — Йен опрокинул в рот первую порцию виски.

— Не только я. Ты тоже уже готов к семейной жизни. — Алекс опустошил бокал и показал, чтобы Йен наполнил его снова. — Лучше Шилес тебе не найти. В этой девушке полно огня.

Перед тем как выпить по второй, они сдвинули бокалы и провозгласили:

— До дна, чтобы здоровье не оскудело!

— Что же мне делать? — сказал Йен, утирая рот. — Она ведет себя так, будто ненавидит меня. И все время куда-то ходит с этим Гордоном.

— Нельзя отдавать ее Гордону. Он слишком вялый для нее. — Алекс поиграл бровями. — Я знаю, что делать с этим бушующим огнем.

— Хорош шутить! — Алекс начал раздражать его. — Мне уже до смерти надоело слушать, как бы ты поступил на моем месте!

— Кто сказал, что я шучу? — Алекс дернул плечом. — Неужели ты предпочтешь видеть ее с Гордоном, чем со мной? Ах, она потратит даром время с человеком, напрочь лишенным воображения.

— Мне не нравится, что ты говоришь о моей жене в таком тоне. — Йен сжал кулаки.

— Если ты настолько глуп, что отпустишь Шилес без борьбы, тогда ты не заслуживаешь ее. — Алекс наклонился к нему и заговорил совершенно серьезно. — А если не поторопишься сделать ее своей женой, тогда ты ее потеряешь.

— Она и так моя жена, — процедил Йен сквозь зубы. — И я сумею удержать ее.

— Так займись этим. — Алекс помолчал. — Я вырос рядом с озлобленной женщиной, поэтому **83** говорю тебе с полным знанием дела — женщины могут нам прощать и прощать чуть ли не до бесконечности, а потом вдруг раз, и становятся нашими врагами.

Грустная мысль! Они выпили еще.

— Кстати, про твоих, — заговорил Йен. — Ты собираешься повидаться с ними?

— Нет никакой разницы, к кому из них поехать первым, они опять будут поливать один другого. — Алекс тяжело вздохнул. — Поэтому я дождусь Самайна, чтобы увидеть сразу их обоих на празднике.

— Сколько раз твоя мать пыталась отравить отца? — Йен не ждал ответа на свой вопрос. — Тебе не показалось странным, что ни тот, ни другая не завели себе новых семей?

— Слава Богу, что они решили больше никого не мучить. Единственный пункт, по которому у них есть согласие, это то, что я могу совершить ту же ошибку. Они хотят, чтобы я женился и родил наследника. — Алекс покачал головой. — Наверное, я уведу Шилес у Гордона. Заделать ей ребенка будет не так уж и трудно.

Йен перегнулся через стол и схватил его за грудки.

— Я предупреждал тебя, не говори о ней в таком тоне!

Он не успел замахнуться, чтобы врезать кузену, потому что за его спиной раздался легкий смешок. Йен обернулся и увидел Дайну, выплывшую с кухни.

— Уже начали махать кулаками из-за меня, да?

— Не торопись возвращаться в старый дом, — сказал Алекс отпустившему его Йену. Обнял Дайну за плечи и потянул ее к двери на улицу.

Налив себе еще, Йен взял в руки бокал и покрутил в нем золотистую влагу. Французское вино не шло ни в какое сравнение с отменным шотландским виски. Он ощущал, как огонь приятно стекает вниз по горлу. Черт, самое лучшее французское вино никогда не сравнится с самым плохим шотландским виски!

Что с ним такое творится? Каждый раз ему приходится ночевать в холодной постели в одной комнате с храпящим Алексом! Шилес — его жена, разве не так? И она спит в его комнате, в его постели!

Они поклялись друг другу в присутствии священника. Неужели это ничего не значит? Если честно, он был готов отказаться от Шилес, но то было еще до его возвращения, когда он обнаружил, какой она стала.

Господь помог ему! Шилес превратилась в красавицу.

Он вспомнил, какая у нее полная грудь. Вспомнил, как завораживающе шелестят ее юбки, когда она поднимается по лестнице. Вспомнил ее мерцающие зеленые глаза, ее точеную шею, которая виднеется над воротом платья.

В бокале не осталось ни капли, поэтому он присосался прямо к кувшину.

Ему захотелось увидеть ее молочно-белую кожу полностью обнаженной. Вдохнуть ее запах. Поласкать языком. Разве такое желание невыполнимо? Шилес принадлежала ему. Их союз освятила церковь.

К черту, он не станет колебаться. Все, что ему следует сделать сейчас, это доказать ей, что он хочет быть ей мужем.

Но готов ли он отказаться от других женщин? Готов ли обещать ей, что теперь она станет единственной, с кем он будет делить постель? Эта мысль заставила его ненадолго задуматься.

Черт, да!

Он докажет ей, как он ее хочет. Шилес — пылкая штучка, и всегда такой была. Это как раз то, что ему нужно в постели, он в этом не сомневался. А он станет для нее всем, что ей захочется. Она потом даже не взглянет на этого проклятого Гордона Граумаха!

Бокал с грохотом опустился на стол. Все, время настало! Он все решил. Он берет на себя обязательство перед Богом.

Это будет незабываемая ночь!

Глава 9

Скинув сапоги, Йен крадучись двинулся вверх по лестнице. Домашним было совершенно ни к чему знать, что он задумал. Поднял щеколду на двери в спальню Шилес — в их спальню! — и скользнул внутрь. Темнота окружила его со всех сторон, стоило закрыть за собой дверь.

Найдя засов наощупь, задвинул его. Йену не хотелось, чтобы с утра их кто-нибудь потревожил. Там, внизу, найдется, кому заняться утренними делами. Он не выпустит Шилес из постели спозаранок. Может, завтра они вообще не выйдут из спальни.

Он постоял возле двери. Каждый мускул напрягся в предвкушении. Он ждал, пока глаза привыкнут к темноте. Член уже восстал с такой силой, что внизу живота возникла тянущая боль. В тишине слышалось мерное легкое дыхание Шилес.

Постепенно стали видны очертания ее тела. Она лежала на спине, закинув одну руку на подушку поверх головы. В горле пересохло. Йен навсегда запомнит ее образ, эту их первую ночь вместе. В груди поднялась волна нежности к ней. Эта женщина дана ему, чтобы защищать ее. Эта женщина — его жена.

Он был готов взять на себя ответственность за нее.

Возбужденный член напоминал, что он более чем готов к действию. Затаив дыхание, Йен прокрался к краю постели.

Лечь с ней будет не то же самое, что с другими женщинами. Ведь она — его жена. Его Шилес.

Ему не терпелось дотронуться до нее. Избавиться от ночной сорочки, в первый раз коснуться руками молочно-белой кожи. Погрузить пальцы в копну рыжих волос и целовать, и ласкать ее.

Надо будет снять с себя все. Да, они оба должны быть обнаженными. Чтобы ощутить прикосновение ее кожи, чтобы вдохнуть запах вереска.

Он распустил шотландку, стянул сорочку через голову и бросил на пол к ногам. Шилес тихо вздохнула, когда Йен приподнял одеяло и скользнул в кровать. С лихорадочно бьющимся сердцем он придвинулся к ней.

Его рука нащупала край ночной рубашки. Йен не успел схватиться за него, потому что она, вздохнув, откатилась от него и повернулась спиной. Он придвинулся снова и положил ей руку на талию.

Похоть поднимала голову, как дикий зверь. Ох нет! Она же девственница! Йен взял себя в узду. Но как это было трудно!

Он прижал ее к себе и до крови закусил губу, чтобы желание не взяло верх над его волей. Потом перевел дух, чтобы более-менее успокоиться. Ему хотелось насладиться каждым мгновением их первой ночи.

Откинув длинные рыжие волосы, Йен поцеловал ее в шею.

— М-м... — Звук шел откуда-то из глубины ее горла.

Прижимаясь к ней губами, Йен вдохнул ее запах и улыбнулся. Он-то думал, что ему придется улещивать и уговаривать ее, а она, оказывается, ждала его, ждала, когда он придет.

— Шил, — шепнул он ей на ухо. — Мне нужно снять с тебя ночнушку. — Когда Йен уткнулся лицом в ее шею, она снова тихо застонала. Этот нежный звук подстегнул его. А тут еще она вдруг прижалась к нему спиной, и его пульсирующий от напряжения член ощутил прикосновение ее ягодиц. Йен задохнулся.

Теперь нужно было что-то сделать с ночной сорочкой. В предчувствии, как он дотронется до нее обнаженной, Йен осторожно потянул рубашку вверх. Ему удалось освободить ее бедра. О-о! Ее тело оказалось еще нежнее, чем он себе представлял. Еще одно движение вверх, и его член оказался теперь уже между голых ягодиц.

— Представить не можешь, что это за сладостное ощущение, — произнес Йен сдавленным шепотом. Ему было так хорошо, что он чуть не укусил **87** ее за плечо. Он подозревал, что дальше будет еще сладостнее, только не надо пугать ее. Не стоит делать резких и грубых движений. Вот поцеловать можно. И он нежно поцеловал ее в плечо. Она дышала глубоко, спокойно, и Йен подумал, что слишком осторожничает.

Ему очень захотелось зажечь свечу и увидеть ее при свете, но никакая сила не смогла бы заставить его вылезти из постели. Это была какая-то сладостная мука — вот так лежать рядом с ней и водить рукой вверх и вниз по ее бедру. Помимо воли рука двинулась выше и добралась до ее груди.

О Господи! Йен ощутил мягкую тяжесть ее груди в своей руке. Сосок начал твердеть от прикосновения к его ладони. В голове пронеслось — все, он пропал! В ушах стучала кровь. Желание требовало выхода. Прямо сейчас! Она должна лечь под него.

Решение действовать медленно и не торопясь было забыто. Все, что ему требовалось в этой жизни, войти в нее. Немедленно! Он перевернул ее на спину. Пробравшись под ночной рубашкой, его руки легли ей на груди, а член уперся в низ ее живота. Йен стал целовать ей горло.

— Йен! Что ты делаешь?

А что он такого делает? Йен слегка пришел в себя. Невинная! Она же девственница!

Вряд ли такое обхождение понравится девственнице. Взяв ее лицо в ладони, он наклонился к ней и приник к губам. Ее поцелуй был сама невинность. Это потрясло его.

— О, Шил, ты настоящее чудо, — пробормотал он.

Йен провел языком по ее нижней губе и услышал, как она затаила дыхание. Сначала ему показалось, что его ждет отпор, но Шилес неожиданно смягчилась. Когда он заставил ее приоткрыть губы, она отпрянула и пристально посмотрела на него, но в следующий момент снова прижалась к нему. Когда же она языком коснулась его языка, на Йена словно обрушилось небо.

Еще немного, и он утонет в этом поцелуе.

Все было чудесно. И сама она была совершенством! Йен запустил пальцы ей в волосы.

— Не бойся. Я буду осторожен. Будет совсем не больно, — зашептал он ей на ухо и слегка двинул бедрами вперед. И задохнулся. Потому что член нашел свою сладостную цель.

— Хватит! — вдруг крикнула Шилес и замолотила его кулаками в грудь.

— Почему? Что не так? — Она не отвечала, а только царапалась и пыталась выбраться из-под него. Йен скатился с нее. — Шил, что я такого сделал?

Шилес скинула с себя одеяло и выскочила из кровати. В лунном свете, льющемся из окна, мелькнули ее длинные ноги. Потом она натянула на себя сорочку.

Засветив свечку, Шилес со злобой уставилась на него.

— Что тебе надо в моей постели, Йен Макдональд?

— Эта постель и моя тоже. — Йен судорожно старался собраться с мыслями. Возбужденный член чуть ли не звенел от напряжения. Ему ведь удалось так близко подобраться...

— Как тебе только на ум пришло ввалиться сюда. Я спала, и ты решил, что со мной можно делать что угодно?

— Ты моя жена, — напомнил он. — И это как раз означает, что я могу делать с тобой, что угодно.

— Значит, теперь я твоя жена, да? Раньше ты так не думал. — Шилес сложила руки под грудью, и у него опять пересохло во рту.

— Я... Я решил согласиться с очевидным. — Его глаза не могли оторваться от ее грудей, мысли тоже были заняты ими. Ладони начало покалывать, когда он вспомнил, как держал эти груди в своих руках. — Теперь я готов сделать тебя свой женой. Полностью готов.

— Неужели? С чего ты это вдруг решил, спустя такое время?

Она топнула ногой — не очень хороший знак.

Ах, у Шил такие очаровательные лодыжки... **89**

— Йен! — воскликнула она, вновь привлекая его внимание. — Я спросила, почему ты вдруг решил сделать меня женой? Мне казалось, ты терпеть меня не можешь.

Йен спустил ноги с кровати и медленно оглядел ее с головы до ног.

— А теперь ты мне нравишься. — Йен вдруг охрип. — И я тебе нравлюсь, судя по тому как ты меня поцеловала. — Неожиданно для себя он ухмыльнулся. Это было ошибкой.

— Я спала! — Шилес уперла руки в бока, от злости притопывая ногой.

— Сначала — да, наверное. — Ему вдруг понравилось дразнить ее. — Но не уверен, что ты спала, когда ответила мне.

— Мне показалось, будто все это во сне, — взвилась она. — Я сама не знала, что делала.

— Для того, кто не знает, что делает, ты все делала самым расчудесным образом, — усмехнулся он. — Самым расчудесным!

Щеки у нее вспыхнули румянцем, и она стала еще милее. Схватившись за подол необъятной ночной рубахи, Йен притянул ее к себе.

— Я знаю, ты услышала, как я нелестно отзывался о тебе перед отъездом, и очень жалею, что сделал тебе больно. Но теперь ты совсем другая. Глаз не отвести. — Йен опустил взгляд на ее округлые груди, в которые чуть не утыкался носом. — Просто слов нет!

Йен посмотрел на нее, Шилес сверлила его взглядом. Он опять сказал что-нибудь не то? Разве женщине могут не понравиться комплименты?

— Ты сказал, что хочешь затащить меня в постель? — уточнила она.

— Совершенно верно, — подтвердил он.

— И по этой причине хочешь сделать меня женой.

— Это лишь одна из причин. — Теперь он решил проявить осторожность. — А еще я вижу, как много ты сделала для моих родных и как ты к ним привязана. Мать в тебе души не чает.

— Значит, ты решил оставить меня при себе, потому что твоя мать любит меня, — продолжала Шилес. — Это большая редкость!

Разговор свернул в какую-то другую сторону. Проблема заключалась в том, что они слишком много разговаривали. Если бы ему удалось затащить ее в постель, он заставил бы забыть ее о глупостях, из-за которых она так переживала.

Йен встал и притянул Шилес к себе.

— Прости, я все никак не могу найти нужных слов, но мне с тобой хорошо, — забормотал он, уткнувшись ей в волосы. — И ты хорошо пахнешь. И мысли у меня разбегаются.

Она охнула, когда Йен взял ее за грудь. Наконец-то и у нее иссякли слова.

— Пойдем в постель, Шил. Не тяни. Я так тебя хочу.

Шилес оттолкнула его.

— Подумаешь, удивил — он хочет меня затащить в постель! — Она подбоченилась. — Половина наших мужиков тоже этого хочет. Никто не откажется, стоит мне поманить их пальцем.

У него зашумело в ушах.

— Поманить пальцем? — Она, видите ли, их поманит!

— То, что ты хочешь лечь со мной в постель, для меня еще не повод. — Шилес кинулась к двери. На пороге обернулась и крикнула через плечо: — Это ты для меня недостаточно хорош!

И громыхнула за собой дверью так, что комната заходила ходуном.

Йен разозлился. Она поманит пальцем! Как можно такое говорить?

Подобрав с полу рубаху, Йен натянул ее через голову и в три шага пересек комнату. Выскочив в дверь, кинулся за ней вниз по лестнице.

— Да ты сама первая хотела выскочить за меня. И не отпирайся.

— Не подходи ко мне! — завизжала Шилес. — Или, клянусь, засажу в тебя кинжал.

— Ты это задумала с самого начала, потому что хотела уйти от отчима, — зарычал Йен, преследуя ее по пути через зал. — При этом моего согласия никто не спрашивал, так или нет? Все получили то, чего добивались, кроме меня.

Они ввалились на кухню. Между ними оказался рабочий стол. Когда Йен попытался поймать ее за ночную рубашку, Шилес схватила ковш на длинной ручке и стала размахивать им из стороны в сторону.

— А теперь, когда я решил по-настоящему жениться на тебе, ты передумала, — завопил Йен. — О чем ты думала, когда заваривала эту кашу? Не рассчитывала, что муж потащит тебя в постель?

— Рассчитывала и надеялась. Еще год назад. Месяц назад надеялась, — завопила Шилес в ответ. — Даже еще несколько дней назад, когда ты наконец почтил нас своим возвращением.

— Я готов наконец стать тебе мужем, — сказал Йен, стиснув зубы.

— О, как я вам признательна! — Шилес закатила глаза и приложила руку к груди. — Мое сердце трепещет от радости.

— Ты сама выбрала меня, и, хочешь того или нет, я — твой муж. — Йен резко сбавил тон. — И я не желаю, чтобы моя жена говорила о других мужчинах и о том, что они станут делать, если она поманит их пальцем.

Вот на этих словах Шилес и треснула его ковшом по голове.

— Иисус, Мария и Иосиф! Ты меня ударила! — Двумя руками он схватился за голову. Было больно черт знает как!

Судя по всему, Шилес была поражена не меньше его тем, что натворила. Ему показалось, будто она раскаивается в содеянном, и решил ее простить.

— Послушай, девочка моя, таким вот образом нам будет трудно начать супружескую жизнь.

— Это верно. — Голос у нее задрожал.

Йен заметил в другой ее руке кухонный нож и потянулся за ним.

— Положи его на место, Шил, и пойдем в постель.

Тут она треснула его ковшом во второй раз.

Очнулся он на полу. Шилес возвышалась над ним, все так же сжимая нож в руке. Глаза ее метали молнии. Судя по всему, она решала вопрос, воткнуть в него лезвие или нет.

— Я думаю, изверг уже не опасен. Мой самый острый нож тебе не потребуется.

Услышав этот голос, Йен рискнул отвести глаза от Шилес и глянуть в сторону матери. Та в ночной рубашке и чепце стояла в проходе на кухню. На плечах рассыпались пряди черных с проседью волос. Руками она упиралась в бедра.

Йен откатился в сторону, и нож, выпав из рук Шилес, звякнул об пол как раз в том месте, где он только что лежал. Шилес открыла рот, будто решила что-то сказать матери в ответ, потом, прикрыв его рукой, кинулась прочь из комнаты.

— Спасибо, мама. — Йен поднялся. Потом потряс головой, чтобы взять себя в руки и понять, что произошло. Минуту назад он целовал Шилес в постели, а потом она вдруг чуть не убила его.

— Скажи мне, что ты творишь? — с упреком спросила мать.

— Я? — Он ударил себя в грудь. — Это Шилес попыталась меня убить на твоей кухне.

— Будь ты вполовину трезвее, чем сейчас, тебе и тогда следовало бы держаться подальше от нашей девочки, — пренебрежительно махнула она рукой. — А сейчас расскажи, почему бедняжка гоняется за тобой по кухне с ножом?

— Мне не хочется обсуждать это с моей матерью. — Йен поднял с пола ковш, нож и громыхнул ими о стол.

За спиной у матери появился Нилл.

— Что он сделал с Шилес? Если он ее обидел, я его убью!

Йен вздохнул и снова взял в руки ковш, на случай, если придется защищаться.

— Тебя это не касается, — резко заявила мать. — Марш в постель. Если потребуется, я сама наподдам Йену.

Сжимая и разжимая кулаки, Нилл какое-то время стоял, разглядывая брата, а потом подчинился. Когда дверь наконец захлопнулась за ним, Йен вернул ковш на стол. Все показалось ему таким странным, что он поневоле улыбнулся.

— Ты хочешь мне наподдать, да, мама? Тебе не кажется, что я уже достаточно взрослый для этого?

— Я хочу тебе кое-что посоветовать, — сказала она. — И хорошо бы, чтобы ты послушался меня, если не хочешь потерять жену.

Тяжело вздохнув, Йен вышел вслед за матерью в зал и сел рядом с ней у очага. Голова все еще гудела. У девицы неожиданно оказалась тяжелая рука.

— После возвращения ты и двух слов не сказал Шилес и тем не менее отправился к ней заявить о своих супружеских правах. — Мать покачала головой.

— Ты меня не уважаешь, мама? Это сугубо наше личное дело — мое и Шилес.

Мать снова пренебрежительно отмахнулась от его слов.

— Как ты поступил? Накинулся на бедную девушку?

— Нет, мама. Я не накидывался на бедную девушку. — Йен сдерживался с трудом. — Кстати, она моя жена.

— Господи, какого же идиота я воспитала! — Мать подняла глаза к потолку, словно призывая небо в свидетели.

— Ты женила меня на ней, а сейчас говоришь, что я не могу вести себя с ней как муж?

— Тебе прекрасно известно, что люди по-разному живут в браке. Если хочешь, чтобы твоя жизнь сложилась счастливо, послушайся моего совета.

Он сразу вспомнил про родителей Алекса, которые на его памяти всегда воевали между собой.

— Хорошо. Скажи, что я, по-твоему, должен сделать.

— Ты разбил ей сердце и ранил ее гордость, — начала мать. — Поэтому теперь ты должен добиться прощения Шилес и заслужить доверие.

— И как это сделать?

— Чаще разговаривай с ней, проводи с ней больше времени, — продолжала она. — Дай ей понять, что ценишь ее.

— Я и так ценю ее, — не удержался Йен.

— Не уверена, что она это поняла, когда ты среди ночи вломился к ней в комнату и заявил свои права на нее.

— Я же сказал, все было не так.

— Шилес знает, что тебя заставили жениться на ней. — Мать придвинулась к нему ближе. — Поэтому ты должен убедить ее, что из всех женщин на земле только она одна нужна тебе, что ты выбираешь ее одну.

Йен по-прежнему хотел Шил, хоть она и шарахнула его по голове. Даже дважды! Само по себе это уже что-то означало.

Но вот выбрал бы он ее из всех женщин на земле? Еще неделю назад такой вопрос показался бы ему смехотворным. Теперь же он не был в этом уверен.

— У Шилес сначала был отец, который больше занимался своими псами, чем дочерью, а потом ей пришлось жить с отчимом, который оказался еще хуже отца. — Мать помолчала. — Девочке нужно, чтобы мужчина уважал и любил ее. Она заслужила это. Если ты не можешь к ней так относиться, отойди в сторону.

Шилес нравилась Йену всегда. Однако он понимал, что мать сейчас говорит о вещах более важных, чем проявление симпатии. Она говорила о том, что объединяло ее и отца.

95

Мать поднялась и взяла его лицо в ладони.

— Я задумала поженить вас еще задолго до того, как отец и твой дядя нашли вас спящими в лесу.

Йен вскинул брови.

— Наверное, надо было предупредить меня.

— Ничего хорошего из этого не получилось бы. — Она поцеловала его в лоб. — Вы с Шилес созданы друг для друга. Не вздумай разрушить это еще какой-нибудь глупостью.

Глава 10

Утром, как только Йен подсел к брату и Алексу, чтобы позавтракать вместе, Нилл резко вскочил. Его ложка упала и зазвенела по полу. Послав Йену убийственный взгляд, он быстрым шагом вышел из комнаты, на прощание оглушительно хлопнув дверью.

— Ну и шумная у вас семейка, — усмехнулся Алекс. — Ночью орали так, что не дали спокойно поспать.

— Предупреждаю, Алекс, больше ни слова, — остановил его Йен.

— Я понял, что первая брачная ночь прошла совсем не так, как ты предполагал, — не унимался Алекс. — Может, тебе подсказать, как это делается, кузен?

Йен уже приготовился броситься на него через стол, но предостерегающий взгляд Алекса остановил его.

— Доброе утро, Шилес, — громко сказал кузен.

— А оно доброе? — отрывисто спросила Шилес.

Не обращая внимания на свободное место возле Йена, она обошла стол с дальнего конца и села рядом с Алексом. Многозначительно приподняв бровь, тот глянул на Йена и отправил в рот ложку овсянки.

Йен прочистил горло.

96   — Доброе утро, Шил.

Она поджала губы и принялась энергично размешивать содержимое своей миски. На какое-то время повисла тишина, слышно было только, как скребутся о дно тарелок ложки. Все внимание Шилес сосредоточила на еде, но при этом ела совсем немного.

Наконец она отложила ложку. Глядя сквозь Йена, поинтересовалась:

— А где Нилл?

Йен снова откашлялся.

— Мне кажется, он вышел подышать воздухом. — Йен отчаянно пытался придумать, что сказать еще.

— Свежий воздух тебе тоже не помешает, — обратился к ней Алекс. — Что-то ты выглядишь усталой. Давай сегодня устроим тебе рыбалку. Морской ветер вернет тебе румянец.

Когда Йен толкнул его ногой под столом, Алекс прижал палец к щеке, призывая к спокойствию.

Шилес прищурилась, раздумывая. Потом вдруг сказала:

— Хорошая идея. Я не рыбачила бог знает сколько лет.

— Встретимся через час на берегу, и я покажу тебе, что значит — ловить рыбу, — обрадовался Алекс.

Что он задумал, черт возьми?

Кухонная дверь распахнулась настежь, и в комнату вошла Дайна, вытирая руки о фартук.

— Уже позавтракали? — Лукаво улыбнувшись Алексу, добавила: — Или ты еще чего-нибудь желаешь?

— Можешь покормить завтраком Пейтона? — Шилес резко поднялась из-за стола. — Мне нужно еще кое-что сделать, а потом я отправляюсь ловить рыбу.

Не дожидаясь ответа Дайны и избегая взгляда Йена, она направилась к лестнице и заторопилась наверх.

От ледяного ветра стыли щеки, из глаз текли слезы. Лодка прыгала на волнах, как поплавок, хотя Алекс аккуратно и умело вел ее.

97

На душе у Шилес было так же неспокойно, как на море. Она все злилась на Йена за то, что он завалился к ней в постель и даже не спросил разрешения. Заставив ждать себя пять долгих лет, он почему-то решил, что осчастливит — осчастливит! — ее, когда «воспользуется ситуацией».

Она ему не «ситуация»!

Поцелуй Йена вызвал в ней бурю незнакомых чувств. Шилес мучилась от отсутствия его внимания, а тут желание, которое он в ней вызвал, вдруг обрушилось на нее с такой силой, что она на какое-то время потеряла над собой контроль. Но Шилес прекрасно понимала, что в тот момент для него главным было справить физическую нужду. Йен хотел близости с ней по весьма сомнительной причине. Во всяком случае, с ее точки зрения. Ей-то хотелось совсем другого.

— Я смотрю, тебя не пугает такая погодка, — усмехнулся Алекс.

Шилес покачала головой. Они оба жили на острове, и поэтому для них что вода, что суша — все было едино.

— Сегодня рыбалки не получится, — с сожалением сказала она.

— Ты же не веришь, будто я привез тебя сюда только для того, чтобы половить рыбу? — помолчав, спросил Алекс.

Шилес снова покачала головой и стала смотреть, как он, искусно маневрируя, обошел несколько выступавших из воды скал и завел лодку в тихую бухту.

— Теперь давай поговорим. — Алекс бросил весла и наклонился к ней. — Нам нужно замыслить интригу.

Шилес убрала волосы, упавшие на лицо.

— Интригу?

— Именно, — подтвердил он и многозначительно приподнял бровь. — Мы с тобой оба знаем, что ты любишь Йена, и всегда любила.

— Ты ничего не знаешь про мои чувства.

— Я на твоей стороне, девочка, — успокоил ее Алекс. — Поэтому давай не будем тратить время и обманывать друг друга.

Сложив руки на груди, Шилес уставилась в море.

— Я не собираюсь проводить всю жизнь в ожидании, когда Йен соизволит обратить на меня внимание.

— Я не о том, что ты должна согласиться на меньшее чем заслуживаешь, — сказал он. — Однако мне кажется, что Йен испытывает к тебе чувство, и даже не знает об этом.

— Мне кажется, — процедила Шилес сквозь зубы, — если он не знает о своих чувствах, у него их попросту нет.

— Иногда мужчине требуется, чтобы его слегка подтолкнули, — возразил Алекс. — Врезать пару раз ковшиком по кумполу — это хорошее начало.

Шилес почувствовала, что краснеет.

— Йен заслужил такое обхождение.

— Я и не сомневаюсь, — согласился Алекс. — Но его нельзя винить в том, что он влез к тебе под одеяло.

— Хм.

Из воды вынырнул тюлень и долго-долго рассматривал ее черными глазами. А потом снова ушел в глубину.

— Ты помнишь, как мы вчетвером приплывали в замок Нок, чтобы забрать тебя на рыбалку? — вдруг переменил тему Алекс. — Это Йен всегда заставлял нас. Не то чтобы ты не нравилась нам, просто мы были мальчишками и нам хотелось приключений. Если бы не настойчивость Йена, тебя бы с нами не было.

— Он просто жалел меня, — сказала она.

— Да, у Йена всегда было мягкое сердце, — подтвердил он. — Однако ему страшно нравилось возиться с тобой. Он всегда рассказывал, как ты забавно лопочешь или какая ты умница и все схватываешь на лету.

— Я тогда была совсем маленькой. Какая я теперь, он не знает.

— Вот и дай ему время узнать тебя заново, — подхватил Алекс. — Именно это я и хотел тебе сказать. Подожди, не отталкивай его.

— Тебе-то зачем это нужно?

— Затем, что знаю, ты сделаешь его счастливым, — сказал он с абсолютно серьезным лицом. — Он прекрасный человек, Шилес. Потому-то ты так долго ждала его.

— Хм. — Она не знала, что сказать от смущения.

Прищурившись, Алекс посмотрел на тучи, выраставшие на горизонте.

— Нам, пожалуй, лучше вернуться. Приближается шторм.

Волнение на море усилилось. Лодку болтало, как яйцо в котелке с кипятком. Вцепившись в борта, Шилес наслаждалась силой, которая несла их вперед, ветром, который хлестал в лицо.

— Здорово, правда? — проорал Алекс, и они засмеялись друг другу.

Позади них дождь накрыл все пространство моря. Алекс греб к берегу изо всех сил.

— Посмотри, это Йен? — крикнула Шилес, перекрывая вой ветра, хотя ей и так было понятно, что это он вышагивал по берегу взад и вперед.

— Ах, какая прелесть! — воскликнул Алекс. — Даже отсюда видно, насколько он вне себя.

Йен наконец увидел их, остановился и подбоченившись стал наблюдать за ними.

— Давай не будем торопиться, — предложил Алекс. — Мужик заслуживает пострадать еще чуть-чуть.

— О чем ты?

— В этом и заключается мой план, заставить его больше ценить тебя.

— Ценить меня? Да он готов убить нас обоих.

— Доверься мне, это хороший признак, — успокоил он ее.

Шилес придвинулась к нему вплотную, чтобы лучше слышать сквозь ветер.

— Ты что-то сказал насчет интриги, но так ничего и не объяснил.

— Ладно, скажу. Во-первых, надо заставить его ревновать.

— Ревновать? К тебе?

Хотя Алекс был не в ее вкусе, невозможно остаться совсем равнодушной к этим зеленым, как море глазам, к облику настоящего воина-викинга, к его шарму, наконец.

Шилес обернулась и посмотрела на Йена, который подходил к кромке прибоя. Вид его не внушал ничего доброго. У нее бешено заколотилось сердце.

— Ты уверен, что это подействует? — спросила она.

— Давай поспорим, — предложил Алекс. — Если я выиграю и Йен окажется у твоих ног в течение этих десяти дней, ты поцелуешь меня в губы на глазах у него.

— Ты просто дьявол какой-то. — Она расхохоталась, хотя под тяжелым взглядом Йена почувствовала себя не в своей тарелке. — А если проиграешь?

Широкая ухмылка появилась у него на лице.

— Если проиграю, все равно поцелуешь.

Наверное, это проделки фей, если он позволил кузену забрать Шилес с собой в море.

— Ты все делаешь не так, — сказал ему тогда Алекс. — Давай я попробую объяснить ей ее же ошибки, чтобы она лучше понимала тебя. Ты ведь знаешь, насколько убедительным я бываю.

Йен прекрасно знал, насколько убедительным мог быть его кузен. Женщины с жаром боролись друг с другом, чтобы только остаться одураченными Алексом.

На море расходились тяжелые волны. Черные дождевые тучи закрыли небо, а Йен продолжал вышагивать взад и вперед вдоль кромки прибоя. Куда они запропастились, черт возьми? Надо быть сумасшедшим, чтобы в такую погоду увезти ее в море. Ветер крепчал с каждой минутой. Шторм был на подходе.

Он напомнил себе, что Алекс чувствует воду каким-то особым чутьем, как будто его предки- **101** викинги нашептывают ему на ухо команды и руководят его действиями. И все равно ему нельзя было рисковать безопасностью Шилес. Йен снова посмотрел в сторону утлой, старой лодчонки, лежавшей высоко на берегу. В отчаянии он уже был готов спустить ее на воду и отправиться на поиски. Но тут Йен заметил их лодку, то взлетавшую вверх, то проваливавшуюся между водяными холмами. Видит Бог, он был готов убить Алекса.

Когда они приблизились к берегу, Йен зашел в воду, чтобы помочь им пристать. Его не останавливали ни ледяной холод, ни пронизывающий ветер, бьющий в лицо. Напротив, его окатило жаром, когда Шилес придвинулась к Алексу и ее смех разнесся над водой.

Он вцепился в лодку с одного борта и удержал ее на месте. Алекс спрыгнул в воду. Но вместо того чтобы держать лодку со своего бока, он поднял Шилес на руки. Высоко подняв ее в воздух, чтобы она не коснулась воды, Алекс двинулся к берегу, предоставив Йену одному вытаскивать лодку, как будто он был его слугой.

— Присмотри за посудиной, — крикнул Алекс через плечо. — Не то ее унесет.

Когда Алекс выбрался на песок, то развернулся и стал наблюдать с Шилес на руках, как Йен выполняет его приказ. Ради Бога, почему он не поставит ее на ноги? А тут еще и она стала заглядывать в глаза Алексу и улыбаться так, словно получала от этого удовольствие.

Оттащив лодку подальше от воды, Йен быстрым шагом подошел к ним.

— Моя жена не пострадала?

— Разве я похож на того, кто позволит пострадать очаровательной барышне? — Алекс подмигнул Шилес. — А еще я не мог позволить ей замочить ноги. Сегодня волна высокая, штормит, ты не заметил?

— Наверное, ты успеешь поставить ее на ноги, прежде чем я повыдергаю тебе руки, — сказал Йен. — А еще лучше, я сам ее возьму.

— Я могу и постоять, — заявила Шилес. — Опусти меня.

— Как скажешь, девочка. — Алекс поставил ее на песок.

У Йена зачесались кулаки, чтобы врезать ухмылявшемуся кузену между глаз, но сначала нужно было задать пару вопросов.

— Как ты мог выйти с ней на лодке в такую погоду, когда начинается шторм? И не говори, будто ты ничего не видел.

— Конечно, я не слепой, — заговорил Алекс с самым легкомысленным видом. — Знаешь, мы подпустили его к себе чересчур близко, потому что нам было не до шторма. Но ведь все обошлось.

Йен посмотрел на Шилес и забеспокоился еще больше, увидев, что ее трясет от холода. С румяным лицом, со спутанными от ветра волосами, она еще больше стала походить на морскую сирену, которая вышла на берег для того, чтобы ее похитили.

— Что вы делали там так долго? — обратился он к ней. — Что-то я не заметил рыбы в проклятой лодке.

— Сегодня неудачный день, — ответила она.

Йен вдруг сообразил, что в лодке не было и намека на снасти.

— Чем же вы занимались все это время? — завопил он, вспомнив, как Шилес обнимала Алекса за шею, когда тот нес ее к берегу. — Тебе мало того, что Гордон Граумах ест у тебя с руки?

— Тебе это может показаться странным, но мне нравится общаться с мужчинами, которые не орут на меня, — тоже завопила она.

— Общаться с Алексом?

В ее зеленых глазах сверкнули молнии. Сейчас она стала похожей на прекрасную королеву-воительницу кельтов Скатах.

— Не смей обвинять меня в чем обвиняешь. — Она уставила палец ему в грудь.

Это немного остудило его. Шилес не будет врать.

— Ты должна подумать о том, как это выглядит со стороны, когда ты гуляешь с другими мужчинами.

Она что-то резко произнесла, наверное, выругалась, за ветром было не расслышать. Когда Йен потянулся взять ее за руку, она поддала ему ногой в голень. Он в растерянности замер, а Шилес развернулась и кинулась вверх по тропе.

Йен посмотрел на кузена, ожидая сочувствия и извинений, на которые рассчитывал.

— Да что же это с тобой такое, Господи Боже мой? — Алекс воздел руки к небу. — Зачем ты орешь на нее?

— Я? Это значит, я виноват?

— Обвиняй меня, если хочешь, — с металлом в голосе заявил Алекс. — Но не нападай на Шилес.

— Надеюсь, ты расскажешь, чем вы там занимались? — Йен сжал кулаки.

— Там я занимался тем, что изо всех сил пытался убедить ее, будто ты не такой идиот, хотя ты как раз такой идиот и есть. Тебе повезло, когда помимо твоей воли тебе досталась прекрасная женщина, а сейчас ты делаешь все, чтобы потерять ее.

Алекс, которого было весьма трудно вывести из себя, зашагал по берегу взад и вперед, размахивая руками.

— Шилес не только хороша собой, она еще тонкий и добрый человек, — кричал он.

— Я же сказал ей, что хочу ее, — заметил Йен. — Что ей еще от меня надо?

— Почему ты ничего не хочешь сделать, чтобы както смягчить ее? — Алекс вопросительно развел руки. — Неужели так трудно показать, что она тебе нравится, что не безразлична? Глаза бы мои на тебя не смотрели!

На этих словах, Алекс круто развернулся и ушел, оставив Йена стоять и смотреть ему вслед. Он так и продолжал стоять, пока не разверзлись хляби небесные и все на нем не вымокло до нитки.

104

Глава 11

Шилес сидела за маленьким столиком у себя в спальне. Перед ней лежали ее письмо к королю Якову — уже почившему — и лист чистой пергаментной бумаги. Как обратиться в письме к вдове короля, которая к тому же еще и регентша? Размышляя над этим вопросом, она почесала щеку кончиком гусиного пера.

«Ее Величеству...»

Такое начало подойдет. Прикусив губу от усердия, Шилес принялась переписывать остальной текст со старого письма. Кстати, за умение писать ей следовало благодарить Йена. Шилес это жутко злило. Неужели ей совсем нечего вспомнить что-нибудь хорошее из детства, к чему он не имел бы отношения?

Мать часто болела, так что ей было не до воспитания дочери и обучения ее грамоте. А отцу и в голову не приходило нанять учителя. Когда стало понятно, что ее некому научить читать и писать, за дело взялся Йен. Для мальчишки, которому самому было трудно долго усидеть на одном месте, он оказался удивительно настойчивым, часами занимаясь с ней. В результате, хоть она не выработала элегантного женского почерка, однако писала уверенно и без ошибок.

Макая перо в чернила, Шилес заполняла лист строчка за строчкой. Когда она закончила, подула на влажные строчки и перечитала написанное заново. Годится!

Теперь возникла еще одна проблема: как сделать так, чтобы письмо дошло до королевы — в замок Стерлинг.

Шилес подняла голову, услышав короткий стук в дверь, и на всякий случай сунула письмо под стопку счетов.

— Кто там? — крикнула она.

В дверь просунулась голова Йена.

Он улыбнулся, и у нее заколотилось сердце. Откуда у него такая сила воздействия на нее? Со вчерашнего дня Шилес старательно избегала его, что было затруднительно для живущих под одной крышей. Ей стало страшно, что встречи с ним ослабят ее решимость.

— Можно войти?

Она так и не нашлась что ответить. Тогда Йен вошел сам и прикрыл за собой дверь. Шилес густо покраснела, вдруг вспомнив о своем письме. Она испытала укор совести из-за того, что написала королеве, прося помощи расторгнуть ее брак, и ничего не сказала ему. Но тут же подавила в себе чувство вины.

— Я обещаю, что больше никогда не стану кричать на тебя. И не дотронусь до тебя... — У Йена упал голос, когда он посмотрел на нее. Вероятно, ему вспомнилось, как две ночи назад он держал ее в своих руках. — ...Пока ты сама не захочешь.

Шилес почувствовала, что ей не хватает воздуха. С этими черными волосами, упавшими на лоб и прикрывавшими один глаз, с этой темной дымкой щетины, обозначившейся на твердом подбородке, он был красив и опасен.

Йен сдвинул брови.

— Я не хотел делать тебе больно. Ты же знаешь.

Хотел. И сделал.

Взгляд Йена обежал комнату.

— Ты все красиво устроила здесь. — Йен потянул воздух носом и улыбнулся. Уголки губ поползли вверх. — И пахнет намного лучше, чем когда я спал здесь мальчишкой. Обычно отсюда несло собаками и лошадьми. И мной, наверное.

Шилес вспомнила, что проснулась от его запаха, когда Йен улегся к ней в кровать. Этот запах так и остался в ее постели, обеспечив ей бессонную ночь.

Она с трудом проглотила комок в горле, когда Йен нашел глазами постель и долго не отводил

взгляда.

— Я пришел, чтобы ты показала мне счета. — Он перевел взгляд на нее.

Откуда у мужчины могут быть такие синие глаза?

— Мне известно, что отец сам не вел записей, вместо него это делал один из его работников, — сказал Йен. — Поэтому тебе нужно научить меня этой премудрости.

Шилес удивилась. Он не проявлял никакого интереса к хозяйским делам, хотя она с самого начала пыталась заговорить с ним на эту тему.

Йен поднял стул, стоявший у стены, поставил рядом с ней и уселся, проделав все в одно легкое движение. Так в ее представлении мог двигаться лев — грациозно, мощно, играя мускулами.

Шилес подпрыгнула, потому что он придвинулся со стулом вплотную.

Когда он потянулся через нее за стопкой документов, Шилес ощутила исходившее от него тепло. У нее тревожно забилось сердце.

— Давай посмотрим, что тут к чему.

Шилес пришла в себя и схватилась за бумаги.

— Эти в полном порядке, — торопливо сказала она.

Йен с удивлением посмотрел на нее. Синие глаза вспыхнули, брови поползли вверх.

Чтобы избавиться от замешательства, она принялась объяснять свой способ ведения дел.

— Видишь, вот тут у меня переписано новое поголовье...

Йен взял ее за руку, и слова застряли у нее в горле.

— Ты всегда была способнее меня по части цифр, Шил.

— Только потому, что тебе не хватало усидчивости. — Шилес попыталась равнодушно посмотреть на него, но поневоле душа запела в ответ на похвалу.

— Да, есть грех. — Йен расплылся в улыбке, а его пальцы поползли вверх по ее руке. — Но я старательно пытаюсь изжить его в себе.

Шилес нервно сглотнула.

107

— Я понимаю, что ты старательно пытаешься сделать.

— Правда? — Йен убрал с ее щеки отбившуюся вьющуюся прядку волос, и с головы до пят ее пронизала дрожь.

— Ты пытаешься соблазнить меня.

— Каждый должен заниматься тем, что у него лучше получается. — Его глаза заблестели. Не отводя взгляда от ее лица, Йен кивнул на бумаги. — Ты специалист по части цифр, поэтому тебе и впредь нужно ими заниматься.

Шилес открыла уже рот, собираясь объяснить ему, что ее скоро не будет здесь, но не проронила ни слова. Он выполнял свой долг перед семьей и кланом и считал, будто в этот долг входит обязанность сделать ее настоящей женой. Поэтому будет лучше, если Йен не узнает, что у нее есть свои планы на будущее.

— А что у тебя получается лучше всего? — спросила она.

— Как ты уже сказала... — Йен наклонился к ней еще ниже. Зубы блеснули в улыбке. — Соблазнять мою жену.

Шилес покраснела до корней волос.

— Я тебе не жена.

— Нет, жена, — возразил Йен.

— Ты забыл обо мне на пять лет.

Он положил ей руку на затылок и притянул к себе.

— Ну и что, теперь вспомнил.

Господи помоги, Йен собирается поцеловать ее! Воспоминание о том, как он разбудил ее поцелуем, отозвалось в Шилес острым желанием, еще не испытанным доселе. Слегка прикрыв веки, Йен разглядывал ее из-под ресниц. От его синих глаз лучился такой же жар, как от синих сполохов костра. Шилес потянулась к нему, как мотылек на пламя.

В его нежном и чувственном поцелуе заключалось все, что можно пообещать поцелуем. Когда Йен попытался отстраниться, она не отпустила его. Тогда **108** он продолжил целовать ее, улыбаясь уголками губ, а потом провел языком по ее нижней губе. Удивительно, как такое легкое движение могло вызвать в ней такую бурю эмоций? Пришлось схватиться за его рубашку на груди, чтобы не свалиться со стула.

У него вырвался низкий, какой-то горловой звук, который она скорее ощутила, чем услышала. И когда в этот раз он приник к ней, Шилес задохнулась и поняла, что это не просто нежное прикосновение губ, а настоящий поцелуй, который гонит кровь в жилах. Она услышала, как неистово заколотилось его сердце.

В памяти не осталось момента, когда она приоткрыла губы навстречу ему, но вдруг их языки встретились и принялись ласкать друг друга в едином порыве. В Шилес вспыхнуло желание, которое напугало и одновременно воодушевило ее.

Йен погрузил пальцы в ее волосы. Его тело напряглось, такое же напряжение во всем теле ощутила и она. Пока он целовал ее за ухом, а потом в шею, потом в горло, Шилес гладила его подбородок. Отросшая за день щетина колола ей ладонь, и мурашки наслаждения побежали вверх по руке.

Она любила это лицо. Прикоснувшись к нему, Шилес вдруг поняла, что мечтала о том, чтобы взять его в свои руки и налюбоваться вдоволь, еще с первой ночи после возвращения Йена.

Шилес прерывисто задышала, когда он принялся целовать ей грудь через лиф. Все! Она должна остановить его.

Но в ней разыгрался аппетит. Ей хотелось, чтобы мужчина трогал ее. Именно этот мужчина! Именно Йен!

Теперь Шилес затаила дыхание, потому что его язык добрался до ложбинки между грудей. Было такое впечатление, что Йен знает ее тело, как свое. И сладкая боль внизу, между ног стала пронзительной, как только он положил свою теплую, тяжелую ладонь ей на бедро. Когда она хрипло застонала, Йен поднял голову, а потом снова прижался к ее губам.

В голове было ясно и пусто. Шилес тонула в поцелуях. Сколько это тянулось, невозможно было сказать. Но вот Йен отстранился и жарко задышал ей в ухо, а она почувствовала, как его рука двинулась вверх по ее бедру.

— Давай перейдем в постель, — хриплым от желания шепотом сказал он. Она была готова отправиться за ним хоть на край света. — Я не хочу в первый раз заниматься с тобою любовью на стуле.

Тут Шилес наконец пришла в себя.

— Нет, — оттолкнула она его.

Йен уткнулся лбом в ее плечо.

— Шил, не говори «нет». — В голосе послышалась боль. — Пожалуйста!

В комнате вдруг стало душно. Слышалось только их тяжелое дыхание.

— Мне хочется, чтобы все было серьезно. — Хотя Йен не прикасался к ней, за исключением того места, куда прижимался лбом, их тела вибрировали от едва сдерживаемого напряжения.

— Я сказала — нет. — Шилес не решилась оттолкнуть его, поскольку испугалась, что если дотронется до него, то уже не сможет уйти.

Йен набрал полную грудь воздуха и медленно выдохнул.

— Ладно, как скажешь. — Он откинулся на спинку стула. — Может, объяснишь, почему?

Его взгляд прожигал ее насквозь. Шилес покусала губы и ничего не ответила.

— Не хочешь же ты сказать, что тебе не нравится, когда я тебя целую. — Его голос был тягучим словно мед на языке. — Или тебе не нравится то, как я до тебя дотрагиваюсь?

От этих слов в ней поднялась новая волна жара.

— Я уверен, тебе понравится... все остальное.

О да! Ей всегда было интересно, понравится

ли ей исполнять супружеские обязанности или

нет. Теперь она могла сказать совершенно точно — понравится. По крайней мере с Йеном. Ее сердце по-прежнему колотилось, как будто она набегалась наперегонки.

Йен осторожно провел пальцем вверх по ее руке. Жар стал накапливаться между бедер.

— Тебя что-нибудь беспокоит? Ты чего-то боишься?

Беспокоило, и боялась, но не скажет что именно.

— Ты, наверное, боишься первого раза, — предположил он. — Хотя мне кажется, тебя удерживает что-то другое.

Нервно сглотнув, Шилес удивилась, как он догадался.

— Я не смогу ничего исправить, если не узнаю, что это?

Йен говорил искренне, но она все равно не признается. Шилес уже решила, что от него ей требуется много больше, чем просто физическое влечение. Хотя не это останавливало ее. Откровенно говоря, когда Йен так целовал ее, она и не вспоминала, насколько в нем мало любви и преданности.

Нет, причина была в другом. Страх совсем другого рода привел ее в чувство, дал силы остановиться и удержаться от того, что им обоим так хотелось сделать.

— Научись доверять мне. — Йен взял ее за руку и провел по ладони большим пальцем.

Было время, когда она рассказывала ему обо всем. Но теперь — нет.

Ничто не смогло бы заставить ее признаться, что больше всего она боялась стать свидетелем того, как его глаза, полные огня, остывают, увидев ее обнаженной. По незнанию Шилес казалось, будто можно оставаться одетой, ложась с мужем в постель. Но по тому, как Йен решительно пытался освободить ее от одежды, это было не так.

Если бы он любил ее, было бы не страшно предстать перед ним как есть. Или если бы она не любила его так сильно, ей было бы все равно.

— Маленькой ты была бесстрашной. — Йен с нежностью посмотрел на нее. — Откровенно говоря, тогда меня это сильно беспокоило, поскольку иногда складывалось впечатление, будто ты специально попадаешь в передряги, чтобы потом я спасал тебя.

— Да, так оно и было. — У Шилес перехватило горло. Было страшно трудно в этом признаться. — Я полностью доверяла тебе. А сейчас — нет.

Прежде чем он крепко сжал губы и кивнул, Шилес увидела, что сделала ему больно. Во рту пересохло, когда между ними повисла напряженная тишина.

— Это было ошибкой — находиться вдали, когда моя семья и мой клан нуждались во мне. Но я хочу все исправить, если получится, — сказал Йен. — И хочу стать тебе настоящим мужем не только для того, чтобы спать с тобой, хотя и для этого — тоже. Но я обещаю быть тебе добрым мужем, какого ты заслуживаешь.

Шилес почувствовала, как ее охватывает слабость, но одних прекрасных слов недостаточно, чтобы простить ему годы пренебрежения и ту боль, которую он причинил ей после своего возвращения.

— Может, поинтересуешься тем, чего хочу я? — Голос ее задрожал.

— Мне кажется, ты хочешь того же. Тебе нравится жить с моей семьей. — Он наклонился к ней и ласково улыбнулся. — И я тебе нравлюсь.

Йен ни словом не упомянул, о чем они знали оба — о том, что он был единственным, кого она когда-нибудь любила. И судя по тому, как у нее сейчас разрывалось сердце, это все еще оставалось правдой.

— Ты мне не нужен как муж, только потому, что тебя заставили жениться на мне. — Судорожно сглотнув, Шилес уставилась на свои руки, зажатые между коленей. — Или потому, что мои земли нужны клану. Или потому, что твоя мать души во мне не чает.

— Я тоже в тебе души не чаю. — Йен потянулся и заложил выбившуюся прядку ей за ухо, но Шилес отстранилась.

— Ты мне не нужен потому, что считаешь, будто я нуждаюсь в твоем заступничестве, или жалеешь меня, — продолжала она. — Или потому, что не любишь заниматься счетами.

— Могу пообещать, ты будешь желанной, даже если не захочешь вести подсчеты. — Йен погладил ее по щеке. Когда она посмотрела на него, он послал ей обжигающий взгляд. Она вся напряглась как струна. — Я действительно очень хочу тебя, Шил.

Всех этих доводов было бы достаточно, если бы их высказал кто-нибудь другой. От Йена требовалось много больше.

Шилес заставила себя встать и выйти вон, закрыв за собою дверь.

Глава 12

Еще с порога Йен услышал громкий, раздраженный голос отца.

— Посмотри, что ты сделал со мной, — кричал он на Нилла, который пытался помочь ему пройтись по комнате. — Ты должен был дать мне умереть как мужчине.

С другого бока отца поддерживала Шилес.

— Вот здорово, ты опять сядешь за стол вместе со всей семьей.

— Неужели тебе не нравится есть за столом? — спросил Нилл.

Когда отец замахнулся на него своей палкой, Йен кинулся к ним, но Шилес оказалась проворнее. Йен замер, когда она встала между двумя мужчинами.

— Не трогай его! — крикнула Шилес.

Отец сердито запыхтел, и у Йена отлегло от сердца. Несмотря на увечье, у отца по-прежнему были сильные руки и плечи, как у здорового мужчины. Случись что, он бы мог убить ее одним ударом.

Нилл проскочил мимо Йена и, не глянув в его сторону, вылетел во двор. А Шилес так и стояла, глядя отцу в глаза. Если бы Шилес была повыше ростом, они стояли бы нос к носу. Оба, казалось, не обратили никакого внимания ни на присутствие Йена, ни на хлопнувшую дверь.

— Если ты еще раз так заговоришь с Ниллом, я тебе этого никогда не прощу, — пообещала Шилес. Грудь ее взволнованно вздымалась. Глаза, не отрываясь, смотрели на отца.

— Он должен был дать мне умереть на поле битвы, — успокаиваясь, проворчал отец. — Он лишил меня мужества, когда привез домой в таком виде.

В ответ Шилес заговорила медленно и осторожно, но глаза ее метали молнии:

— После всего, что он сделал для тебя, ты должен быть благодарен Богу за то, что у тебя такой сын.

— Благодарен? Взгляни на меня! — снова завопил отец, указывая на то, что осталось от ноги.

— Стыдись, Пейтон Макдональд, за то, что пожелал, чтобы твоя семья осиротела, — сказала она. — Потом ты еще не раз пожалеешь об этом.

Шилес развернулась, волосы при этом вспыхнули огнем, и тоже выскочила из дома.

Доковыляв до ближайшего стула, отец рухнул на него, потом потер лицо руками. Йен достал из шкафчика виски и налил в бокал.

— Вот ты и начал ходить. — Он поставил бокал перед отцом. Решив сначала вернуть бутылку на место, Йен передумал и поставил ее на стол рядом с бокалом.

Отец схватился за бокал, как за спасительный трос, а взглядом уткнулся в стену.

— Пойду поищу Нилла, — объявил Йен.

Не посмотрев в его сторону, отец кивнул.

— Иди, сын.

Во дворе лило как из ведра, поэтому Йен решил, что Нилл далеко не ушел. Сначала он заскочил в старый дом, где нашел Алекса с Дайной, предававшихся плотским утехам. Парочка даже не заметила его появления. Отсюда, шлепая по лужам, он добежал до хлева.

Во влажной темноте сарая пахло коровами и сырой соломой. Йен остановился в дверях и прислушался. Помимо шума дождя, из дальнего конца до него донеслось неясное бормотание. Там он и нашел Нилла и Шилес, которые бок о бок устроились на тюке соломы между двумя коровами. Его приближения они не услышали.

— В нем говорит боль, — успокаивала брата Шилес. — Он говорит не то, что думает на самом деле.

— Нет, он искренне так считает. — Нилл шарахнул кулаком в стену. — Он не из тех, кто жалуется и хнычет.

— Пусть, но я все равно горжусь тобой, если для тебя это что-то значит. — Шилес погладила его по щеке.

— Это правда, Шил? — Нилл покраснел от смущения.

— Конечно, правда, — всплеснула она руками. — Ты на моих глазах превратился в мужчину, на которого мы все можем положиться. Откровенно говоря, я страшно завидую женщине, которой ты достанешься, потому что лучше тебя не будет мужа во всей Шотландии.

Йен почувствовал себя задетым. Мужчина, на которого мы все можем положиться. Лучший муж во всей Шотландии. — Это было не про него.

— Но не забывай, что таким ты стал благодаря воспитанию, данному отцом, — мягко добавила Шилес. — Я сейчас тоже раскричалась на Пейтона, но молюсь Богу, чтобы с ним все образовалось. А когда это случится, увидишь, отец будет горько сожалеть о том, что наговорил тебе.

— Вот вы где, оказывается. — Йен притворился, будто нашел их только что.

Они оба повернулись к нему.

— Напрасно он так налетел на тебя, — сказал Йен.

— Как ты думаешь, я правильно поступил, когда привез его домой? — Нилл смотрел на него **115** снизу вверх, как много лет назад, когда ему требовалось одобрение старшего брата.

Йен подозревал, что окажись он на месте отца, чувствовал бы себя точно так же. Мужчина, который не может сражаться, в общем-то уже и не человек. Но будь он на месте Нилла, поступил бы как младший брат.

— Правильно или нет — не знаю, — сказал Йен. — Но у тебя не было другого выхода.

Когда Шилес встала и вслед за Ниллом пошла из хлева, Йен удержал ее за руку. Он почему-то почувствовал себя виноватым, увидев, как ласковое выражение глаз, с которым она глядела на младшего брата, сменилось настороженностью.

— Спасибо, что поговорила с Ниллом, — поблагодарил он. — Ты помогла ему обрести уверенность в себе.

В ответ ее лицо смягчилось, и Йен еще раз испытал приступ вины. Если добрые, вполне заслуженные слова так действуют на нее, значит, ему нельзя было экономить на комплиментах.

— Дождь вот-вот закончится, — сказал он. — Не хочешь прогуляться со мной немного погодя?

— У меня много работы...

— Ты находишь время для Гордона и Алекса, а для меня — нет? — Поневоле вопрос прозвучал резче, чем хотелось.

— Мне нравится проводить время с ними. — Шилес прищурилась. — С ними не нужно отвлекаться на споры, как с тобой.

Она попыталась вырвать руку, но Йен крепко держал ее.

— Я не собираюсь устраивать перебранку, — заверил он ее. — Давай вместе сходим к Тирлаг. Ты можешь отнести ей еды.

От матери Йен знал, что Шилес и сестра Дункана по очереди снабжают продуктами старую провидицу. Без них Тирлаг не переживет зиму.

— Мне действительно надо к ней, — задумалась Шилес, поджав губы.

— Тогда пойдем вместе, составь мне компанию.

— Ладно, — согласилась она. — Зачем тебе понадобилась Тирлаг?

— У меня там встреча с Коннором и Дунканом, — объяснил он. — Будешь готова через час-два? Мне сначала нужно кое-что сделать.

Увидев, что творилось на кухне, Шилес все равно решила не показывать Дайне своего недовольства. Хотя это слово не отражало всей палитры ее эмоций.

Дело не в том, что Дайна делала что-то не так, чтобы специально насолить ей. Нет! Но каждый раз, когда Шилес смотрела на Дайну, она тут же вспоминала овчарню, ее с раздвинутыми ногами и Йена с голой задницей, пристроившегося между ними.

С грохотом поставив горшок на рабочий стол, Шилес от злости забыла, зачем он ей понадобился.

Совокуплявшаяся парочка настолько увлеклась собственным занятием, что не обратила никакого внимания на девятилетнюю девчушку, которая наблюдала за ними, стоя в каких-нибудь нескольких ярдах от них. Сначала Шилес была настолько поражена, что даже не закрыла глаз. Наверное, поэтому картинка так живо отпечаталась в ее памяти. Но и закрыв глаза, она продолжала слышать прерывистое дыхание и странные вскрики Дайны: «Да! Да!»

— Да? — От голоса Дайны, раздавшегося прямо над ухом, Шилес подпрыгнула.

Та удивленно посмотрела на нее.

— Это здесь Бейтрис прячет соль, да?

Не глядя, куда указывает Дайна, Шилес кивнула. Ей претило присутствие этой женщины в ее доме. Как мог Йен привести в их дом свою бывшую любовницу? Но разве, по-настоящему, это ее дом?

А может, Дайна к тому же еще и не бывшая любовница.

117

Шилес принялась шинковать репу огромным кухонным ножом.

Она разозлилась на Йена за то, что он оставил ей такие грязные воспоминания о себе и о Дайне. А еще больше ее злило то, что в детстве это не казалось ей таким обидным, как сейчас. Кстати, после того случая их отношения с Йеном резко изменились. Шилес на секунду задумалась. Нет, пожалуй, перемены начались раньше.

Когда Йен вышел из мальчишеского возраста, он стал реже приезжать к ним в замок и почти прекратил брать ее с собой покататься на лошади или на лодке. Его не было месяцами, когда он уезжал в университет в Лоуленде. А когда возвращался домой, почти все время проводил с мужчинами, упражняясь в боевых искусствах, либо увивался за более старшими девчонками, у которых уже появилась грудь.

Может, и не без успеха увивался!

— Столько репы не достаточно, — отвлекла ее от мыслей Дайна.

— Ты сможешь одна приготовить ужин? — Шилес стянула передник через голову. — Мне нужно кое-куда сходить.

Не дожидаясь ответа, она бросила работу и отправилась на поиски Йена, собираясь предупредить, что передумала и не пойдет с ним к Тирлаг. Поиски длились не долго. Она нашла его вместе с отцом позади хлева.

К горлу подкатил ком, а на глаза навернулись слезы, когда она увидела эту сцену. Проклятый Йен! Шилес уже почти согласилась с тем, что в нем не осталось ничего от прежнего мальчишки, которого она так любила. И тут он берет и все опровергает.

Из куска дерева Йен вырезал и обшил кожей протез. Обняв старшего сына за плечи, Пейтон как раз учился ходить на этой штуке.

Все относились к Пейтону как к инвалиду, поскольку считали его таковым. Вплоть до сегодняшнего дня носились с ним как с писаной торбой, в то время как собственная неполноценность вызывала в нем только ярость. Он-то привык чувствовать себя мужчиной. Сам будучи воином, Йен понимал отца лучше, чем другие.

Шилес не вдруг сообразила, что сегодня в первый раз Пейтона вывели из дома после того, как Нилл привез его с поля сражения. И это человека, который привык большую часть дня проводить на воздухе!

С помощью Йена отец мучительно медленно передвигался вдоль стены хлева. Сначала в одну сторону, потом обратно.

— Теперь ты понял, что к чему. — Йен был доволен.

Пейтон фыркнул.

— Скоро начну танцевать, да?

— Ну, ты всегда был еще тот танцор, отец.

Услышав, как хохочет Пейтон, Шилес вдруг захотелось дать Йену еще один шанс. Он сейчас так напоминал того Йена, которого она помнила. Сообразив, какая помощь требуется отцу, именно это он и сделал.

— Ты начнешь самостоятельно ходить в два счета, — сказал он. — А там мы всучим тебе меч в руки.

— Согласен. Воевать у меня получалось лучше, чем танцевать.

Все еще смеясь, Йен поднял голову и увидел ее. Шилес, чтобы не заметил Пейтон, быстро вытерла слезы.

— А, Шилес! — Пейтон весь светился. — Какая сегодня прекрасная погода, правда?

Сырость и холод пробирали до костей.

— Действительно, чудесный денек, Пейтон. — Ее глаза заволакивали слезы. — Давно такого не было.

Глава 13

Шилес не знала, как ей быть. Она злилась на Йена и одновременно испытывала к нему благодарность после того, что он сделал для Пейтона. До нее вдруг дошло, что в этот поход к Тирлаг она в первый **119** раз останется с ним наедине, после его возвращения, если не считать двух случаев в ее спальне. Но тогда ситуация не располагала к разговорам.

— Что ты собираешься сделать, чтобы увидеть Коннора во главе клана? — спросила она, лишь бы не молчать.

— Я сделаю все, что потребуется, ради клана, — решительно заявил Йен. — Для Коннора я готов на все. Мы ведь с ним как братья.

Даже если Йен и задумал что-то, он все равно не поделится с ней.

— У Тирлаг очень удобно назначать встречи, — сказала она. — Сколько я туда ни ходила, ни разу не видела ни души поблизости.

— Подозреваю, что Коннор с Дунканом устроились в пещере в скалах на берегу, под ее хижиной, — предположил Йен. — В пещере хватит места, чтобы спрятать и лодку Маклейна Лохматого.

— Я хорошо ее помню. — Шилес повернулась к нему. — Мальчишками вы там прятались, когда играли в пиратов.

Однажды она их там разыскала, и все ребята страшно разозлились на нее, за исключением Йена. Он тут же предложил сделать ее принцессой, которую они захватили ради выкупа. В тот раз сидеть в углу связанной и с кляпом во рту показалось недорогой ценой за участие в их игре.

Тропа свернула от моря вглубь берега, чтобы на последней миле обойти по равнине береговые скалы. Перед поворотом Шилес и Йен вышли на заросшую травой площадку на вершине утеса.

— Это одно из моих любимых мест, — призналась Шилес.

Она глубоко вдохнула свежий морской ветер, устремив взгляд на другую сторону узкого пролива, где в небо возносились вершины гор. Издалека снизу слышался грохот волн. Воодушевление от представшей перед ней картины отозвалось мелкими покалыва-

120

ниями в кончиках пальцев. Как и у большинства жителей острова, ее душа легко откликалась на бешеный норов морской стихии.

— Давай посмотрим, бревно лежит еще на месте? — предложил Йен, показывая вправо, где козлиная тропа шла впритык к обрыву.

— Давай!

Улыбнувшись, Йен взял ее за руку и засунул себе в складки шотландки, чтобы согреть. Шилес поняла, что он вспомнил, как на этом месте всегда брал ее за руку.

— Что-то мне сегодня не хочется выходить на карниз. — Она улыбнулась ему в ответ.

— Мне тоже. Но лучше я буду держать тебя за руку, — сказал он. — Ветер крепчает, а у нас впереди длинный спуск.

Первая половина тропинки — вдоль обрыва с одной стороны и отвесной скалы — с другой — была достаточно широкой для двоих. Потом она огибала огромный валун. За ним сужалась и резко заканчивалась у самого края гигантской расщелины, которая рассекала обрыв.

— Смотри, оно еще тут, — обрадовался Йен.

Во время какого-то давнишнего шторма сюда свалилось огромное дерево, которое росло, цепляясь за скалы на высоте в тридцать футов. Упав, оно легло мостиком между краями расщелины. Чтобы продвигаться дальше, нужно было пройти над провалом по стволу, как это делали козы.

У Шилес захватило дух, когда она глянула вниз, за край обрыва.

— Никак не могу поверить, что вы ходили здесь, вместо того, чтобы обойти это место по главной тропе.

— Ох, и дураки мы были! Просто чудо, что вообще не поубивались. — Йен потянул ее от края. — Единственный раз, когда я по-настоящему перепугался, это когда ты пошла вслед за нами.

Шилес вспомнила ощущение от скользкого под босыми ногами дерева и шум бьющихся о **121** скалы волн внизу. Йен тогда сказал, чтобы она не шла за ними, поэтому ей пришлось спрятаться за валуном и дождаться, пока все четверо не перебрались на другую сторону провала и не устремились по тропе вниз.

— У меня это отняло целый год моей юной жизни, когда я обернулся и увидел тебя на бревне. — Йен обхватил ее и прижал к себе сбоку.

Шилес прошла как раз половину пути, когда посмотрела вниз и застыла на месте.

— Почему ты тогда обернулся? — спросила она. Ей было хорошо — он обнимал ее. Помимо воли, она прильнула к нему.

— Я почувствовал, как мурашки побежали по затылку. — Йен улыбнулся, а у нее засосало под ложечкой. Потом он взял ее за подбородок.

Шилес смотрела, как волны набегают одна за другой, заполняя узкую расщелину. Как они разбиваются об отвесные стены и превращаются в водяную пыль и пену. Она ощутила, как мертвящий ужас охватывает ее, маленькую девчушку, стоявшую над бездной. В тот день она не могла отвести глаз от бушующей воды у себя под ногами, пока не услышала крик Йена.

— Не смотри вниз, Шил! Смотри на меня! На меня!

Прикусив губу, она перевела взгляд с грохочущей, покрытой пеной воды и столкнулась с глазами Йена.

— Не бойся! Я иду за тобой.

Он двигался к ней по бревну, не отпуская ее взгляда и все время разговаривая с ней. До сих пор она не могла забыть облегчения, которое испытала, когда Йен наконец схватил ее за запястье.

— Все, поймал! Теперь я не дам тебе упасть.

И не дал!

Шилес сообразила, что стоит не дыша, и перевела дух. В груди поднялась волна благодарности одиннадцатилетнему мальчишке, который, не колеблясь ни секунды, кинулся ей на помощь. Йен всегда был

122 таким: решительным и бесстрашным в момент

опасности. Тот случай, когда он спас ее, был не единственный, просто самым драматичным.

Когда ей случалось оказаться в безвыходном положении, она никогда не молилась, чтобы Бог спас ее. Она молилась, чтобы Бог послал ей Йена.

— Шилес, — позвал Йен, и она вернулась от мальчика из своих воспоминаний к мужчине, стоявшему рядом. Он прижал ее спиной к валуну, опираясь руками о камень, слева и справа от нее. — Мне кажется, ты должна мне поцелуй, за то, что напугала до смерти в тот день.

Не дожидаясь согласия, он наклонился к ней.

Шилес не могла отказать ему, да и не хотела. Ухватившись за его шотландку, чтобы тверже стоять на ногах, она откинула голову навстречу ему. Когда губы Йена коснулись ее, она почувствовала, как вся плавится внутри. Внизу выла и грохотала вода, ветер шумел в деревьях. Такой звуковой фон сопутствовал смятению, овладевшему ею.

Сердце колотилось так часто, что начала кружиться голова, а он все целовал ее. Целовал в нос, в глаза, в щеки.

— Ты привел меня сюда с расчетом, что воспоминания смягчат меня? — спросила Шилес.

— Да, — подтвердил Йен, уткнувшись ей в ухо. — Сработало?

За тщеславием и ощущением опасности, исходившим от него, ей виделся добрый, сердечный мальчуган, которым он был когда-то. Вспомнив того парнишку, который безрассудно кинулся ее спасать, она почти поверила ему.

Однако бросил ее не мальчик, а мужчина.

— Ты никогда так хорошо не пахла. — Йен поцеловал ей волосы. Потом провел рукой по бокам под ее плащом. В голове стало легко и ясно. Шилес затаила дыхание.

Все мысли вылетели из головы. Разве могло быть по-другому, когда он удерживал ее в руках, дыша над ухом. Все-таки, она собралась с силами и уперлась руками ему в грудь.

— Я расплатилась поцелуем, — сказала Шилес. — А теперь пора двигаться дальше.

— Это была плата за страх. — Йен легко поцеловал ее в подбородок. — Боюсь, ты задолжала мне еще несколько за то, что я снял тебя с бревна.

И снова сердце забилось так, словно хотело выскочить из груди. Его губы были теплыми и ласковыми. И снова она была готова растечься в его руках. Когда он перестал целовать ее, Шилес отстранилась, чувствуя, как краснеет от смущения.

— Здорово, что я сумел дожить до выплаты долга. — Йен засмеялся. В его глазах заплясали чертики.

— Я не безделушка, чтобы играться со мной. — Шилес попыталась оттолкнуть его, но Йен остался неподвижным, как скала у нее за спиной.

— Не понимаю, что ты хочешь этим сказать. — Он уже не улыбался, в голосе зазвучал гнев. — С чего ты решила, что я легкомысленно отношусь к тебе?

— Наверное, потому, что ты забыл обо мне и наших клятвах на целых пять лет, — сказала она. — И не пытайся уверить меня, что во Франции у тебя не было женщин, я все равно не поверю.

— Тогда я не считал тебя своей женой. — Йен взял ее за подбородок и напряженно уставился на нее своими синими глазами. — Но теперь считаю.

— А я нет. — Шилес проскользнула у него под рукой и зашагала прочь, огибая валун. Перехватив за талию, он прижал ее к себе спиной.

— Ты моя жена, нравится тебе это или нет. — Он грозно возвышался над ней. — Тебе, кстати, это может понравиться.

— Вот уж нет! — отрезала она. — Даже не надейся.

— Не ври, Шил. — Он заглянул ей в глаза. — Тебе нравится, когда я тебя целую. Если ты уже забыла, что это такое, я тебе напомню.

Йен привлек ее к себе и принялся целовать. Под **124** этим натиском все возражения, которые Шилес придумала, вылетели из головы. Оказывается, она жаждала его поцелуев, даже не подозревая об этом. Поняв теперь, что ей нужно, она не хотела отпускать его от себя. Она была готова съесть его целиком, принять в себя, лишь бы только не расставаться с ним.

— Я хочу почувствовать, какая ты. — Йен распахнул на ней накидку.

Его горячие руки коснулись ее тела, и Шилес пожалела, что не может стать с ним единым целым. Наклонившись к ней, он прижался губами к тому месту, где у основания горла лихорадочно бился пульс. Она задохнулась, когда его руки легли ей на грудь.

— Ага, — протянул он. — Твои груди просто созданы для моих рук.

Наклонившись еще ниже, Йен языком провел по ложбинке между грудей. У него были теплые, влажные губы. Он зажал соски между пальцами, и Шилес почувствовала, как ее захлестывает волна наслаждения. Перед глазами все поплыло, словно после виски на пустой желудок.

Откинувшись на валун, она отдалась новым ощущениям. И вздрогнула, когда теплый, влажный рот Йена нашел ее грудь. Он провел языком вокруг соска поверх платья. Однако ей все равно было хорошо и захотелось, чтобы эта ласка не кончалась никогда.

Сладкая боль пронзила все ее тело, Йен зажал сосок губами и слегка пососал его. Ей стало даже неловко, потому что будто со стороны услышала, как громко она стонет, и тут же забыла об этом — Йен делал с ней что-то невообразимое. Оставив грудь, он жадно целовал ее в шею.

— Как мне нравятся эти твои стоны, — услышала она его шепот. — Хочется подмять тебя под себя. Хочется пронзить тебя и заласкать так, чтобы ты исходила криком и звала меня.

Йен, не останавливаясь, целовал ее, пока губы у нее не распухли. Потом отстранился, и холодок **125** забрался под платье, пройдясь по разгоряченной коже. Ее тело сразу затосковало по нему. Шилес стояла ошеломленная, не понимая, где находится, слыша только голос своего тела. Соски ныли от желания. Между бедер накапливалась влажная боль. Ее пальцы все еще ощущали мягкий шелк его волос и жесткий материал его рубашки.

— Смотри, тебе нравится, когда я тебя целую. — Йен выглядел чересчур самодовольным. — И обещаю, тебе понравится еще больше, когда мы займемся этим в постели.

Шилес провела языком по пересохшим губам.

— Это совершенно не значит, что я хочу выйти за тебя замуж.

— Но это отличное начало. — Глаза у него сияли.

— Ты жутко самоуверенный тип, Йен Макдональд, — объявила она и принялась приводить в порядок платье.

Йен вдруг замер. Шилес подняла голову и увидела, что его взгляд направлен куда-то ей за спину. Прижав палец к губам, он кивнул головой в сторону дороги. Шилес обернулась и сразу увидела два десятка всадников, двигавшихся в их направлении. Судя по оружию при них, они прекрасно подготовились ко всем неожиданностям. И сами могли создать кучу проблем.

Впереди отряда скакал ни кто иной, как сам Черный Хью Макдональд.

Когда словно пытаясь укрыть собой, Йен прижал ее всем телом к валуну, Шилес почувствовала, насколько он напряжен.

— Они едут за Коннором, — прошептал Йен. В это время отряд свернул, следуя за поворотом дороги.

— Нет, Господи! — тоже шепотом отозвалась она. — Что же нам делать?

— Самый быстрый путь к Тирлаг, это по тропинке вдоль обрыва. Он повернул ее к себе и жадно поцеловал. — Мне нужно предупредить Коннора с Дунканом. Жди меня здесь, я вернусь, как только **126** смогу.

— Я иду с тобой, — заявила Шилес. — Вдруг я потребуюсь тебе.

— Нет, ты останешься здесь. Мне некогда пререкаться с тобой. — Йен сделал пару шагов, но внезапно остановился. — О черт!

Шилес обернулась к нему и поняла, что случилось. Четверо всадников Хью спешились и расположились сбоку от дороги, остальные проследовали дальше.

— Что они делают? — шепотом спросила она.

— Хью должно быть вспомнил, как часто мы пользовались этой козьей тропой, — приглушенным голосом объяснил он. — Вот он и оставил этих на случай, если Коннор с Дунканом вздумают по ней смыться.

Она подняла на него глаза. Лицо Йена было полно решимости. Синие глаза отливали стальным блеском.

— Пойдем. — Он взял ее за руку. — Теперь я тебя тут не оставлю.

Глава 14

Йен ступил на бревно так же уверенно, как на порог собственного дома. Когда она сказала ему, что пойдет вместе с ним, единственной мыслью у нее в тот момент было, что ей не хочется отпускать его. Но теперь от ужаса ее ноги словно приросли к земле.

Стоя на бревне, боком к ней, Йен протянул ей руку.

— Держись, пойдем вместе.

Несмотря на холод, ладони у нее вспотели. Она вытерла их о накидку и вцепилась в Йена. Рука, которая подхватила ее, была сухая, теплая, внушающая уверенность. Шилес робко поставила на бревно одну ногу.

— Не знаю, получится ли у меня.

— Просто запомни, вниз смотреть нельзя, — предупредил Йен. — И глазом не моргнешь, как мы окажемся на той стороне.

Шилес сделала еще один шажок, и теперь двумя ногами стояла на бревне. И над расщелиной. Изо всех сил она старалась смотреть только на Йена, но все равно слышала, как далеко внизу под ней бушует вода.

— Ты все делаешь правильно, — успокаивал ее Йен. — Я не дам тебе упасть.

Она шагнула опять.

— Баланс держать легче, когда идешь быстро, — посоветовал он.

Шилес сделала еще шаг, потом еще один. Действительно, так было легче. Теперь она свободно вздохнула.

Уже на полдороги ее нога соскользнула, наткнувшись на ком мха. И хотя ей сразу удалось восстановить равновесие, взгляд непроизвольно оценил расстояние до дна. Паника накрыла ее волной. Пот потек ручьем. Ноги отказались идти.

— Смотри на меня. — В голосе Йена звучала уверенность, что все будет хорошо. — Я держу тебя, Шил. Я удержу тебя.

С огромным усилием ей удалось оторвать взгляд от гигантских водоворотов внизу и посмотреть на Йена. Его лицо было спокойным и уверенным.

— Вот и отлично, девочка, — говорил он. — Мы уже почти у цели.

Шаг за шагом Шилес двигалась вслед за ним, стискивая его руку так, что пальцы начали ныть. Казалось, вечность спустя, они достигли противоположного конца бревна. Йен спрыгнул с него сам и принял ее на руки. Ощутив твердую землю под ногами, она чуть не потеряла сознание от облегчения.

— Теперь ты будешь мне должна за это сотню поцелуев, — сказал он и сразу заторопился. — Нам нужно спешить.

Ее испытания на этом не закончились. Чтобы добраться до домика Тирлаг, им еще предстояло преодолеть остаток тропы над самым обрывом.

— Может, отпустишь меня? — Йен продолжал тащить ее за собой. — У меня рука занемела.

— Нет.

Тропа стала совсем узкой. Она тянулась по карнизу вдоль обрыва и была едва ли шире стопы человека. Вперед приходилось передвигаться боком, вжимаясь в валуны и скалы за спиной. Носки ее туфель висели над пустотой. А далеко внизу кипели серые волны с шапками белой пены.

Сердце стучало неистово. Краешком глаза Шилес пыталась высмотреть на вертикальных стенах обрыва жалкую поросль кустарника, чтобы уцепиться за него, если вдруг случится упасть.

Неожиданно под ногой оказался камень. Шилес споткнулась о него и поняла, что теряет опору. Сердце ушло в пятки. Она вскрикнула.

Нога повисла над пустотой, а Шилес стала звать Йена.

— Да я тут, — с натугой произнес он.

Она замолчала и подняла на него глаза. Сдвинув колени и вцепившись одной рукой в скалу, другой он держал ее за запястье. Зубы стиснуты. Жилы на шее напряглись. Йен боролся за нее.

Зарычав, он втянул ее назад на тропу. У нее от страха так тряслись ноги, что она снова кувыркнулась бы вниз, если бы Йен вдруг отпустил ее.

— Пошли дальше. — Он решительно посмотрел ей в глаза. — Я же сказал, что не дам тебе упасть. Ты должна доверять мне.

Шилес с готовностью кивнула. Йен все так же крепко держал ее за руку. Он не отпустит ее.

— Осталось совсем чуть-чуть, — успокаивал ее Йен. — Вон, уже и домишко Тирлаг показался.

Все равно сердце Шилес билось где-то в горле, но она, не останавливаясь, двигалась за ним.

— Хорошая девочка! Еще три или четыре шажка, и все.

129

Когда наконец тропинка вывела их на лужайку позади дома Тирлаг, Шилес была готова упасть на колени и целовать землю от радости.

— За это ты должна мне нечто более серьезное, чем поцелуи. — Йен рукавом вытер пот со лба. — Теперь пойдем, найдем Коннора и Дункана.

Они заторопились к хижине и нашли двух друзей за столом, уписывавших рагу из больших деревянных мисок.

— Обед окончен, ребята, — объявил Йен. — По дороге сюда едет двадцать человек, вооруженных до зубов, и с ними Хью.

Он не успел договорить, как Коннор с Дунканом уже оказались на ногах.

— Мы спрячемся в пещере, — сказал Коннор, подвязывая меч. — Исхитрись как-нибудь и дай знать, если они полезут вниз, на берег.

— Ладно, — согласился Йен. — А сейчас двигайте.

— Извини, Тирлаг, — обернулся Коннор через плечо, подходя к двери.

— Не выбрасывай мое рагу. — Дункан схватил со стола овсяную лепешку. Он помахал им рукой, выходя вслед за Коннором.

Шилес опустилась на стул, который еще хранил тепло Коннора.

— Где твой виски, Тирлаг? — поинтересовался Йен.

— Сейчас принесу, — сказала старуха.

Шилес с удивлением наблюдала, как эти двое быстро и слаженно принялись за дело. В одно мгновение Йен сложил остатки еды из мисок в котелок, висевший над огнем, куском полотна вытер их досуха и сунул на полку над столом.

В это время Тирлаг отошла в угол и наклонилась над корзиной для шитья. Вытащила оттуда кувшин и, не жалея, налила из него виски в две чашки, стоявшие на столе.

— Выпей до дна, — приказал Йен Шилес и **130** опорожнил свою одним махом.

Шилес поперхнулась, когда огненная жидкость потекла вниз по пищеводу.

Вытерев чашки, Йен тоже поставил их на полку и, пододвинув стул, сел рядом с ней.

— А теперь мы, разнежившись, болтаем с Тирлаг о том, о сем.

Через минуту дверь распахнулась настежь, и в небольшую комнатку ввалилось несколько человек, принеся с собой облако омерзительной вони. Впереди был Черный Хью.

Шилес не видела его так близко с самого детства. Пока Хью осматривал домик, она сидела и удивлялась тому, как он похож на покойного вождя и Рагналла. У него было такое же квадратное лицо, крепко сбитая фигура и властность в манере держаться. Однако что-то мрачное и зловещее сквозило в мутном взгляде его голубых глаз. И вождь, и Рагналл были крутыми мужиками, но в них отсутствовал этот налет порочности.

— Где они? — требовательно спросил Хью.

За загородкой недовольно замычала корова, когда один из бойцов пнул ее и начал ворошить мечом сено.

— Если буренка лишится молока, ты мне ответишь, — предупредила Тирлаг.

— Остальная троица должна быть где-то поблизости, если ты тут. — Хью повернулся к Йену. — Почему бы тебе не избавить нас от лишних забот и не сказать, где мой племянник? Нам с Коннором нужно поговорить.

— Не сомневаюсь, ты уже знаешь, что Алекс живет у нас. — Йен развалился и принялся раскачиваться на стуле, как будто они обсуждали, хорошо ли клюет рыба. — А вот Коннора и Дункана я в глаза не видел.

— Я спрашиваю себя, с чего бы это Йен Макдональд приперся к старухе? — Он кивнул головой в сторону Тирлаг. — На ум приходит единственный ответ — ни с чего. Так что я думаю, раз ты здесь, значит, остальные хоронятся поблизости.

131

Махнув рукой своим людям, Хью направился к двери.

— Пошли ребята, поищем их.

— Я пришел сюда с женой. — Йен положил руку на спинку ее стула. Когда Хью обернулся, тихо добавил: — Женские проблемы, ну, ты понимаешь.

Тот окинул Шилес взглядом с головы до ног, и ей показалось, будто он видит все, что у нее под платьем.

— По-моему, барышня выглядит отлично.

— У нее все в полном порядке, — встряла Тирлаг, и головы повернулись к ней.

— Я так и понял, что Йен врет, — прошипел Хью и взялся за кинжал.

— По правде говоря, сюда его привела жена. — Тирлаг поджала губы и покачала головой. — Временами у девочки возникают проблемы со своим мужем, хотя для мужчины в таком возрасте, как у Йена, это большая редкость.

Йен поперхнулся, закашлялся и с грохотом поставил передние ножки стула на пол.

— Тирлаг! — воскликнул он, уставившись на прорицательницу.

— Ты хочешь сказать, что наш паренек не может ублажить свою милую женушку? — У Хью рот растянулся до ушей.

Шилес подавила улыбку и положила руку на бедро Йена, чтобы тот оставался на месте.

— Шилес такая терпеливая девочка! Она ждала мужа целых пять лет, — скорбно проговорила Тирлаг. — Я не сомневаюсь, она подождет еще немного, чтобы он пришел в себя после... ранения.

— Меня туда не ранили! — завопил Йен. — У меня там все в порядке!

Хью и остальные покатились со смеху.

— Иногда рана находится вот тут. — Узловатым пальцем Тирлаг постучала себе по лбу. — Но не беспокойся, у меня есть одно снадобье. Оно отлично действует... иногда.

132

Глядя на разгневанного Йена, Шилес принялась кусать губы, чтобы не расхохотаться самой.

Хью со своей шайкой продолжал гоготать. Чем больше ярился Йен, тем больше они верили россказням Тирлаг.

— Если тебе надоест ждать его, скажи, и я найду тебе другого мужа. — Хью подмигнул Шилес. — Скорострела.

Мужчины снова заржали.

— Не утруждай себя. — Шилес опустила глаза. — Я знаю, что Йен выздоровеет. Это так же верно, как скоро пойдет дождь.

— Пока будешь дожидаться его дождя, умрешь от засухи, — выкрикнул кто-то, и все опять заржали.

— Я не какой-то убогий! — Йен вскочил и сжал кулаки. — И готов силой доказать, если кто-то в этом сомневается.

— Тебе лучше поберечь силы для другого, — фыркнул Хью и, повернувшись к Шилес, добавил: — Не забудь о моем предложении.

Когда Йен рванулся к нему, она встала на его пути.

Йен задыхался от гнева, готовясь наброситься на Хью. Это было бы глупо. В комнате помимо Хью находилось пятеро, а еще пятнадцать ожидали снаружи.

Закинув голову, Хью оглушительно захохотал. Шилес понимала, что он хочет побольнее уязвить Йена. И это ему почти удалось.

— Не очень-то умно смеяться над несчастием других, — вдруг заявила Тирлаг. — В особенности когда впереди тебя ожидает кое-что похуже.

Хью подавился смехом.

— О чем это ты, старуха?

— Я вижу тебя покойником, Черный Хью Макдональд.

У него от лица отлила кровь. Он отступил.

С полки над очагом Тирлаг сняла маленький горшок, достала из него что-то похожее на высохшую траву и положила на огонь. Трава затрещала, за- **133** шипела, вверх потянулся дымок. Потом единственный глаз старухи закатился, и она принялась издавать жуткие пронзительные звуки, одновременно переваливаясь с ноги на ногу.

— Я вижу ясно как днем, — заговорила Тирлаг каким-то загробным голосом. — Ты лежишь на длинном столе, а женщины готовят твое тело к погребению.

— Замолчи, ведьма! — Хью вжался в дверь спиной.

— Ты покойник, Черный Хью Макдональд! — возгласила Тирлаг, размахивая руками. — Ты умер, и никто не проронил о тебе ни слезинки!

— Проклятая баба! Ничего ты не знаешь! Ничего ты не видишь! — крикнул Хью, развернулся и кинулся прочь из дома.

Как только они остались одни, Йен в гневе повернулся к старой прорицательнице.

— Зачем тебе потребовалось придумывать небылицы про мое бессилие, Тирлаг? Теперь все мужчины острова меня засмеют.

— Женщины — тоже. — Три оставшихся у нее передних зуба обнажились в усмешке.

— Благодаря этой истории они забыли, что приехали схватить Коннора и Дункана, — мягко сказала Шилес, пытаясь скрыть улыбку.

— Да ладно, — отмахнулась Тирлаг. — Ты заслужил это, после того, что сделал Шилес.

— Что я ей сделал? — Йен стукнул кулаком по столу. — Я не сделал ничего, чтобы меня так унижали.

— А ты не подумал, о чем будет судачить весь клан, когда ты бросил Шилес на следующий день после свадьбы? — Тирлаг помахала узловатым пальцем у него перед носом.

Йен опустился на стул. Через какое-то время он повернулся к Шилес и взял ее за руку.

— Бабы издевались, да?

— О да! — сухо улыбнулась она, а потом заговорила высоко и пискляво, подражая их голосам: — «Неужели ты не могла удержать мужа дома, Шил? На-

134

верное, не знаешь, чем удерживают мужика при себе? Родила бы ему ребенка, тогда бы он захотел вернуться домой».

Йен поднес руку к губам и поцеловал ее.

— Прости. Мне очень жаль. Пока я был во Франции, я думал, что ты все еще маленькая девчонка, от которой мужчине нет никакой пользы.

«Если ты вообще вспоминал обо мне!»

— Сходи за мальчиками, Йен. — Тирлаг сняла миски с полки. — Они так и не поели.

Шилес очень удивилась, услышав, как старуха приказывает ему, словно он юнец, а не мужчина, который вымахал раза в три выше ее. Йен ушел, а Тирлаг уставилась на нее своим единственным глазом.

— Так почему ты не пускаешь к себе в постель такого красавца мужа? — спросила она. — Я знаю, причина в чем-то другом, а не в том, что я придумала для Черного Хью.

Шилес покраснела и опустила глаза в пол.

— Дай ему время. — Тирлаг накрыла ее руку своей узловатой рукой. — В нем есть все задатки хорошего мужа, как раз такого, который тебе нужен. Ты не потеряла мешочек, который я сшила тебе?

Шилес покачала головой.

— Ты надеваешь его на грудь, ближе к сердцу, когда ложишься в постель?

Шилес кивнула.

— Тогда ты знаешь, что делать, девочка.

Глава 15

Йен уже начал переживать за свое здоровье.

Шилес доводила его до умопомрачения. Для мужчины, который хотел женщину и не мог получить удовлетворения, это было вредно. А срывать случайные поцелуи, про которые он говорил, что она должна их ему, только добавляло мучений.

По ночам он лежал без сна, представляя себе ее молочно-белую кожу в лунном свете. Каждый раз, когда в соседней комнате раздавался голос Шилес или когда она проходила по двору, Йен начинал мечтать, что вот сейчас она подойдет к нему и объявит о своем согласии.

В его воображении Шилес медленно, поигрывая бедрами, подходила к нему. Ее глаза сияли. Потом она клала ему руку на грудь и говорила:

— Я передумала. Ты мне нужен как мужчина, Йен Макдональд.

Йен тряхнул головой и отложил в сторону молоток, чтобы не покалечиться. Всякий раз, когда он зажимал ее в угол, чтобы поцеловать, обязательно появлялся кто-нибудь и уводил ее. Бывало, ему удавалось подержать ее за грудь — ах, он страшно возбуждался от одной мысли об этом! — но не более того.

Его терпение подходило к концу.

И время подходило к концу. До Самайна оставалось каких-нибудь две недели, когда им с друзьями придется предпринять решительные действия. В тот день, когда Йен отправился за Коннором и Дунканом в пещеру, он обсудил с ними этот вопрос. Все согласились с тем, что наилучшим способом привлечь клан на сторону Коннора будет атака на замок Нок.

Чтобы оправдать нападение на Маккиннонов, сначала следовало решить все вопросы по поводу прав Йена на замок в качестве мужа Шилес. Разумеется, они могли бы взять замок и без каких-то там юридических обоснований. Так поступали сплошь и рядом. Но тогда в этот спор вмешалась бы верховная власть. А Коннора и Макдональдов в данный момент и без этого одолевало много хлопот.

Итак, Йен должен был вступить в брачные отношения. То есть лечь с женой в постель и выполнить свои супружеские обязанности. В данном случае интересы клана полностью совпадали с его личными интересами. Не часто такое случается!

Все было подготовлено заранее. Йен уговорил мать и Нилла устроить для отца морскую прогулку вокруг острова Сил под тем предлогом, что поездка пойдет на пользу им всем. Алекса, разумеется, не пришлось упрашивать, чтобы он не отпускал от себя Дайну во второй половине дня.

Наконец-то Йен останется с Шил наедине.

Он нашел ее на кухне. Наклонившись над столом, она выкладывала на противень овсяную смесь. У него перехватило дыхание, когда он представил, как возлежит на этом столе, а она работает над ним. Шилес была само очарование с этими высоко заколотыми волосами, из которых выбивались отдельные вьющиеся пряди, свободно спускавшиеся по обеим сторонам лица.

— Ах, как вкусно пахнет! — И действительно, в теплом воздухе кухни носились сладковатый запах овса и медовый дух.

Вскинув голову, Шилес удивленно посмотрела на него.

— Я даже не слышала, как ты вошел.

— Что стряпаешь?

— Хочу порадовать отца, — улыбнулась она. — Ты ведь знаешь, он сладкоежка. А что останется, отнесу Энни. Она недавно родила еще одного.

Закатав рукава, Йен обошел стол и встал рядом с ней.

— Мне нравилось помогать матери на кухне.

Она искоса глянула на него.

— Представляю, что ты был за помощничек.

— Ах, твое неверие глубоко уязвляет меня! — ухмыльнулся он. — Сейчас ты убедишься, насколько я хорош.

Шилес вскинула брови, подозревая, что это только слова.

Она ошибалась.

Зацепив деревянной ложкой мед в горшке, Шилес полила им смесь.

— Мне должна была помогать Дайна. — Она постучала ложкой о край противня. — Вот, все и готово.

— Дайну ты сегодня уже не увидишь. — Забрав у нее ложку, Йен облизал мед. — У них с Алексом... свои дела.

Ее руки замерли, а на щеках появился нежный румянец.

— Вон оно что.

Йен тут же воспользовался удобным случаем, чтобы предостеречь ее насчет Алекса.

— Дайна у него не останется единственной.

— Алекс у нее — тоже.

Он засмеялся и добавил главный аргумент.

— Алекс не из тех, кто надолго задерживается в одной постели.

— Мне кажется, ты не в том положении, чтобы осуждать его. Можно подумать, сам жил жизнью святого. — Шилес приподняла противень и грохнула его о стол так, что он заходил ходуном. — Это поможет осадить смесь. Закончу, когда они приедут.

Йена потянуло к ней.

— Я сейчас живу жизнью монаха, можешь успокоиться.

— Ах, какая жертва! — С непонятной ему целью Шилес принялась передвигать по столу остатки того, что не пошло в дело. — И давно? Неужели целую неделю?

Он зашел со спины и положил ей руки на бедра. Ах, что за наслаждение, почувствовать, как она прижимается к нему!

— Неделя тянется бесконечно, — пожаловался он, утыкаясь носом ей в затылок. — В особенности если каждую минуту хочется раздеть тебя и увидеть, какая ты под платьем.

Йен поцеловал ее в шею и ощутил губами, как лихорадочно бьется ее пульс. Когда он прижался бедрами к ее ягодицам, Шилес коротко вздохнула, почувствовав, насколько он возбужден.

138

— Я прямо сейчас разложил бы тебя здесь, на столе. — Йен провел ладонями вверх по ее рукам.

— Тшш! Вдруг кто-нибудь войдет и услышит тебя. — Судя по голосу, она была шокирована, но все равно трепетала от его прикосновений.

— Дома больше никого нет, — сказал он, покусывая ей мочку уха. — Только ты и я.

Шилес учащенно задышала, когда Йен обнял ее со спины. Его руки нашли и погладили ее грудь.

— Мне кажется, лучшее место, чтобы в первый раз заняться любовью — это супружеская постель, — продолжал он. — Но если прикажешь здесь, на столе, я с удовольствием подчинюсь.

Шилес вытерла руки о фартук и сделала вид, что хочет избавиться от него.

— Отпусти меня.

Это не походило на отказ. Когда она в тот раз действительно решила оказать ему сопротивление, то треснула его ковшом по голове, а потом еще схватилась за нож.

Йен легонько подул ей на шею и был награжден едва слышным стоном, слетевшим с ее губ. Гладкая белая кожа была словно свежее сливочное масло и пахла корицей и медом. Ему так захотелось узнать, какой у нее вкус, что он не удержался и лизнул ее над краем воротника.

У него в ладонях лежали ее полные груди. Чтобы сдержать нестерпимое желание, ему пришлось крепко зажмуриться. О Господи, как же он хотел ее!

Йен поиграл ее сосками, и она издала низкий грудной стон, от которого он чуть не сошел с ума. Так бы и слушал его еще и еще! А когда зажал соски между пальцев, Шилес откинула ему голову на плечо. Дыхание ее стало прерывистым.

Ему нужно было справиться с собственным дыханием. В его руках Шилес словно превратилась в воск, стала мягкой и податливой. На этот раз она позволит залезть ей под юбку, Йен в этом не сомневался. **139**

Господи помоги, он разрядится прямо сейчас, если она продолжит так льнуть к нему!

Настал час отвести ее наверх. Наконец-то! В тот момент, когда Йен собрался подхватить ее на руки и отнести в спальню, он вдруг заметил отметину у нее на шее.

Это была белесая полоска, почти невидимая. Шрам! Он провел по нему пальцем.

— Откуда это у тебя?

Шилес вытянулась в струнку. Потом попыталась вырываться у него из рук, но он не отпустил.

— Так откуда?

— Пустяки, — ответила она. — Отпусти меня, я серьезно.

Он оттянул край платья, чтобы разглядеть как следует. Шрам тянулся вдоль спины и скрывался внизу.

Резко развернувшись лицом к нему, Шилес положила ему ладони на грудь и посмотрела из-под опущенных ресниц.

— Поцелуй меня.

Йен опустил глаза на ее пухлые, приоткрытые губы. Так и хотелось впиться в них. Но почему она с такой отчаянностью уводит его в другую сторону? Ее руки скользнули ему на плечи, она прижалась к нему, и стало невозможно ей сопротивляться.

Он провел большим пальцем по ее щеке.

— Что ты хочешь от меня скрыть?

Шилес поджала губы и прищурилась. Короткая игра в соблазнение закончилась. Стыдно признаться, но Йена распирало от любопытства.

Каждый раз, когда он целовал ее, все было отлично. Просто чудесно! И так до того момента, когда он начинал расстегивать на ней пуговицы или крючки. Ему вдруг пришло в голову, что он еще не видел ее с поднятыми на затылке волосами.

— Хочешь, сопротивляйся, хочешь — нет, — сказал он, — но мне нужно это увидеть.

У нее задрожали губы. Вышние силы, что он такого сказал? Шилес никогда не плакала. Даже

140

когда в шесть лет отец где-то забыл ее, и ей пришлось самой искать дорогу домой, она не проронила ни слезинки.

Йен поцеловал ее, а потом осторожно развернул к себе спиной.

— Не надо, — жалобно сказала Шилес, но он понял, что она сдалась.

Собственные пальцы казались ему огромными и неуклюжими, когда он расстегивал крючки на платье. Расстегнув до талии, стянул платье с ее плеч. Из-за длинной нижней рубашки ему было не видно, что она скрывает.

Ярость налетела на него как вихрь. В ушах застучала кровь. Руки затряслись. Он потянулся мимо нее и грохнул кулаком по столу.

— Я убью его! Клянусь, я убью его, кто бы это ни был.

Шилес тихо плакала. Его мутило от ярости. Он вдруг испугался, когда понял, что может ударить и ее.

— Кто это сделал? — спросил он. — Ты должна сказать мне.

— А ты как думаешь? — Она вытерла лицо рукой. — Отчим.

— Ох, Шил, почему ты ничего не сказала раньше? — Йену захотелось закинуть голову и завыть от бессилия. Она, похоже, была совсем еще ребенком, когда Мердок учинил такое. — Если бы я узнал, что он так распоясался, я придумал бы что-нибудь.

Но ему самому нужно было это понять. Он ведь был ее защитником, а все случилось у него под носом.

— Когда это произошло? — Йен сбавил тон, хотя это трудно было сделать. Он весь кипел. Однако сейчас не следовало пугать ее лишний раз.

Шилес прерывисто вздохнула.

— По большей части Мердок не обращал на меня внимания. Ты ведь знаешь, что он ждал, когда моя мать родит ему сына, чтобы унаследовать Нок. **141**

У матери Шилес умерло несколько детей, еще не родившись. И Йену даже не хотелось думать о том, сколько выкидышей было у бедной женщины.

— Когда она умерла из-за последнего выкидыша, Мердок вбил себе в голову, что сможет заполучить мою землю, если выдаст меня за своего сына Ангуса. Он все время лез ко мне с этим. Тогда я сказала ему, что не пойду ни за кого из Маккиннонов, тем более за его гнусного сына. Он начал колотить меня, пытаясь добиться согласия силой.

Чтобы не разразиться бранью, Йен стиснул зубы. И продолжал держать их сцепленными, пока они не заныли. Несколько лет назад Ангус Маккиннон чуть было не стал причиной войны между кланами. Он изнасиловал женщину из Рэндалов — клана матери Йена. Дело удалось уладить огромными деньгами, но осадок остался. Все говорили, что у Ангуса склонность к насилию.

— Но ты знаешь, какая я упрямая. — Шилес грустно улыбнулась ему через плечо. — В конце концов Мердок запер меня в спальне и послал за Ангусом.

— И это было в тот день, когда я нашел тебя? — спросил Йен, хотя заранее знал ответ на свой вопрос.

Она кивнула.

— Мердок ничего не знал про подземный ход.

«Господи, прости меня!» Все это время Йен обвинял Шилес в том, что его принудили жениться. Обвинял ее в том, что она устроила это специально, по глупости не понимая, чем все может обернуться. У него даже в мыслях не было, что она оказалась в серьезной передряге.

Шилес прикрыла лицо руками.

— Я знала, как только ты увидишь шрам, я снова разонравлюсь тебе, — сказала она прерывистым шепотом.

— О Господи! Шил, как ты можешь говорить такое? — Йен развернул ее лицом к себе и прижал к груди. — Пожалуйста, скажи, что не считаешь меня настолько подлым.

Йен крепко прижимал ее к себе, целуя в волосы, пока плач не прекратился. Потом взял ее на руки и направился к лестнице.

Иногда, чтобы успокоить, одних слов не достаточно.

Глава 16

Голова Шилес покоилась на груди Йена, пока он нес ее вверх по лестнице. Шилес уже сама не понимала, чего хочет, но в его объятиях ей становилось уютно, как в гнездышке. Тем более что чувство защищенности сейчас для нее было важнее всего.

Он внес ее в спальню и захлопнул за собой дверь. Опустив на ноги возле кровати, Йен стянул с нее платье через голову и оставил стоять в одной рубашке. Она была слишком занята своими переживаниями, чтобы смущаться. Одной рукой удерживая ее, Йен быстро откинул одеяла другой, а затем уложил Шилес в постель.

С нежностью, удивительной для такого огромного мужчины, он убрал волосы с ее лица. Этот жест напомнил ей его отца, как утром того дня, когда их нашли спящими в лесу. Пейтон опустился на колени рядом с ней и стал говорить что-то ласковое, держа в своих огромных руках ее ладошки.

Несмотря на внешность закаленного в сражениях воина, Йен остался тем же добрым, нежным мальчишкой, каким был когда-то. Он бережно взял ее лицо в ладони и наклонился над ней. Шилес глубоко вздохнула, когда он поцелуем коснулся ее губ.

— Не пугайся, — тихо попросил он. — Я сейчас лягу к тебе.

С пересохшим от волнения ртом Шилес наблюдала, как Йен отстегнул меч и положил его рядом с кроватью, чтобы тот был под рукой. Это преврати- **143** лось в укоренившуюся привычку, но от нее стало спокойнее на душе. Никто не войдет в дверь, пока Йен находится здесь.

Шилес смотрела, как он снимает сапоги, за ними — носки, потом разматывает шотландку и кидает ее на пол. Теперь он стоял в одной рубашке, которая спускалась до бедер. Она посмотрела на его мускулистые ноги, которые совсем не походили на ноги того мальчишки, потом перевела взгляд на его лицо. Йен и в юности был хорош, но теперь вырос в такого красивого мужчину, что захватывало дух.

Когда он встретился с ней взглядом, отчего его глаза потемнели, внутри у нее все замерло. Пусть в основе его отношения к ней лежала жалость, она все равно не могла не откликнуться на его желание. Желание, жалость, долг. Если только эти чувства привели его к ней в постель, чтобы скрепить их брак, он не будет счастлив с ней. Во всяком случае, не долго.

Шилес прерывисто вздохнула, когда Йен расстегнул рубашку. Он постоял немного, опустив руки вдоль тела.

Все-таки он не хочет ее. Шрамы чересчур отвратительны!

— В этот раз я не стану лишать тебя невинности, поскольку ты слишком расстроена, — сказал он. — А мне хочется, чтобы ты отдалась мне с открытым сердцем и ясным умом.

Кровать заходила ходуном, когда он лег рядом. Она не успела перевести дыхание, как Йен перекатился на нее. Тепло его тела и ощущение исходившей от него силы пронзили ее.

— Знаешь, чего мне хочется? — Его лицо оказалось так близко, что она ощущала его дыхание на своих губах. — Мне хочется, чтобы ты не сомневалась, что я хочу тебя. И я тебе это докажу.

Шилес сглотнула. Почему-то ей показалось, **144** будто в его намерения входит раздеть ее целиком.

— Здесь слишком светло. — Больше ей ничего не удалось выдавить из себя.

— Это первый раз, когда мы разделись. Я хочу видеть, какая ты.

Первый раз! А что, будет и второй, после того, как он посмотрит на ее спину? На кухне он видел лишь начало шрама. Но даже если ему не будет дела до шрама, вдруг она разочарует его чем-нибудь еще?

— Ты такая же чудесная, как твое имя, Шилес. — Йен снова повторил его, мягко протянув «ш-ш». — Ты так шепелявила в детстве, когда у тебя выпали молочные зубы.

Ей казалось, что сейчас ее ничто не развеселит, но неожиданно для себя улыбнулась.

— У меня что-то не так с зубами?

— Нет, все так. Мне даже хочется испробовать на себе, как ты кусаешься.

— Ты шутишь?

Глядя ей прямо в глаза, Йен отрицательно покачал головой, и сердце у нее вдруг сбилось с ритма. Найдя ее руку, он осторожно прикусил подушечку большого пальца. По телу Шилес побежали мурашки наслаждения.

Когда он прижался к ней губами, она поняла, что можно ни о чем не беспокоиться.

Теперь Йен непрестанно целовал ее, и ей стало казаться, будто она готова ко всему. Она была переполнена его близостью. Тяжесть его тела придавила ее к постели.

У него были теплые и мягкие губы. Шилес протянула вверх ладони, чтобы погладить его колючие щеки. Йен только тихо застонал. Потом его язык вошел в ее рот, и словно искра пробежала по ней. Сердце забилось слишком часто. И тут его теплые ладони легли ей на грудь.

Он приподнял голову, а Шилес осталась лежать, хватая воздух ртом.

— Ах, Шил, ты — чудо, — услышала она его шепот. **145**

Йен слегка прикусил ей мочку, потом поцеловал за ухом, а потом его губы двинулись вниз вдоль горла. Шилес непроизвольно вздохнула. Ее внимание целиком сосредоточилось на его влажном теплом дыхании, на прикосновениях его губ, его языка. Но когда он губами коснулся ее груди, она резко открыла глаза.

Шилес попыталась сесть, но Йен, схватив ее за запястья и заведя руки вверх, за голову, заставил лечь снова. Ее сопротивление он преодолел, непрестанно целуя. Она не запомнила момента, когда Йен отпустил ее руки, но через какое-то время уже сама обнимала его, стараясь слиться с ним.

Шилес недовольно замычала, когда Йен отстранился от нее. Он улыбнулся в ответ, и его глаза тоже заулыбались.

— Давай займемся другой половиной тела, Шил.

Пока она соображала, что бы это значило, он перевернул ее на живот.

Тогда Шилес все поняла и зажала подол рубашки.

— Нет, Йен! Нет!

Но он не стал тянуть с нее рубашку. Вместо этого Йен откинул в сторону ее волосы и начал целовать в шею. Он был так ласков, что Шилес поневоле вздохнула. Затем он покрыл поцелуями ее обнаженные плечи. Поставив ее на четвереньки, двинулся вниз, гладя и целуя через рубашку.

Это был первый такой опыт, от которого ей даже стало немного не по себе. Шилес вздрогнула от неожиданности, когда он через рубашку куснул ее за ягодицу. Приподнявшись на локтях, она оглянулась на него, а Йен усмехнулся в ответ. В его глазах плясали чертики.

Шилес снова опустила голову и, закрыв глаза, сосредоточилась на движениях его рук, которые гладили ее по бедрам. Неожиданно он наклонился и поцеловал ее торчавшую из-под рубашки ступню. Ступню!

146 Вот ведь выдумал!

Шилес поджала под себя ногу и еще сильнее зажала край подола. Но было поздно, его руки уже хозяйничали под рубашкой. Они гладили и мяли ее обнаженные бедра.

— У тебя сильные ноги, — сказал он. — Слишком много работаешь.

— М-м...

Йен нравилось ощущение от прикосновения его сильных рук. Но все равно она непроизвольно напрягалась, когда он начинал гладить бедра с внутренней стороны.

Он еще раз слегка укусил ее за ягодицу. Теперь уже за голую ягодицу. Но ей было так приятно, что возражать не имело смысла.

Шилес как будто окунулась в горячий источник, когда, перегнувшись через нее, Йен шепнул на ухо:

— Я должен это сделать.

Она почувствовала холодок на спине. Потом услышала, как Йен резко втянул в себя воздух. Потом он замер в неподвижности.

— Нет! — Она попыталась подняться, но Йен снова прижал ее к постели.

Он помолчал. А когда заговорил, его голос звучал странно:

— Что-то я не пойму. Шрамов совсем не видно.

— Не обманывай! Тебе просто противно глядеть на меня!

— Нет, это правда!

Прерывисто вздохнув, Шилес опять уткнулась лицом в подушку.

— Можно только представить, как они выглядели вначале, когда он поиздевался над тобой, — сказал Йен. — Убил бы мерзавца голыми руками!

Невесомыми поцелуями он вдруг коснулся ее спины. Ее глаза наполнились слезами от такого проявления нежности.

— Я боялась, что Мердок приедет и заберет меня, когда твой отец вернулся домой раненым. — Обернувшись, она посмотрела на Йена через плечо и увидела, как тот сразу помрачнел.

147

— Пусть только попробует, — сказал он. — Я ему не позволю.

— Я знаю, — прошептала Шилес в подушку.

— Вот и прекрасно. Спасибо тебе, Шил, — тихо поблагодарил Йен.

Из-за шрамов она всю жизнь считала себя уродиной и никому не показывала свою спину. Нежные, теплые поцелуи Йена освободили ее от этого тягостного чувства. Целуя, он гладил ее по спине, его руки круговыми движениями прошлись по бокам, задели грудь, остановились на талии, спустились к бедрам.

— Ах, Шилес, — шепнул он. — Ты такая красивая. Так и съел бы тебя.

Гордон, да и другие мужчины, часто говорили ей, что она красавица. Но Шилес себя такой не ощущала. Прикосновения рук Йена почти заставили поверить в это. Они утешали ее и успокаивали.

Более того. То, что Йен принял ее, помогало избавиться от шрамов на сердце, которые он сам нанес ей жестокими словами пять лет назад. Лишь в его силах было помочь Шилес избавиться от них.

Йен приподнялся и лег рядом, повернув ее к себе спиной. Ей сразу стало спокойнее. Он был тут, он был везде. Закрыв глаза, она стала мысленно следовать за движением его руки. Вот он погладил бедро, вот рука остановилась на изгибе бедра, теперь легла ей на талию.

Потом Шилес ощутила, как что-то твердое упирается ей пониже спины. От ее умиротворенности не осталось и следа. Сердце бешено заколотилось. Несмотря на обещание Йена, что он не собирается лишать ее невинности — «в этот раз»! — она вдруг почувствовала себя беззащитной, лежа голой рядом с возбужденным мужчиной.

Шилес облизала пересохшие губы.

— Хоть это и исключительно приятное занятие, мне пора.

Она попыталась сесть, но Йен вскочил следом.

— Подожди. — Он положил ей руку на бедро. — Доверься мне.

— Я знаю, что произойдет потом. — Она попыталась отодвинуться в сторону.

— Нет, не знаешь. — Йен прижал ее к себе. — И я тебе докажу.

Шилес посмотрела ему в глаза.

— Я понимаю, ты винишь себя за то, в чем не виноват. Например, за то, что отец остался без ноги, или за шрамы у меня на спине, и еще за кучу других вещей, за которые ты, может, и несешь ответственность. Но ты не в силах ничего исправить, навязываясь мне.

— Я ведь пообещал, что не зайду далеко. — Йен взял ее лицо в руки. — Ты еще не готова. Поэтому доверься мне.

Доверилась или нет, неизвестно, но она позволила уложить себя. Шилес опять легла на бок. Он опять оказался у нее за спиной.

— Твоя кожа, как летом, пахнет цветущим вереском. — Йен уткнулся носом в ее шею.

Шилес задержала дыхание, когда его рука поползла вверх по ее животу, потом замерла, потому что рука легла ей на грудь. Она все никак не могла сосредоточиться. Его тепло обволакивало ее со всех сторон, давило на нее. Задыхаясь, он принялся покрывать ей шею поцелуями.

— Я очень тебя хочу. — Услышала она. — Скажи, что ты знаешь это.

— Знаю. — Разумеется, он хотел ее, как любой мужчина хочет женщину, которую голой прижимает к себе, лежа с ней постели.

Шилес вдруг сообразила, что он большим пальцем теребит ей сосок. Еще немного, и она окажется за гранью. Тут он перевернул ее на спину и взял сосок в рот.

Интересно, все мужчины пользуются этой уловкой? Ее дыхание участилось. Спина прогнулась, тело словно само умоляло его не останавливаться. Наслаждение пронзило насквозь, и между бедер возникла тупая боль.

Ей захотелось почувствовать его кожей.

149

— Так и останешься в сорочке?

— Ты хочешь моей смерти, девочка. — Но он приподнялся и стянул с себя рубашку.

Когда Йен снова обнял ее, она впилась в него зубами, смакуя близость его мускулистого тела. Жесткие волосы на его груди щекотали ей соски. Он целовал ее до тех пор, пока ей не показалось, что она сейчас воспарит.

Его язык ласкал кончик ее языка. Руки гладили бедра. Время от времени Йен невзначай касался того места между бедер, где копилась боль, и тогда ей казалось, будто она вот-вот взорвется. Слишком чувствительными были эти прикосновения. Почти болезненными. И все равно Шилес чуть ли не стонала от возмущения, когда он убирал оттуда руку.

Но вот наконец его рука окончательно устроилась у нее между ног. И она коротко вскрикнула:

— Да!

Глухо простонав, Йен впился в ее губы.

Это был совсем не нежный, чувственный поцелуй, как до этого, а наоборот настойчивый и жадный. Пока он терзал ее губы, рука делала свое дело. Пальцы лихорадочно затанцевали у нее между бедер. А она притянула его к себе. Хотелось, чтобы он стал ей еще ближе.

Слегка отстранившись, Йен глянул на нее. Его взгляд был темен. В глазах мерцал синий огонь.

— Мне хочется посмотреть, как ты кончишь, — хрипло сказал он. — Знаешь, что это такое?

Шилес было трудно сосредоточиться, она все время следила за тем, что делает его рука. Тем не менее сумела отрицательно покачать головой.

— Я хочу сделать так, чтобы ты закричала от удовольствия.

— Такое возможно? — засомневалась она. — Ты уверен?

— О да. — Йен понимающе усмехнулся. — Поверь мне.

Он склонился над ней и провел языком между грудей, потом вокруг сосков, при этом не пе-

150

реставая ласкать ее рукой. Когда он взял грудь в рот и пососал, Шилес, как со стороны, услышала свой пронзительный стон. Что бы он сейчас ни делал, ей хотелось большего. Новые ощущения обрушились на нее, заставляя трепетать каждую клеточку в предвкушении самого главного.

Йен был неутомим.

И тут ей показалось, что она разлетается на тысячу осколков. Шилес закричала, не переставая содрогаться от наслаждения. Пока она пыталась отдышаться, Йен начал целовать ее с еще большим жаром и настойчивостью. В ней поднялась новая волна желания. У нее было впечатление, что его руки обнимали, мяли, гладили ее со всех сторон, а она все никак не могла насытиться его поцелуями.

Когда Йен перекатился на нее и раздвинул ей ноги коленями, Шилес не стала напоминать ему о его обещании. Ей хотелось того же, что хотелось ему. Ей хотелось почувствовать его в себе, соединиться с ним, стать с ним единым целым.

От радости, что она сейчас вместе с Йеном, о котором всегда думала как о будущем муже, по щеке побежала слеза. Шилес никогда не сомневалась, что он станет ее первым мужчиной и последним. Им мог быть только Йен. Йен и никто другой!

Шилес почувствовала, как его член упирается ей между ног. Желание накатило на нее, как волна на берег. Цепляясь за него, она попыталась заставить его сделать следующий шаг. Тщетно!

Он неожиданно отодвинулся, опустив голову ей на грудь. Ее тело напряглось как тетива. Мурашки побежали по ней от его тяжелого дыхания.

— Чуть не забыл о своем обещании, — виновато сказал он.

— Жалко, что не забыл. Пожалуйста, Йен!

Но Йен перевернулся на спину и лег рядом. В воздухе повисло напряженное молчание. Они никак не могли отдышаться.

151

— Остановиться было просто необходимо, — объяснил он.

Шилес глянула на него и неуверенно положила ладонь ему на плоский, мускулистый живот. Он вздрогнул от прикосновения, потом взял ее руку и стал целовать каждый палец по отдельности.

Повернувшись к ней лицом, погладил ее по щеке.

— Тебе понравилось?

— Да. — Она слегка покраснела от смущения.

— Обожаю смотреть на тебя, — признался Йен, погладив ее по волосам. — Мне понравилось, как ты стонала, когда я ласкал тебя рукой.

На этих словах Шилес вновь ощутила, как внутри нарастает напряжение. Она сглотнула. И поняла, что сейчас последует продолжение. Действительно, рука Йена вновь оказалась у нее между бедер.

Не спуская с нее глаз, он сказал:

— Мне нравится, что ты такая горячая и влажная и с готовностью встречаешь меня, Шил. Ты такая красивая! В тебе есть все, что мне нужно.

— Не знаю, что мне сделать. Может, мне... — Шилес попыталась ухватить мысль, но разве можно было думать о чем-нибудь еще, когда пальцы Йена вытворяли с ней такие неописуемые вещи.

— Нет, моя радость. Этот раз — твой. — Он уложил ее на спину.

Потом его губы нашли ее, и она позволила чуду умчать ее на своих крыльях.

Глава 17

Стоя на пороге храма, Йен приветствовал каждого, кто входил в двери, чтобы лично убедиться, что здесь собрались люди, достойные доверия.

— Отец Брайан, вы мужественный человек, если позволили нам собраться здесь, — обратился Йен к подошедшему священнику. — Но самому вам совсем не обязательно присутствовать.

— Я помолился, и Бог разрешил, — сказал отец Брайан и прошел в храм. Йен слышал, что священник завел себе женщину. Наверное, Бог разрешил ему и это.

Пора было начинать.

Йен отошел от дверей в темноту и постоял, прислушиваясь. Кругом было тихо. Никаких лишних звуков, кроме шума ветра. Он вернулся к храму, ступил внутрь и махнул рукой Коннору, что все в порядке.

За спиной Йена встали Дункан с Алексом. Они первыми примут на себя удар, если вдруг нагрянут непрошеные гости. Коннор занял место впереди. Храм находился в опасной близости к замку Данскейт, поэтому зажгли только пару свечей. Одна из них горела в противоположной стороне от Коннора. Народ постепенно расселся, и в помещении повисла тишина.

Несмотря на то что большая часть храма была погружена во тьму, Йен чувствовал, что все глаза устремились на Коннора.

— Вы пришли сегодня сюда, — начал он, и его голос заполнил помещение, — потому что Маккинноны забрали у нас замок Нок и потому что понимаете: мы должны вернуть его себе.

Несколько человек закричали, подняв вверх кулаки, или застучали мечами о пол.

— Вы верой и правдой служили моему отцу, когда он был нашим вождем, — продолжил Коннор, когда вновь установилась тишина.

— И он ни за что бы не позволил Маккиннонам забрать то, что принадлежит нам! — воскликнул один из старейших воинов. Остальные согласно загалдели.

— Нам необходим замок Нок, чтобы защищать наши земли от вторжения с восточной стороны, — говорил Коннор. — Если он не перейдет в руки Макдональдов, это будет грозить опасностью нашим домам.

Йен улыбнулся. Ему нравилось, как доходчиво Коннор объясняет суть дела. Он говорил правду, которую понимали все в отличие от Хью, который постоянно лгал, лениво цедя сквозь зубы только то, что было выгодно ему на данный момент.

— Ради безопасности клана мы должны вернуть замок себе. — Слова Коннора снова встретили общим одобрением. — Вопрос заключается в следующем: как это устроить без вождя, который мог бы повести нас за собой?

— Настало время выбрать вождя, который будет сражаться за нас! — крикнул кто-то.

Время, конечно, настало, но Коннор был достаточно умен, чтобы не решать этот вопрос прямо сейчас.

Он позволил разгореться спорам, а потом поднял руку в знак тишины.

— Хью объявил себя вождем клана. — Коннор специально еще раз напомнил всем, что Хью никто не выбирал. — Мне не хочется никого заставлять идти против человека, который вдруг станет вождем.

Раздался ропот. Пока все шло так, как они рассчитывали.

— Пусть Хью отказывается воевать за Нок, но он не может запрещать этого другим.

Коннор сделал паузу, чтобы люди усвоили его мысль и согласились с его выводом. В этом деле он был мастер.

— Здесь, среди нас, присутствует человек, у которого есть полное право на замок Нок, — объявил он. — И я считаю, этот человек имеет право не дожидаться момента, когда вождь выступит от его имени, если полагает, что справится сам.

Несколько человек обернулись и начали искать глазами Йена, стоявшего в задней части храма.

— А если кто-нибудь из сородичей окажет ему поддержку, тогда удачи вам!

Послышались громкие крики:

— Да! Да!

Тут в центр прохода между скамьями выбрался человек и стал ждать знака Коннора, чтобы начать **154** говорить. Наконец Коннор кивнул.

— Ты имеешь в виду Йена Макдональда. Так вот, у него нет прав на замок Нок.

Как только этот человек открыл рот, Йен сразу узнал проклятого Гордона.

— Наследницей замка является Шилес. Шилес, а потом ее ребенок. Насколько мне известно, — Гордон посмотрел в конец прохода, где стоял Йен, — Шилес не носит ребенка Йена.

Имейся такой ребенок, право Йена было бы неоспоримым. В данный момент он претендовал на замок от имени Шилес и их будущих детей.

— Йен всего неделю как вернулся, — крикнул Алекс. — Дайте же мужику время.

Замечание Алекса развеселило всех, и это немного разрядило обстановку после вмешательства Гордона.

Но тот еще не закончил.

— Йен бросил ее, — заявил он. — И если Шилес выберет себе нового мужа, никто не станет ее в этом винить.

— Она не сделала этого, и никогда не сделает! — Йен попытался вырваться из захвата Дункана, чтобы накинуться на Гордона.

— Мне единственно известно то, — не останавливался Гордон, — что у него не может быть ребенка от женщины, с которой он спит порознь.

На этот раз Йен все-таки вырвался. Он налетел на Гордона, и они оба покатились по полу. Однако ему не удалось намять бока обидчику, Дункан с Алексом растащили их. Когда Гордон вскочил, он снова кинулся к нему с кулаками, но Дункан перехватил его и заставил стоять на месте.

— Если ты до сих пор не уложил Шилес в постель, — свистящим шепотом заговорил Коннор, вплотную приблизившись к лицу Йена, — потрудись позаботиться об этом до того, как мы соберем людей для захвата замка.

— Позабочусь, — процедил Йен сквозь зубы, уставившись на кузена.

— А тебе, Гордон Макдональд, я вот что скажу. — Коннор схватил его за грудки. — Коли ты рассчитываешь, что Шилес выберет тебя вместо него, предлагаю тебе держать рот на замке и точить меч к сражению за ее замок.

— Шилес — моя жена. — Йен пристально посмотрел на Гордона. — А если он хочет забрать ее, то только через мой труп.

Не обращая внимания на Коннора, Йен вышел вперед и обратился ко всем в храме:

— Макдональд всегда бьется за то, что принадлежит ему, — крикнул он собравшимся. — Ради нашего клана я прошу вас присоединиться ко мне, чтобы отбить замок Нок. Но даже если вы не согласитесь, я пойду один. Ибо я — Макдональд, и никогда не отдам своего.

Йен медленно обвел глазами сородичей, а потом воздел меч.

— Я, Йен Макдональд, супруг Шилес, и я возьму замок Нок!

Потолок храма подпрыгнул, стены затряслись, когда все затопали ногами, застучали мечами и стали выкрикивать боевой клич:

— Замок Нок! Замок Нок! Замок Нок!

Глава 18

Увидев Йена с Алексом, поднимавшихся по тропе, Шилес подобрала накидку и бросилась им навстречу.

— Где ты был? — Она схватила Йена за руку и, улыбаясь, заглянула ему в глаза.

Алекс приподнял брови и усмехнулся с таким видом, будто именно благодаря ему так изменились отношения между Йеном и Шилес.

— Мы всю ночь просидели с Коннором и Дунканом, — сказал Йен. — И признаюсь, нализались так, что **156** до дома не добрались бы.

Шилес прищелкнула языком.

— Хорошо хоть, что ты мне не врешь.

Йен остановился посередине дороги и с нежностью посмотрел на нее.

— Я по тебе соскучился.

Поняв намек, Алекс направился к дому.

— Нам надо поговорить, — сказал Йен. — Но не здесь.

Сердце подпрыгнуло в груди. Она понимала, о чем Йен поведет речь, и была готова к разговору. Проведя полночи без сна в раздумьях, Шилес пришла к определенному решению.

Не находя себе места от нетерпения, она пошла за Йеном вниз по тропе к небольшому пляжу, сразу под домом. Надежда! Вот что ее сейчас грело. Там, наверху, в спальне, он доказал ей, что может стать тем, кто ей нужен — мужчиной, в которого она могла поверить.

Шилес не обманывалась насчет его любви. У Йена могло быть много других причин, чтобы стать ей мужем. Но в его прикосновениях было столько нежности и тепла, что у нее появилась надежда: в один прекрасный день он все-таки полюбит ее. Даже если он никогда не будет любить ее так, как она его, все равно Йен доказал ей, что сам выбрал ее, а также свое намерение стать для нее добрым супругом отныне и вовеки.

В любом случае, время ушло. Если она собиралась бросить его, это следовало сделать до вчерашнего дня, до того, как он отнес ее в спальню. Йен не лишил ее девственности. Она сама лишилась невинности. Ей снова захотелось почувствовать тяжесть его тела, гладить мускулистую спину и опять увидеть перед глазами россыпь звезд, когда наслаждение овладевает каждой частичкой тела.

Какая женщина в здравом уме откажется от целого пирога, насладившись вкусом маленького кусочка? При мысли о том, что теперь она может ложиться с Йеном в постель каждую ночь, ее охватывал озноб.

Усмехнувшись самой себе, Шилес дотронулась в кармане до своего счастливого талисмана. Когда они спустились на берег, Йен привел ее к старому навесу, устроенному под деревьями.

Поднырнув под него, они устроились на низкой скамье среди знакомого набора из рыбацких сетей, мотков веревки, снастей, нуждавшихся в починке.

— Я ведь правда скучал по тебе. — Его синие глаза не отрываясь смотрели на нее.

— Я тоже скучала.

— Ты мне будешь нужна всегда, — сказал Йен. — И я больше не хочу проводить ночи в одиночестве.

Затаив дыхание, Шилес ждала, чем он закончит.

— Я вот о чем... Вернее, вот о чем я хочу спросить... Согласна ли ты прямо сегодня стать мне настоящей женой? — Йен покопался у себя в шотландке. — Тут есть кое-что для тебя.

Он вытащил руку и протянул ей серебряное колечко.

— Я не подарил тебе кольца, когда нас женили, — сказал он. — И хочу подарить его сейчас.

Шилес покатала на ладони колечко — традиционный подарок парня своей невесте. Пальцем провела по кромке этого символа нескончаемой любви. Две переплетенные веревки на кольце обозначали переплетение двух судеб.

— Я понимаю, у нас должна была быть другая свадьба, — продолжил Йен.

Шилес вдруг рассмеялась.

— Это был худший день в моей жизни.

Йен скорчил гримасу.

— Хуже не придумаешь.

— Верно, — сказала она. — Ты помнишь платье, в которое меня нарядила твоя мать?

Йен скривился.

— В него уместились бы трое таких, как ты.

— А цвет! — Шилес закатила глаза. — Ужаснее не бывает!

158

Хоть они и засмеялись, это было горькое воспоминание для них обоих. Однако оттого, что теперь об этом можно было сказать, у Шилес стало легче на душе.

— Но ты все равно заполучила мужчину, которого хотела, да? — Обняв за плечи, Йен подмигнул ей.

— Жених, который произносит клятвы и при этом оглядывается на приставленный к его спине кинжал, совсем не то, о чем мечтают невесты, воображая свою свадьбу.

Лицо Йена стало серьезным.

— Я буду таким, каким ты захочешь. Кольцо — это только начало.

Заглянуть ему в глаза, было то же самое, что нырнуть в море. Нырнуть, а потом отдаться на милость волн, пусть течение несет ее куда захочет.

— Я готов стать тебе добрым мужем. — Йен взял ее за руку. — Скажи, что согласна стать моей женой.

— Да, согласна.

Йен взял кольцо и надел ей на палец.

— Оно тебе как раз. — Подняв ее руку к губам, он поцеловал ее. Его губы были мягкими и теплыми, и Шилес сразу вспомнила, как он поцеловал ее в живот.

Она сглотнула.

— У меня тоже есть подарок для тебя.

Когда брови Йена поползли на лоб, ей стало приятно, что удалось удивить его. Она вытащила кристаллик из кармана и протянула ему. Размером он был не больше фаланги пальца, а цвет его напоминал зелень моря, когда на него смотришь сквозь плотный туман.

— Ты знаешь, что это такое? — спросила Шилес.

— Камешек? — усмехнулся Йен.

— Это приворотный камень. — Шилес понизила голос. — Кристалл Макдональдов.

— Я думал, он пропал. — Йен осторожно взял его двумя пальцами и поднес к глазам, чтобы посмотреть на свет. — Это тот самый, который крестоносцы привезли со Святой земли?

— Да, это он. Им владела моя бабка. — Шилес опустила глаза и уставилась на свои руки, сложенные на коленях. — Ты ведь знаешь, она терпеть не могла моего отца и понимала, что мать долго не протянет. Так вот, чтобы камень не достался ему, она отдала его предсказательнице, чтобы та сохранила его для меня. Тирлаг вернула мне его, после того, как я перешла жить в твою семью. Она утверждает, будто камень защищает того, кто носит его при себе.

— Вот ты и держи его при себе. — Йен положил камешек ей на ладонь и зажал ее в кулак.

Заглянув ему в глаза, Шилес покачала головой.

— Ты пообещал защищать меня, и я верю тебе. Но кто защитит тебя? Это мой свадебный подарок, поэтому ты должен его принять.

Ценнее этого камешка у Шилес не было ничего. Передавая ему его, она таким образом подтверждала, что доверяет ему свою жизнь. И свое сердце.

— Я сохраню его и сберегу тебя. — Йен пристально посмотрел на нее.

— Чтобы хранить его, Тирлаг специально сшила вот это. — Шилес достала из кармана кожаный мешочек на шнурке. — Она заговорила кристалл, чтобы увеличить его силу.

Шилес не стала упоминать, что Тирлаг еще сказала, чтобы она сначала повесила хрусталик себе на грудь, и тогда его сердце всегда будет принадлежать ей. Очень хотелось верить, что это правда.

Шилес распустила шнурок, и Йен положил камень обратно в мешочек. У нее на глазах навернулись слезы, когда она повесила мешочек ему на грудь и положила руку поверх его.

— Я чувствую, как сквозь него бьется твое сердце. — Шилес подняла глаза. — Не снимай его, и он сбережет тебя для меня.

Йен обнял ее и прижал к себе. Его теплое дыхание щекотало ей ухо.

— Спасибо тебе, родная.

Они постояли, обнявшись.

— Я приду к тебе сегодня ночью. Договорились?

— Договорились. Сегодня ночью.

Сегодня ночью! Это станет началом их новой жизни.

Глава 19

— Ах, какой очаровательный малыш у Энни! — восторгалась Шилес. Рука об руку с Бейтрис она возвращалась домой после визита к соседям. — Нилл, ты просто чудо, что проводил нас.

Изначально с ними должен был пойти Йен, но Пейтон попросил его остаться и поупражняться вместе с ним во дворе. В первый раз после ранения Пейтон собирался взять меч в руки.

— Ты сегодня вся словно светишься, — сказала свекровь и подмигнула ей. — Может, через год в это время у тебя самой уже будет ребенок.

От этой мысли сердце встрепенулось. Умудренная житейским опытом Бейтрис чувствовала, что отношения между невесткой и Йеном круто переменились, и радовалась за Шилес.

Когда Нилл пытливо посмотрел на Шилес, она вспыхнула. Ей не хотелось обсуждать это с Ниллом, тем более что ему и другим домочадцам все станет известно на следующее утро.

— О, смотрите, кто идет, — сказал Нилл с кислым выражением лица.

Это был Гордон, и он шел прямо на них. У него был вид одержимого какой-то идеей, которой он обязательно должен поделиться. Шилес набрала в грудь воздуху. Она боялась, что придется столкнуться с ним, поскольку дорога к Энни лежала мимо его дома.

— Лучше сразу отшить его, — прошептала ей Бейтрис на ухо, пока он не слышал.

161

Гордон подошел, поздоровался со всеми и обратился к Шилес:

— Можно мне поговорить с тобой? Это очень важно.

— Мы не будем торопиться, — сказала Бейтрис. — Ты догонишь нас, после того, как поговоришь с ним.

Гордон тепло и с надеждой улыбнулся Шилес, а она вдруг почувствовала себя обманщицей. Бейтрис была права, теперь самое время сказать ему, что они с Йеном уладили свои отношения. Гордон — добрый человек и достоин честного к себе отношения.

— Мы больше не можем ходить с тобой на прогулки, — объявила она. — Я решила остаться с Йеном.

— Скажи, что это неправда. — Гордон неистово схватил ее за руку. — Скажи мне, что еще не поздно, что ты еще не принадлежишь ему.

Вспомнив, чем они занимались с Йеном, Шилес смутилась. Да, она еще оставалась девственницей, но на самом деле уже принадлежала ему.

— Йен не заслуживает тебя, — продолжал Гордон. — Он не любит тебя, как я люблю.

Ах, он все только усложняет!

— Йен пообещал, что будет мне добрым мужем, и я поверила ему.

— При желании Йен найдет себе любую. — Гордон обвел рукой вокруг себя, как будто там стояла очередь из женщин. — Но тебе-то нужен мужчина, для которого ты будешь чем-то особенным.

Шилес не хотелось огорчать Гордона, но даже если говорить с ним мягко, его это все равно не заставит смириться.

— Я не пустое место для Йена, — возразила она.

— Это он тебе сказал? — Гордон повысил голос. — Мне больно, оттого что ты веришь в обман.

— Хватит, Гордон! Я знаю, что тебе трудно, но это не повод обзывать Йена лжецом.

— У тебя всегда была слабость к Йену. Отсюда твоя слепота. — Гордон покачал головой. — Йен выбирает не тебя, он выбирает твою землю.

— Нет! Это неправда.

— Он вернулся на Скай, чтобы помочь Коннору стать вождем. — Гордон перестал сдерживаться. — Вот, что для него главное.

Ледяные пальцы сомнения сжали ее сердце.

— Нет, Йен хочет стать мне мужем.

— Именно поэтому он не показывал носа пять лет? — спросил Гордон. — Ты сама знаешь, что Йен сделает все ради Коннора, а тот хочет вернуть твой замок в руки Макдональдов.

— О чем это ты?

— Эта четверка — Коннор, Йен, Алекс и Дункан прошлой ночью устроили тайную сходку в храме.

Холодок страха побежал по ее спине.

— На какой предмет? Они собираются воевать с Хью?

— Коннор достаточно умен. Он понимает, что еще пока рано самому бросать дяде прямой вызов. — Теперь Гордона было не остановить. — Для этого у него есть Йен. В качестве твоего мужа он позовет людей на захват замка Нок.

Почему никто не рассказал ей, что существует план выгнать отчима из ее замка? Почему Йен ничего не сказал ей? Вместо этого навешал ей лапшу на уши про то, как они все вместе пропьянствовали целую ночь.

— Эти четверо уже все распланировали. — Гордон всплеснул руками. — Они отлично знают, что потеря замка затронула гордость клана. Люди пришли к ним вчера, потому что злятся на Хью за то, что он не зовет их отвоевывать Нок. Потом они разошлись по домам в полной уверенности, что в отличие от Хью Коннор не кинется в кусты, когда враг будет забирать себе то, что принадлежит нам.

— Коннор не кинется, — тихо согласилась она.

— Говорю же тебе, — не унимался Гордон, — что вся затея со взятием замка нужна только для того, чтобы привлечь людей на сторону Коннора, когда будут выбирать вождя.

163

Шилес почувствовала, что ей нечем дышать. Высоким от напряжения голосом она спросила:

— Так, значит, сходка прошла этой ночью?

— Да.

А сегодня утром Йен явился с кольцом и заявил, что больше не хочет ждать, что этой ночью она станет его настоящей женой. Шилес показалось, будто она стоит на кромке песчаного откоса, а песок начинает утекать у нее из-под ног.

— Коннору нужен человек, который в качестве мужа может заявить свои права на замок. — Гордон добивал ее. — Вот для чего ты нужна Йену.

Словно издалека до нее донесся голос Йена:

— «Нет ничего такого, чего я не сделал бы для Коннора».

Однако Шилес еще сопротивлялась.

— Это не означает, что я для него пустое место.

— Единственно, что ему действительно важно, — продолжал Гордон, — это быть героем, который спасает клан, проталкивая Коннора в вожди.

В его словах была известная доля правды, поскольку она знала про жгучее желание Йена обрести вес среди сородичей.

— Только из-за желания помочь клану он не стал бы набиваться мне в мужья.

— Я же говорю тебе, — настаивал Гордон, — что в этом случае он может заявить о своих правах на твою землю и замок.

— Пять лет назад он не горел таким желанием, хотя я уже тогда наследовала замок Нок. — Она сама услышала отчаяние в своем голосе.

— То случилось еще до Флоддена. Задолго до смерти отца Коннора и его дяди. До того, как Черный Хью объявил себя вождем.

Шилес покачала головой, потому что отказывалась верить во все это.

— Коннор приказал Йену затащить тебя в постель, чтобы получить мужнино право претендо-

164

вать на замок Нок, — привел последний довод Гордон. — Я слышал, как Коннор приказывал ему:

«Ради благополучия клана, я готов на все. Нет ничего такого, что я не сделал бы для Коннора».

— Йен ответил, чтобы Коннор не беспокоился, что он возьмет это на себя.

Шилес почувствовала, как ее щеки вспыхнули от унижения.

— Ты ведь знаешь, я никогда не обманывал тебя.

— Не желаю больше ничего слушать! — Шилес отшатнулась от него.

— Ты позволила Йену дурачить тебя пять лет, — сказал Гордон. — Умоляю, не давай дурачить себя всю оставшуюся жизнь.

Пять лет все еще болью отзывались в душе. И наверняка Йен не хранил ей верность, когда был во Франции. Могут ли кольцо и пара нежных слов исправить положение?

— Ради Бога, Шилес, открой глаза и оцени человека, какой он есть на самом деле. — Гордон сделал глубокий вдох и резко выдохнул. — Если передумаешь, я буду тебя ждать.

У нее задрожали губы, когда Гордон развернулся и пошел вверх по тропе к своему дому. Нет, она не может поверить в это. Она чувствовала душу Йена. Он не мог предать ее.

Однако торопливо шагая к дому, Шилес не могла припомнить, чтобы Йен хоть один раз сказал, что любит ее.

Глава 20

Напевая под нос, Йен вылил в лохань второй котел горячей воды. Быстро разоблачился и, кинув грязную одежду в угол, с протяжным довольным вздохом опустился в клубившуюся паром воду.

165

Сегодня ночью! Сегодня наступит момент, когда его брак станет законным, и он привяжет к себе Шилес на всю жизнь! Ему хотелось предстать перед ней во всей красе. Конечно, так благоухать, как Шилес, у него не получится, но он будет чист и свеж. Он уже отнес в их спальню бутыль вина и расставил по всей комнате горящие свечи.

Откинув голову на край ванны, Йен улыбнулся, представив, как все пройдет ночью.

Черт! Это входная дверь открылась? Он-то рассчитывал, что у него в запасе будет больше времени — отец спал у себя в комнате, а все остальные отправились к соседям посмотреть на новорожденного младенца. Надо поторопиться, потому что женщины скоро должны заняться ужином.

Йен уселся в лохани и принялся намыливать голову. Окунувшись в воду, чтобы смыть мыло, он почувствовал, как чьи-то пальцы прошлись по его мокрым волосам.

— Шилес, — позвал он, улыбаясь как идиот, с закрытыми глазами и стекавшей по лицу водой.

Она погладила его по плечам, а Йен затаил дыхание, когда ее рука скользнула по груди и дальше вниз по животу. Но что-то было не так. Он резко выпрямился и обернулся. И обнаружил, что это совсем не Шилес.

— Дайна! Что тебе здесь надо?

— А что это такое? — Не успел он остановить ее, как она дернула за шнурок, на котором висел мешочек с приворотным камнем.

— Давай иди отсюда. Видишь, я моюсь. — Йен протянул руку. — Но сначала отдай мне это.

Дайна помахала мешочком у него перед носом, а потом засмеялась и нацепила его себе на шею.

— Это будет подарком взамен того, чем я тебя сейчас одарю.

— Мы ничем не будем друг друга одаривать. — Йен начал терять терпение. — Быстро верни **166** эту штуку.

— Ты не поинтересовался, что я собираюсь предложить. — Дайна провела пальцами вдоль шнурка до ложбинки между грудей, куда провалился мешочек.

— Ради всех святых, что ты творишь, Дайна?

— Я не могла не заметить, что ты ночуешь в старом доме, — сказала она. — Просто стыд, что ты спишь один, хотя это дело можно поправить.

— Мне не интересно, что ты предлагаешь, — отрезал он. — Отдай вещицу и иди отсюда.

Неожиданно Дайна наклонилась и, подхватив юбки, сдернула с себя платье.

— Отдай, говорю.

Должно быть, она заранее расстегнулась, поскольку оказалась в одной рубашке, а платье полетело в руки Йена. Он поднял на нее глаза и увидел, как она, не дожидаясь, что он скажет, стянула с себя и рубашку.

Йен все-таки был мужчина. Он не собирался разглядывать ее. Его вообще не тянуло к ней. Но у Дайны была такая впечатляющая... оснастка. И стояла она совершенно голая! Делу вредило и то, что Шилес постоянно держала его на голодном пайке.

Помимо воли его мужское естество ожило. Что, кстати, совсем не значило, что он собирался пустить его в ход.

— Я хочу, чтобы то отдала вещицу, забрала свои шмотки и убралась отсюда. Мне нужно домыться и переодеться.

— Подойди и отними. — Как она и рассчитывала, его взгляд метнулся на мешочек, который улегся между голых грудей.

Йен оглянулся в поисках полотенца. Черт, оно висело на стуле по другую сторону стола. Должно быть, проследив его взгляд, Дайна сотрясая грудями, кинулась вокруг стола и схватила полотенце.

Ох! Он был готов придушить эту паскуду.

— Если не хочешь одеться и уйти, тогда это сделаю я. — Ухватившись за края ванны, он поднялся и вылез из ванны. Вода текла с него ручьями. Йен **167** потянулся за чистой сорочкой, лежавшей на столе, но тут услышал за спиной какое-то движение и обернулся.

Все пространство небольшой комнаты заполнил крик Шилес. Она увидела его. У нее были неестественно огромные глаза, и она вопила так, словно ее резали.

— Шилес! — Йен бросился к ней, но тут ее взгляд уткнулся в низ его живота, и она снова закричала. Он забыл, что был голым. Схватил со стола рубашку и прикрылся. Хотя она и оставалась девственницей, Йен и предположить не мог, что его голый вид так поразит ее.

— Все в порядке, Шил. — Он стал приближаться к ней.

Она отскочила. В ее глазах был не испуг, как ему сначала показалось, а боль. У него заныло в груди.

Тут ее взгляд переместился куда-то ему за спину, и он вспомнил про Дайну. В беспокойстве насчет Шилес он совсем забыл про эту проклятую бабу. И тогда он понял, что могла подумать Шилес и почему она кричала.

— Ты отдал ей мой камень, — хриплым шепотом произнесла Шилес.

Йену показалось, что стены комнаты рухнули, погребая его под собой.

— Нет. Нет. Ничего я ей не отдавал, — забормотал он, а Шилес повернулась и выскочила вон. — Это не то, о чем ты подумала!

Он рванулся вслед за ней, но как на грех в дверях кухни обозначился Нилл.

— Ах ты, скотина! — заорал младший брат.

— Прочь с дороги! — Йен оттолкнул его.

К несчастью, пол под ногами был мокрым. Нилл удачно провел подсечку, и Йен спиной грохнулся об пол. Тут братец принялся нещадно его дубасить, щедро нанося удары по телу и голове, и при этом еще и орать:

— Как ты мог учудить такое! Как ты посмел!

Йен уже приготовился натрясти дерьма из младшенького, когда Алекс наконец оттащил Нилла от него.

— Что-то тебя долго не было, — укорил его Йен, натягивая рубашку.

— Наверное, ты заслужил, что получил, — заметил Алекс.

— Я не прикасался к Дайне. — Обернувшись к ней, Йен завопил: — Скажи им, что я тебя не трогал! Скажи им!

Воспользовавшись тем, что Йен от него отвернулся, Нилл вырвался из рук Алекса, подскочил к нему и изо всей мочи въехал ему в ухо. Свет померк у Йена в глазах.

Он очнулся лежа на полу, возле очага. Над ним склонилась мать, внимательно разглядывая его. Голова раскалывалась.

— Где Шил? — Он попытался приподняться.

Мать толкнула его в грудь назад, на пол.

— Лежи и не двигайся. Не то я сама настучу тебе по голове.

— Мама, мне нужно увидеть Шил. Она думает, что я сделал то, чего не делал.

— Дай ей время остыть, — сказала мать. — Но даже тогда тебе потребуется уйма времени, чтобы переубедить ее. Могу сказать тебе, сынок, все это выглядит отвратительно.

Он был согласен с ней. Как же иначе — голая Дайна, и он тоже голый с восставшим членом.

— Может, я поговорю с ней, вместо тебя? — спросила мать.

— Значит, ты мне веришь? — Ему было так нужно, чтобы хоть кто-нибудь поверил ему.

— Ты весь в отца. — Бейтрис убрала ему волосы со лба. — Тот тоже однолюб. Нашел себе женщину, какую хотел, и больше не смотрел по сторонам. — Потом обернулась к двери. Со двора вместе с потоками холодного воздуха вошел Алекс. — Вот моим сестрам не повезло. Остается только надеяться, что Коннор и Алекс не возьмут примера со своих отцов.

169

— О чем это вы? — подходя, поинтересовался Алекс. Потом наклонился над Йеном и ухмыльнулся. — В следующий раз, когда отправимся на войну, обязательно возьмем Нилла с собой.

— Сколько я тут лежу? — Подавив тошноту, Йен сел несмотря на протесты матери.

Алекс пожал плечами.

— Час, наверное.

— Я хочу, чтобы духу Дайны не было в этом доме. — Йен поднялся на подгибавшихся ногах.

Господи Боже, в голове гудело, но ему следовало поговорить с Шилес. Держась за стенку, стал подниматься вверх по лестнице. Доковыляв до двери спальни, тихо побарабанил пальцами.

— Шил. — Йен постучал снова. — Шилес, позволь я все объясню. Пожалуйста.

В ответ молчание.

Он попытался еще три раза.

Когда она не ответила в четвертый, предупредил:

— Тогда я войду сам.

Пришлось навалиться на дверь, но Шилес, вероятно, подперла ее чем-то изнутри. В конце концов Йену удалось слегка приоткрыть ее. Голова разламывалась. Надеясь, что у Шилес под рукой не окажется ковшика, он осторожно просунул голову в образовавшуюся щель.

Тишина в комнате заставила его забеспокоиться. По спине побежали мурашки. Он понял, что дверь подперта сундуком. Подергав ее туда-сюда, Йен все-таки пролез в спальню.

Он стоял посреди пустой комнаты и разглядывал наваленную поперек кровати одежду и брошенное на полу желтое платье, которое сегодня было на ней. В тишине спальни оглушительно раздавался стук собственного сердца.

Йен глянул на крючок у двери, где обычно висела ее накидка. Как он и ожидал, накидки не оказалось.

Злоба ослепила его, когда он представил, куда могла деться Шилес. Конечно, отправилась к тому, кто стоял первым в очереди жаждущих забрать ее у него. Йен скатился с лестницы, перепрыгивая через три ступеньки, и никому не говоря ни слова, выскочил из дома.

Господи, сейчас он будет дюйм за дюймом выбивать жизнь из Гордона Макдональда. А потом схватит жену за волосы и потащит домой, пусть верещит всю дорогу!

Глава 21

Спотыкаясь в темноте, Шилес бежала по каменистой тропинке. Она словно пыталась убежать от того, что происходило на кухне, как будто чем дальше она будет находиться от дома, тем менее острой покажется боль в груди. Но вид Йена и Дайны неотступно преследовал ее.

Они вдвоем. Одни. И голые!

Увидев мешочек со своим камнем, висевшим между грудей Дайны, Шилес расценила это как настоящее предательство. Она отказывала Йену в постели. Временами могла простить ему, что до нее он спал с другими женщинами.

Но магический кристалл был ее свадебным подарком. Символом того, что она отдала ему свое сердце. И Йен знал это!

Кожаный кошелек, привязанный к поясу, хлопал по бедру, пока она бежала темной тропой. Оставалось надеяться, что ей хватит денег, чтобы расплатиться с рыбаком за перевоз на другую сторону залива и купить там лошадь. Слава Богу, она заранее додумалась забрать из хлева старую одежду Нилла и выстирать ее. Теперь если кто-нибудь спросит рыбака, кого он переправлял ночью, тот расскажет про какого-то парня.

А это что такое?

171

Шилес затаила дыхание и вслушалась. Кто-то догонял ее. Волк? Медведь? Она вспомнила, как Йен предупреждал ее не бегать от диких животных, иначе можно стать их добычей. К черту! Неужели ей никогда не избавиться от голоса Йена у себя в голове?

Отбросив мысли о нем, Шилес снова помчалась вперед.

Но звук шагов настигал. Из груди вырвался крик, когда какая-то тварь кинулась ей на спину и повалила на землю. А потом всем весом навалилась на нее, выбивая остатки воздуха из легких.

— Шилес, перестань лягаться! Я тебя сейчас отпущу.

— Нилл?

Словно гора свалилась с плеч. Шилес села и отдышалась. От пережитого ужаса во всем теле осталась слабость, ноги и руки не слушались.

— Ты напугал меня до смерти.

— Я ничего тебе не сломал?

— Нет, но зачем ты бежишь за мной? Ты ведь знаешь, что я увидела на кухне, и понимаешь, почему я туда больше не вернусь.

— Не мог же я отпустить тебя одну, без защиты, — сказал Нилл. — И поэтому я пойду с тобой, куда захочешь.

От такой готовности захотелось разреветься, но Шилес решила держать себя в руках. Если сейчас дать волю слезам, неизвестно, когда она закончит рыдать.

— Тебе нельзя идти со мной, — сказала она. — Твои будут не в восторге, узнав, что ты помог мне сбежать.

— Меня отправил за тобой отец, — объяснил Нилл. — Он услышал, как ты вылезаешь через окно, и приказал, чтобы я присмотрел за тобой. Он и денег дал.

Славный Пейтон! На этот раз Шилес смахнула слезу.

— Кстати, — добавил Нилл, и она поняла, что он улыбается. — Мне не хотелось, чтобы ты обратилась за помощью к Гордону.

— Он здесь не при чем, — сказала она и даже удивилась тому, что у нее и мысли не возникло, чтобы отправиться к Гордону.

— Вот и хорошо, что не при чем, Шил. — Нилл помог ей подняться. — Ну и куда мы теперь?

— В Стерлинг.

Нилл присвистнул.

— Далековато. А что ты там забыла?

Шилес двинулась вперед по тропе.

— Я собираюсь попросить королеву, чтобы она помогла мне получить от церкви разрешение на развод. И уж коли мне придется там быть, я еще попрошу помощи, чтобы выселить отчима из замка Нок.

Шилес не хотела жить в замке, но он принадлежал ей. И кроме того, надо же иметь крышу над головой.

— Обратиться к королеве — поступок, конечно, решительный, — протянул Нилл. — По шотландским законам у тебя и так есть веская причина уйти от Йена. Ее будет достаточно.

— А пока суд да дело, вождь скомандует, за кого мне выйти вновь, — подхватила она. — Нет уж, я не позволю Хью решать мою судьбу. Это исключено. Единственный способ получить свободу, это вручить себя в руки кого-то могущественного. Молю Бога, чтобы таким могущественным человеком оказалась женщина.

— По-моему, ты слишком много беспокоишься о Хью, — сказал Нилл. — Скоро вождем станет Коннор.

— А ему захочется, чтобы замок Нок остался в руках кого-нибудь из близких к нему, — откликнулась она. — И тогда он решит, что у меня нет причины уйти от Йена.

— Коннор — честный человек, — заметил Нилл. — Он позволит тебе уйти от Йена, если ты найдешь себе другого мужчину из нашего клана, в особенности если это будет кто-нибудь из его родственников.

Шилес фыркнула.

— Ты предлагаешь Алекса? Он мне, конечно, нравится, но выйти за него будет то же самое, что сунуться из огня да в полымя.

— Выходи за меня, — тихо сказал Нилл. — Я такой же кровный родственник Коннора, как Йен и Алекс.

Шилес вдруг почувствовала, как в ее груди образовалась пустота. Она остановилась, чтобы заглянуть ему в лицо, хотя темнота была такая, что не видно ни зги.

— Ах, Нилл. — Шилес погладила его по щеке. — Это же не всерьез.

— Почему? Ты считаешь, что я не дорос? — с обидой спросил он. — Или потому, что я не так хорош, как мой брат, и это после того, что он тебе устроил?

— Нет, не потому. — Хотя Нилл действительно был слишком юн. Она оперлась на его руку. — Маленькой я каждый день мечтала, чтобы у меня были братья и сестры. А когда ты стал мне братом, это явилось благословением моей жизни. Не лишай меня его.

— Ты тоже стала мне сестрой. — Шилес услышала, как он занервничал. — Но... Знаешь, ты такая красивая, что я поверил, будто смогу переступить через это.

— Я благодарна тебе за предложение. — Шилес взяла его за руку и потянула за собой. — Но мне кажется, что я теперь долго-предолго не выйду замуж снова.

— Где она? — вопил Йен, ломясь в дом Гордона.

Ни единого огня в окнах, ни полоски света под дверью. Если Гордон уже успел уложить Шилес в постель, он разотрет это сатанинское отродье в порошок.

Он колотил в дверь так, что оконные стекла задребезжали.

— Выходи и посмотри мне в глаза, как мужчина мужчине!

Дверь распахнулась, и Йен сжал кулаки, готовясь превратить в фарш очаровательное личико Гордона. Но пришлось взять себя в руки, потому что в дверях стояла мать Гордона и внимательно разглядывала Йена из-под чепца.

— Я пришел за моей женой.

— За Шилес? — Женщина стянула у горла вырез ночной рубашки. — Хочешь сказать, что она тебя бросила? Я всегда знала, что от нее прока не будет.

174

Похоже, Шилес с Гордоном заранее знали, что это будет первым местом, куда он бросится на ее поиски. Если их тут нет, он перероет все вокруг. Включая ад, если потребуется.

— Придется попросить вас отойти в сторону, чтобы я смог все осмотреть внутри, — сказал Йен.

Неожиданно за спиной матери возник Гордон.

— Ты что себе позволяешь? — Он отодвинул мать в сторону. — Ломишься ко мне в дом ночью и еще угрожаешь моей матери?

Кулак Йена угодил ему в лицо. Гордона швырнуло внутрь дома. Йен ввалился за ним и схватил его за грудки.

— Спрашиваю один раз. — Он в упор смотрел на соседа. — Куда ты дел мою жену?

— Шилес? Так вот о чем сыр-бор? — Гордон вытер окровавленный рот тыльной стороной ладони. — Она в конце концов ушла от тебя? Правильно сделала.

— Не пытайся сказать, будто ты не знал об этом. — Йен оглядывал комнату. Никакого следа присутствия Шилес. Бросив Гордона, он пересек комнату и заглянул в кухню. — Где она? — Там было пусто.

— Здесь никого нет, кроме нас, — возник голос матери Гордона.

Йен услышал, как она ковыряется с лампой. Зажегся свет, и он увидел, с каким беспокойством смотрит на него Гордон.

— Она ушла ночью одна? — спросил тот. — Чем ты ее так довел, скотина?

Страх кинжалом полоснул его.

— Ты действительно не знаешь, где она?

— Клянусь могилой отца, — ответил Гордон.

Йен проглотил комок в горле.

— Я должен найти ее, пока с ней чего-нибудь не случилось. — У двери он обернулся. — Ты сообщишь мне, если она появится здесь?

— Сообщу, — пообещал Гордон. — Но если Шилес решила бросить тебя, я не стану отсылать ее назад.

— Куда она могла деться? — Йен мерил шагами зал. В переломные моменты у него голова всегда оставалась ясной, но сейчас в ней не было ни единой мысли.

— Пойдем осмотрим ее спальню. Вдруг найдем какую-нибудь подсказку, — предложил Алекс.

Йен помчался вверх по лестнице, Алекс заторопился вслед за ним.

Войдя в комнату, он поднял с пола ее платье. Непроизвольно поднес его к лицу, вдохнул тонкий аромат. И зажмурился. Чувство потери было сильным, как физическая боль. Как будто его сердце резали бритвой.

Как она могла взять и уйти?

— Ну-ка, взгляни сюда, — позвал Алекс.

Йен подошел к нему, склонившемуся над маленьким столом, на котором Шилес держала счета. Алекс разворошил аккуратную стопку.

— Прочти вот это. — Он ткнул пальцем в лист, лежавший поверх раскиданных бумаг.

У Йена упало сердце, когда он закончил читать. Боже милостивый, на что она решилась! Это было письмо королеве с просьбой помочь получить развод с неким Йеном Макдональдом. Еще Шилес просила заступничества короны, дабы изгнать отчима из ее замка и вернуть принадлежавшую ей землю.

— По-моему, это черновик. — Алекс показал на чернильные кляксы. — А вот чистовика нигде не видно.

— Значит, она забрала его с собой. — Теперь Йен понимал, куда отправилась Шилес. Для него это было как удар под дых. — Господи помоги, она отправилась в Стерлинг.

На лестнице послышались легкие шаги. Обернувшись, Йен увидел стоявшую в дверях мать, нервно стискивавшую руки. Когда она наконец заговорила, голос ее был едва слышен.

— Нилла тоже нет.

Ему потребовалось какое-то время, чтобы осмыслить услышанное.

— Нилла тоже нет? Он сбежал вместе с ней?

— Отец говорит, хорошо, что Шилес не одна.

— Боже мой! — Йен забегал по спальне как пойманный зверь. — О чем они оба думают? Стерлинг ведь не тут, за углом, до него несколько дней пути. Господь всемогущий, их ведь могут убить по дороге!

Ему тут же предстали картины изнасилованной Шилес, как их обоих нещадно избивают, как их искалеченные тела лежат при дороге, отданные на растерзание диким животным.

— Нилл мастерски владеет мечом, — сказал Алекс, как будто поняв, о чем сейчас думает Йен. — Не сомневаюсь, отец научил его, как и тебя, быть предусмотрительным и невидимым в походе.

Взгляд матери остановился на желтом платье, которое Йен почему-то продолжал сжимать в руках, и затем переместился на кровать.

— Что-то я не вижу старой одежды Нилла, в которой она чистила коровник. Я ее выстирала и положила ей на кровать.

— Ну если Шилес переоделась мальчишкой, тогда, мне кажется, риск не велик, — заметил Алекс.

— Даже если им удастся беспрепятственно добраться до Стерлинга, — вскинул вверх руки Йен, — все равно этот городишко настоящее осиное гнездо.

После неожиданной гибели Якова IV при Флоддене Шотландия осталась на короля-ребенка и его мать-регентшу, которая к тому же являлась сестрой ненавистного короля Англии. Не нужно было быть прозорливцем, чтобы почять: сильные и беспощадные мужчины при дворе начнут соперничать за влияние на ребенка и его мать.

— Я еду за ними, — сказал Йен, направляясь к лестнице. — А когда найду, убью обоих собственными руками.

177

Алекс догнал его уже внизу.

— Коннор и Дункан соберутся быстро, — сказал он.

Йен покачал головой.

— Нет. Я не знаю, насколько все это затянется, а до схода на Самайн осталось всего две недели. Вам троим нужно оставаться здесь, чтобы быть уверенными, что Коннора выберут вождем.

— Мы едем с тобой. — Алекс надел шапку и снял с крючка у двери свой плащ. — Времени хватит, чтобы съездить в Стерлинг и вернуться назад. Только нужно поторопиться.

Йен в первый раз увидел своего кузена таким мрачным.

— Коннор с Дунканом скажут то же самое, — заметил Алекс.

Поблагодарив его коротким кивком головы, Йен направился к двери.

Глава 22

Шилес цеплялась за руку Нилла, пока они вели своих лошадей по заполненным толпой мощеным улицам Стерлинга. Несмотря на усталость после нескольких дней пути, она с интересом глядела по сторонам. Ей никогда еще не приходилось бывать в таком большом городе.

— Может, ты отпустишь меня? — тихо попросил Нилл. — Мне не нравится, как люди пялятся на нас, тем более что ты одета в мужское.

Шилес отдернула руку. Она совсем забыла о своем маскараде.

— Он похож на дворец богов, — запрокинув голову, Шилес осматривала замок Стерлинг.

Они увидели его еще за несколько миль до города. Замок возвышался на вершине скалы, с трех сторон защищенный крутым обрывом. Четвертая сторона была обращена к городу. Именно отсюда можно было подойти к замку, но и с этой стороны его защищали крепостные стены и массивные ворота с башней.

— А что, если королевы здесь нет? — спросил Нилл. — У королевской семьи этот замок не единственный, ты же знаешь.

— Твой отец говорил, что если королева в своем уме, то только здесь она сможет спокойно жить с маленьким королем, — напомнила Шилес. — Даже англичане не сумеют взять Стерлинг.

Они направили свои стопы к таверне на краю города, где на втором этаже сдавались комнаты для постояльцев и имелась конюшня на заднем дворе. Заплатив вперед за одну ночь, они поужинали на первом этаже.

Шилес еще не приходилось видеть такого количества незнакомых людей. Большинство из них говорило на шотландском. На английском говорили жители равнин. Хотя она немного знала английский, но все беседовавшие на нем тараторили так, что она мало что понимала. Почти все были одеты по английской моде.

— Перестань таращиться на их гульфики, — свистящим шепотом приказал Нилл и надвинул ей шапку на глаза. — Иначе мы нарвемся на неприятности или на непристойное предложение.

Шилес хихикнула, прикрывшись ладошкой. Ей доводилось слышать, что знатные англичане носят стеганые накладки на причинных местах, но до конца не верила этому.

— Перед визитом к королеве нужно искупаться. — Она осмотрела свой наряд и принюхалась. — От меня разит лошадьми и не только.

— Пойду скажу хозяину, чтобы он прислал нам горячей воды. — Нилл встал. — За это надо заплатить отдельно.

Немного погодя, Шилес увидела, как женщина тащит вверх по лестнице две наполненные до краев бадьи.

Они с Ниллом последовали за ней в свою небольшую комнатенку с одной койкой. Предупредив Шилес, чтобы она закрыла дверь на задвижку, Нилл вернулся в трактир на первом этаже и стал ждать, пока она вымоется.

Достав из походной сумки синее платье, Шилес порадовалась, что в суматохе побега не забыла захватить его с собой. Теперь будет в чем появиться при дворе. Разложив его на койке, чтобы оно проветрилось, она умудрилась устроиться в небольшой деревянной лохани и как следует отдраила себя. После мытья переоделась в чистую рубашку, поверх которой завтра наденет платье.

Вернулся Нилл и настоял, чтобы она заняла койку. Шилес повернулась к нему спиной, а он в это время помылся в той же воде. Закончив, завернулся в свою шотландку и улегся под дверью.

Задув свечу, она попыталась удобнее устроиться на чужой постели.

— Спасибо, что поехал со мной, Нилл, — сказала она в темноту. — Даже не знаю, как я сумела бы добраться сюда без тебя.

— По правде говоря, я был совсем не уверен, что мы вообще сюда доберемся, — признался Нилл. — В городе полно жителей с равнин. Хуже того, куча англичан, которые соперничают с самой королевой. Мы даже не представляем, во что вляпались. Может, вернемся домой и решим все проблемы сами?

— Проделав такой путь, я собираюсь повидаться с королевой, — решительно заявила Шилес, но, закрыв глаза, принялась молиться, чтобы Господь вразумил ее. Что, если Нилл прав? Что, если их поездка сюда — ошибка? Она еще ни разу так далеко не уезжала от родных мест. Ее вдруг одолело чувство вины за то, что она потащила Нилла за собой.

Нилл так долго лежал молча, что ей показалось, будто он заснул. И тут он заговорил:

— Я много думал над тем, что мы увидели на
180 кухне.

— И к чему ты пришел? — сухо поинтересовалась Шилес.

— Ну может, Йен просто мылся, а Дайна вошла неожиданно? — Голос Нилла звучал неуверенно. — Ты же видела лохань, видела, как с него текла вода.

— Ты забыл упомянуть, что Дайна тоже была голая, — процедила она сквозь зубы. — И не говори, что ты этого не заметил.

— Заметил, как тут не заметить. И сначала я, как и ты, поверил, что они там занимались кое-чем. — Ему явно было неловко говорить на эту тему. Шилес могла поклясться, что ему было бы проще дать отстегать себя жгучей крапивой, чем обсуждать все это. — Ты должна понимать, что Дайна относится к такому сорту женщин, которые скидывают с себя все еще до того, как мужчина их попросит.

Шилес резко села на постели и всмотрелась в неясные очертания фигуры под дверью.

— Откуда тебе это известно, Нилл Макдональд?

— Ну... Дайна и мне устраивала такие представления.

У нее отвисла челюсть. Как Дайна посмела завлекать его? Он еще мальчишка, несмотря на свой шестифутовый рост!

И еще, привычка Дайны задирать юбку перед мужиками, никак не объясняет, почему талисман висел у нее на шее.

— Ты рассчитываешь, будто я поверю в то, что на кухне ничего не произошло? — осведомилась она. — А когда она заголилась перед тобой, тоже ничего не произошло? Ничего, да?

Молчание Нилла подтверждало его вину.

— Твоя мать очень бы расстроилась, узнай она об этом. — Шилес снова легла, несколько раз ткнув в подушку, чтобы взбить ее.

— Я человек не женатый, — наконец произнес Нилл. — И что у меня происходит с женщинами, не должно ее волновать.

181

— Противно тебя слушать. — Шилес отвернулась лицом к стенке и натянула одеяло на голову.

Теперь тишину нарушал только шум из трактира с первого этажа. Так продолжалось довольно долго. И Нилл снова заговорил:

— Если бы у меня была такая жена, как ты, Шил, я не стал бы обращать внимание на то, что предлагала Дайна. — Он помолчал. — Вот почему мне кажется, что Йен ничего такого не делал. Может, ты позволишь объяснить, что там случилось?

Полночи Шилес крутилась на узкой кровати, давя клопов, выползавших из соломенного тюфяка, и думая над словами Нилла. Она всегда испытывала к Йену слабость и сейчас была почти готова схватиться за любое доказательство его невиновности.

Поняв, что ее решимость слабеет, Шилес вновь представила себе картину, которую увидела на кухне: голого Йена во всей своей красе, с победно торчавшим членом, и Дайну, выглядывавшую у него из-за спины тоже в чем мать родила, за исключением мешочка с магическим камнем, болтавшимся между ее грудей.

Всякий раз, когда ей удавалось выкинуть из головы Йена вместе с Дайной, она начинала ворочаться и крутиться от беспокойства перед встречей с королевой. Может, она ведет себя как последняя дура, вытаскивая свои заботы на суд королевы? Но она сыта по горло мужчинами, которые решают за нее. Все-таки женщина лучше поймет ее и займется ее делом, а не замком.

Даже если королева ничем не поможет, попросить-то ее можно?

Когда Шилес надоело воевать с клопами и когда мысли завертелись по второму кругу, она спустилась с кровати и устроилась на полу, поодаль от Нилла. Она была признательна ему за то, что он остался с ней, за то, что уважает ее решение. Пусть ему это кажется полной глупостью.

182

После развода с Йеном формально перестанет существовать их связь с Ниллом. Для нее это будет потерей, грустной потерей. Она лежала и вслушивалась в его дыхание, зная наперед, что Нилл навсегда останется в ее сердце братом. Оставалось надеяться, что он испытывает к ней такое же чувство и она все-таки не потеряет его.

Глава 23

Меряя шагами узкое пространство комнаты на втором этаже таверны, Шилес начала жалеть, что отправила Нилла с письмом в королевский замок, а сама осталась здесь дожидаться результата. Когда раздался стук в дверь, она схватила кинжал с кровати, а потом приложилась ухом к двери.

— Шилес, пусти меня.

Это был Нилл, и она отодвинула засов.

— Я чуть не умерла от тревоги. Почему так долго?

— Тебе очень идет, — оценил ее платье Нилл.

— Скажи, что происходит? — спросила она. — Королева примет меня?

— Сначала стражники расхохотались мне в лицо, когда я сказал им, что буду ждать ответа королевы. — Он рухнул на кровать. — Но через час сообщили, что королева примет нас сегодня до обеда. Шилес вдруг стало не по себе, как будто съела на завтрак фунт свинца, а не овсянку на воде. Она действительно увидит королеву!

— У меня нет зеркала, — пожаловалась она. — Ты поможешь уложить волосы?

Нилл вытаращился на нее, но беспрекословно вооружился шпильками. После того как она закрутила непокорные пряди волос в пучок и приладила его на затылке, Нилл встал у нее за спиной и попытался закрепить его. Мальчишка отлично стрелял из лука, но как парикмахер был бесполезен.

— Ладно, я схвачу волосы лентой, — успокоила она его, когда после трех неудачных попыток, пучок окончательно развалился. — Как ты думаешь, в таком виде можно появляться при дворе?

— Ты там будешь самой очаровательной барышней, — широко улыбнулся Нилл.

Пока они через город шли к замку, поднимаясь по крутому подъему, Шилес все больше и больше овладевало беспокойство. Она замедлила шаги. Теперь ей стало понятно, почему Пейтон говорил о том, что в замке Стерлинг младенец король будет в безопасности. Внутрь можно было попасть только через ворота. Их охранял выдававшийся из крепостной стены форт с четырьмя круглыми башнями по углам. Оценив чудовищные размеры ворот, Шилес перевела взгляд на массивные квадратные башни на крепостной стене, обращенной в сторону города.

— Можем вернуться домой, — сказал Нилл. — Еще не поздно передумать.

— Мы уже далеко зашли, — ответила она. — Это будет невежливо отказаться от приглашения королевы, тем более что я сама просила о встрече.

Они перешли подъемный мост и предъявили приглашение страже, стоявшей в проходе между двумя первыми круглыми башнями. После проверки печати на приглашении стражник позволил им следовать дальше.

Шилес стала задыхаться от такого количества камня, висевшего над головой и окружавшего их со всех сторон. Они двинулись дальше и прошли под еще двумя круглыми башнями, которые смотрели на замок с внутренней стороны. Выйдя на свет, она почувствовала, как сразу стало легче дышать.

— Вот там я и ждал вчера, — сказал Нилл. — Это называется Внешний пост.

Теперь перед ними возвышалось здание, сложенное из светло-розового камня, и такое прекрасное, что

у Шилес захватило дух. Огромное, но изящное, с

высокими окнами и стройными башенками, оно пред-
назначалось скорее для услаждения взора, чем для защиты от нападения. Резные фигурки львов в коронах и
мифический единорог располагались через равные про-
межутки по центральной линии островерхой крыши.

Провожавший их стражник показал на арку рядом с
этим зданием.

— Вам туда.

Шилес с Ниллом прошли под аркой и вступили во
внутренний двор замка. Здание с изящными башенками осталось справа. На другой стороне двора стоял мас-
сивный дом из такого же светло-розового камня. В дальнем конце виднелось здание поменьше с цветными стек-
лами в окнах, должно быть, часовня. Туда-сюда по двору
сновали слуги, солдаты и отменно одетые придворные,
и у всех был чрезвычайно деловой вид.

— Как ты думаешь, где здесь живет королева? — шепотом спросила Шилес.

В ответ Нилл пожал плечами и кивнул в сторону дома
с изящными башенками.

— Вон то — самое большое здание.

Когда они подошли к стражникам, те оглядели Шилес с головы до ног, словно она прятала кинжал под юб-
ками. И ведь действительно прятала! Однако она успокоилась, поняв, что все они — шотландцы.

— Нам нужно увидеть королеву, — сказал Нилл.

— Здесь находится Главный зал, который использу-
ют для особо торжественных случаев. — Стражнику с
толстенными ляжками и смеющимися глазами, который
заговорил с ними, было под сорок. — Но у барышни такая прелестная улыбка, что так и быть, дам вам в него
заглянуть.

Оглянувшись по сторонам, он приоткрыл дверь и,
приглашая, махнул рукой.

Шилес очутилась в зале высотой, наверное, этажа в
три, с пятью каминами. Под стрельчатыми сводами пересекались тяжелые деревянные балки. **185**

— Не так давно здесь короновали малыша Якова V, — объявил стражник. — Это самый большой зал во всей Шотландии, даже больше того, что в Эдинбургском замке.

Стражник говорил с такой гордостью, как будто сам выстроил его.

— Великолепный вид! И я ото всего сердца благодарю вас за то, что показали его нам, — сказала Шилес. — Но нас ждет королева. Где мы можем найти ее?

Стражник открыл дверь и ткнул пальцем в противоположную сторону двора.

— Она держит двор там, в королевских палатах.

Шилес пошла было вслед за Ниллом, но стражник остановил ее, дотронувшись до руки.

— Позвольте дать вам небольшой совет, барышня. — Он наклонился к ней так близко, что Шилес почувствовала запах чеснока у него изо рта. — Не надо ходить туда в сопровождении какого-то мальчишки. Уходите и возвращайтесь назад с отцом или с несколькими сородичами из своего клана.

— Это мой брат, он охраняет меня. — Шилес удалось выдавить из себя улыбку.

Королевские палаты производили впечатление, но в них отсутствовало ощущение парящей ввысь элегантности, как в Главном зале. Красиво одетые мужчины и женщины толпились в отделанных деревом галереях, которые служили наружными проходами на верхние этажи.

— Нам следует быть начеку, — сказал Нилл ей на ухо, пока они пересекали двор. — Если королева похожа на своего занудливого брата, тогда она коварна и несговорчива.

— Про нее так и говорят, — сказала Шилес. — Так что, нужно быть готовой ко всему.

— И будь осторожной с графом Ангусом — Арчибальдом Дугласом.

— Это вождь Дугласов? — спросила она. — Нам-то что от него?

— Вчера, пока ты купалась, я услышал разговоры о том, что королева постоянно советуется с Дугласом. — Нилл наклонился к ее уху. — А еще говорили, что она спит с ним.

Шилес оторопела.

— Но ведь король не успел остыть в могиле.

— И вдобавок она носит ребенка покойного короля, — тихо добавил Нилл. — Как бы то ни было, говорят, что королева очарована Дугласом, а Дуглас очарован своим желанием править Шотландией.

Так они добрались до входа в королевские палаты, где их встретила еще одна команда стражников, которые приказали им пройти в приемную и ждать вызова.

Шилес обрадовалась, что надела английское платье, узкое и с высокой талией, потому что здесь все женщины носили такие. Ее платье, правда, было намного скромнее и не такое дорогое, как у других. Хотя в приемной попадались мужчины, носившие традиционные льняные рубашки шафранового цвета и клетчатые шотландки, большинство было одето в английском духе.

Ее привлек вид из окон в противоположной стене. Шилес пересекла зал и подошла к окну. Когда она посмотрела вниз, оказалось, что королевские палаты стоят на самом краю скалистого утеса.

— Отсюда видно на несколько миль вокруг. Как будто мы стоим на вершине Бен-Ломонд, — заметил Нилл.

— Очень похоже. — Они обернулись на звуки мелодичного женского голоса у них за спиной.

Если бы эта дама не заговорила с ними по-английски, Шилес приняла бы ее за королеву фей. Она была белокура. Волосы сияли каким-то лунным светом, обрамляя очаровательное личико с тонкими чертами. Нежно-розовое платье, отливавшее серебром, было пышным, а вот лиф — узким. В прямоугольном вырезе виднелся верх небольших, изящной формы грудей.

Фея не фея, но Нилл таращился на даму, открыв рот. Он был сражен наповал.

— Вы новенькие при дворе, иначе бы я запомнила вас. — Женщина ослепительно улыбнулась Ниллу.

Нилл либо онемел, либо забыл английский. Пришлось Шилес, чей английский был намного хуже его, выходить из положения.

— Мы только что приехали.

— Ах, так вы горец. — Она еще раз внимательно оглядела Нилла. — Откровенно говоря, по вашему росту и дикой красоте я сразу догадалась, что вы горец.

Нилл неприлично громко сглотнул, будто поперхнулся слюной.

— Добро пожаловать в Стерлинг, — сказала дама. — Меня зовут леди Филиппа Бойнтон.

Филиппа. Это имя полоснуло ножом по сердцу Шилес. В ту роковую ночь, когда они устроились на ночлег в лесу, Йен говорил о девушке с таким именем.

— Вы уже давно в Стерлинге? — поинтересовалась Шилес, удивляясь своей незадачливости, обрекшей ее повстречаться с женщиной, на которой когда-то собирался жениться Йен.

— В этот раз я здесь недавно. — Дама обратила на Шилес свой мерцающий взгляд. — Последнее время я чаще всего остаюсь в Лондоне, но в Стерлинг наведываюсь постоянно.

— А пять лет назад вы были здесь? — напряженно спросила Шилес.

Женщина коротко рассмеялась, и Шилес сразу вспомнила про звон колокольчиков.

— Почему вы спрашиваете? Да, мне кажется, была. Я оставалась здесь несколько месяцев. Как вы догадались?

Ах, это была она — женщина, на которой хотел жениться Йен.

Шилес тут же вспомнила ту ночь — жесткую землю, на которой лежала, морозный воздух, ночное небо наверху. Но острее всего тоску в голосе Йена, когда он рассказывал о леди, чей смех звенел колокольчиками, и с грацией феи. И с такой чарующей красотой, что молодой человек, который совершенно не был готов жениться, все-таки решился это сделать.

Йен не упомянул тогда, что Филиппа — англичанка. Если он собирался сказать отцу и вождю, что хочет жениться на английской леди, тогда это действительно была страсть.

Англичанка смотрела на нее так, словно ждала ответа. Но Шилес уже забыла, какой был вопрос, поэтому просто покачала головой, делая вид, что не понимает по-английски.

Ситуацию спас молодой человек в английской ливрее, который как раз подошел к ним.

— Ее величество королева примет вас сию минуту. — Он коротко поклонился Шилес. — Я провожу вас в ее личные покои.

Откланявшись леди Филиппе, Шилес взяла Нилла под руку. Пока они шли за слугой через зал, Нилл все время оглядывался на Филиппу через плечо.

Через коридор со сводчатым потолком слуга довел их до начала винтовой лестницы.

— Приглашена только дама.

— Она никуда без меня не ходит, — заявил Нилл.

— Аудиенция состоится в личных покоях королевы, — объяснил слуга. — Уединение королевы и ее фрейлин требует уважения.

Шилес оттащила Нилла в сторонку.

— Там будут только женщины, тебе не из-за чего беспокоиться.

У него был недовольный вид, но он не стал спорить. Поэтому Шилес, подхватив юбки, пошла за слугой вверх по лестнице.

И немного погодя оказалась в королевской опочивальне. Тут несколько дам расположились на кушетках или на шелковых и парчовых подушках прямо на полу. Королева занимала кресло с высокой спинкой. Ее на удивление крошечные ступни опирались на **189** скамеечку. На руках она держала собачонку, очень похожую на крысу. Еще Шилес обратила внимание на пышную грудь королевы и глазки-бусинки, такие же, как у собачки, и на сверкавшие каменьями тяжелые кольца, которые украшали ее пальцы.

Рядом с королевой, положив руку на спинку ее кресла, стоял красивый темноволосый мужчина примерно одного возраста с Йеном. У него была аккуратно постриженная бородка и жесткий взгляд. Судя по роскошному костюму и по тому, как он держал себя, Шилес решила, что перед ней Арчибальд Дуглас, граф Ангус. Шилес вспомнила, что отец графа погиб при Флоддене, а он сам сделал себя вождем клана Дугласов.

У нее пересохло во рту, когда она выступила вперед и присела в приветствии, надеясь, что сделала все, как надо.

— Это вы Шилес Макдональд с острова Скай? — спросила королева.

Шилес не могла предположить, что королева не говорит на шотландском. Ее покойный муж, хоть и был выходцем с равнин, в знак уважения к горцам всегда разговаривал с ними на их наречии. И являлся большим почитателем музыки горцев.

— Откуда ей знать английский, — сказал тот, кого Шилес посчитала Арчибальдом Дугласом.

— Я немного говорю по-английски, — возразила Шилес.

Нетерпеливо вздохнув, королева закатила глаза к потолку.

Шилес набрала воздуха в легкие, успокоилась и заговорила:

— Ваше величество, я проделала долгий путь, чтобы обратиться к вам за помощью, получить разрешение церкви на развод.

Пока королева морщилась и гримасничала, словно Шилес была тем самым, что королевская собачка оставляет после себя, Дуглас оглядел ее с ног до головы, как будто она стояла перед ним в одной нижней рубашке. Что за парочка грубиянов! Как говорится, козел в шелках — все равно козел.

— Итак, у вас есть другой мужчина, за которого вы хотите выйти? — Королева повернулась к своим фрейлинам. — Что ж, весьма распространенная причина.

Шилес поняла, что краснеет.

— Нет, ваше величество, у меня нет другого.

— Значит, это дело неспешное? — Она вскинула выщипанные брови. — Или вы беременны от другого мужчины?

Шилес кинуло в жар. Она яростно замотала головой.

Дуглас обратился к ней на родном наречии:

— Ты, что, девственница?

— Это исключительно мое дело, сэр, — также на шотландском ответила она, с вызовом глядя ему в глаза.

Дуглас повернулся к королеве и одарил ту лучезарной улыбкой.

— Я знаю, как вас утомляют разговоры с теми, у кого трудности с английским.

Шилес чуть не закипела от злости. Ее английский был не так уж и плох.

— Ко всему прочему, девушка страшно волнуется из-за того, что говорит в первый раз со своей королевой. — Голос его был скользким и маслянистым, как свиной лярд. — Позвольте мне заняться этим делом.

Королева метнула на Шилес острый взгляд и сразу же отвернулась, потому что Дуглас наклонился к ней и что-то зашептал на ухо, отчего ее шея слегка порозовела. Потом направился к двери, ведущей на внешнюю галерею, и махнул Шилес рукой, чтобы она следовала за ним.

Шилес овладело мрачное предчувствие, но в компании с королевой ей тоже не хотелось оставаться. Как только они оказались в галерее, вне видимости королевы, Дуглас схватил ее за руку и потянул за собой, что только усилило беспокойство Шилес. Она напом- **191** нила себе, что находится во дворце, вокруг солдаты и стража и здесь ей нечего бояться.

Миновав три двери, Дуглас распахнул четвёртую, за которой находилась небольшая гостиная. Шилес с облегчением увидела здесь двух слуг, которые вскочили при их появлении и низко поклонились. Шилес огляделась и увидела справа дверь, ведущую в соседнюю комнату. Дверь была открыта. У Шилес тревожно забилось сердце, поскольку там она увидела огромную кровать тёмного дерева с балдахином кроваво-красного цвета.

— Свободны, — коротко скомандовал Дуглас слугам.

Те исчезли сию же секунду. Как только за ними закрылась дверь, Шилес нащупала кинжал, пристегнутый к бедру, и выругала себя за то, что не нашла для него такого места, чтобы тот оказался под рукой. Она, конечно, пыталась пристроить его поближе, но разве можно спрятать оружие под платьем. Или в изящные туфли.

Из серебряного кувшина, стоявшего на столике у стены, Дуглас налил бокал вина и выпил. Она бранила себя за разыгравшееся воображение. Ведь нет ничего нормальнее, чем мужчина, пьющий вино.

— Мне нужно обсудить с тобой одно дельце, девочка. — Теперь он и ей протянул бокал. — В твоём письме к королеве говорится, будто ты наследница замка Нок.

Шилес решила промолчать и посмотреть, куда заведёт этот разговор.

— Мне и без того было известно, что ты наследница, но я слышал, будто ты вышла за Макдональда, и подумал, что всё решилось само собой. — Должно быть, её удивление отразилось на лице, так как Дуглас добавил: — Это моя обязанность знать подобные вещи.

Ей не понравилось, что этот человек так много знает про неё. Раз он пил вино, значит, оно не отравлено, поэтому она решила сделать глоток. Но её пересохшему горлу это не помогло.

— Очень скоро королева назначит меня Покровителем Восточных островов, к которым относится и Скай. — Дуглас придвинулся ближе и многозначительно произнес: — Поэтому, девочка, тебе нужно со мной познакомиться как следует. И чем лучше ты меня узнаешь, тем лучше для тебя.

Сердце Шилес забилось, как сумасшедшее. Несмотря на свою неопытность, она прекрасно понимала, что он предлагает.

Дуглас забрал у нее бокал и поставил его на стол.

— Я очень хорошо представляю, что тебе пришлось пережить со всеми этими Макдональдами и Маккиннонами, которые пытались наложить лапы и на тебя, и на твой замок, — продолжал он. — Кстати, Маклауды тоже попытаются.

Когда Дуглас шагнул к ней, она отступила назад.

— Я могущественный человек, — заявил он и взял ее за руку. — Я смогу защитить тебя от Макдональдов, Маккиннонов и всех остальных.

Шилес отступала, пока не коснулась стены спиной. Дуглас оказался так близко, что теперь дышал на нее вином, а помимо других запахов она отчетливо слышала мускусный запах его кожи.

— Ты прелестная девушка. — Дуглас погладил ее по щеке. — И смелая, если проделала такой путь и никому не сказала ни слова, кроме молоденького парнишки, который сейчас ждет тебя внизу.

Вероятно, он хотел подчеркнуть тем самым, насколько она одинока и как далеки ее защитники из клана. Ему это вполне удалось.

Проглотив страх, Шилес вскинула голову.

— Не уверена, что королеве понравится, когда она увидит, что вы прикасаетесь ко мне.

— Я тоже так думаю. — Его зубы сверкнули в улыбке. — Потому-то я постарался, чтобы она наверняка ничего не узнала. Нет ничего проще.

Шилес облизнула пересохшие губы.

— Все, мне пора.

193

— Да ладно, девочка. Должен же я получить награду за то, что сплю с этой тюдоровской коровой. — Дуглас взял ее лицо в руки и большим пальцем провел по нижней губе. — И не переживай ни о чем. Если забеременеешь, то обещаю, что признаю ребенка.

У нее отвисла челюсть на такое беспардонное заявление о своих намерениях.

— Ах ты, вероломный мерзавец, — прошипела она ему в лицо. — Тебе хочется заполучить замок Нок, как и всем им.

— Уверяю тебя, девочка, — положив ей руки на плечи, он прижал ее спиной к стене. — Помимо замка Нок я хочу получить еще кое-что.

Если бы только ей удалось дотянуться до своего кинжала, она выпустила бы ему кишки. Шилес забилась у него в руках, пытаясь вытащить оружие, но он оказался быстрее.

— А ты красотка! — сказал он хрипло, и его губы вплотную приблизились к ее губам. — У меня слабость к хорошеньким девственницам.

Глава 24

Каждая жилка, каждый мускул Йена дрожал от напряжения, когда они всей компанией въехали в Стерлинг. Он рассчитывал перехватить Шилес с Ниллом по дороге, но чертова парочка двигалась очень быстро. После нескольких дней езды и постоянного беспокойства он понимал, что чувствует шкура на дубильном станке.

— Надо проверить все таверны и постоялые дворы, — сказал Коннор. — Они наверняка где-то остановились.

Это если они добрались до Стерлинга. Йен умирал от беспокойства, когда представлял грозившие им опасности.

— Я поеду в замок. Поищу их там, — предупредил он.

— Если они все еще находятся в пути, лучше не поднимать шума, — посоветовал Коннор.

Йен не мог справиться с тревогой.

— Мне наплевать, пусть я стану посмешищем для всей Шотландии. Но я должен найти Шилес, пока она во что-нибудь не вляпалась.

Правда несчастье само могло найти ее.

— Они не могли опередить нас больше чем на полдня, — сказал Алекс. — Вдобавок Шилес не может пойти прямиком во дворец и договориться об аудиенции с королевой. Более чем вероятно, там ее заставят подождать пару дней. Если королева вообще согласится ее принять.

Против желания Йен согласился с ним. Сначала они поищут их в городе. Поставив лошадей в конюшню в первой попавшейся таверне, они зашли внутрь. И тут им наконец повезло.

— Занимайте комнату на втором этаже в самом конце. — Хозяин сгреб монеты, которыми расплатился Йен, в кожаный кошель на поясе.

— Ты не видел тут пару юнцов? Один из них ростом с меня, другой — тощенький и рыжий? — спросил Йен.

— Может, и видел, — прищурился хозяин. — А на что они вам?

Сердце у Йена заколотилось. Ему хотелось схватить мужика и вытрясти все, что тот знал, но лучше было сказать ему спасибо за подозрительность и неожиданную заботу о парочке заблудших.

— Это мои братья. Они повздорили с отцом и сбежали из дома, — объяснил Йен. — Теперь мне надо вернуть их назад.

— Тогда ты вовремя, — сказал хозяин, наливая какому-то клиенту кружку эля. — Тот, который рослый, похоже, может за себя постоять. Но в Стерлинге полно других опасностей, если ты понимаешь, о чем я.

Йен понимал. Слава Богу, он нашел их! **195**

— В какой комнате они живут? — Йен уже направился к лестнице.

— Тот, что поменьше, должно быть, наверху, а вот рослый недавно ушел. — Он хмыкнул и покачал головой. — Так странно, он вдруг где-то нашел себе прехорошенькую девчонку и объявил, что они вместе идут нанести визит королеве.

Прохожие шарахнулись в стороны, когда Йен, широко шагая, направился в сторону замка. Рядом с ним шаг в шаг шел Коннор. Двое других поспевали за спиной.

— Перестань дергаться, — приказал Коннор. Они приближались к воротам замка. — Если попробуешь вытащить клинок, двадцать человек накинутся на тебя прежде, чем ты назовешь свое имя.

Охране у ворот они объяснили, что ищут девушку из их клана.

— Вместе с ней высокий парнишка пятнадцати лет, а она вот такого роста. — Йен поднял руку до своего подбородка. — И у нее огненно рыжие волосы.

— Такую не скоро забудешь, — сказал один из стражников. — Ох, хороша!

Йен сделал глубокий вдох, чтобы не накинуться на него с кулаками.

— Если бы она была моей женой, я бы ни за что не выпустил ее из дома, — подхватил другой.

Стиснув зубы, Йен стоял и слушал, как Коннор и Алекс договариваются со стражей, чтобы их пропустили в замок. А потом они заторопились в Королевские палаты. Миновав еще один пост стражи в дверях, они вошли внутрь и увидели Нилла.

Тот смотрел на них во все глаза, пока они шагали к нему через зал, но не двинулся с места.

— Где она? — Йен схватил брата за грудки. — Быстро говори.

— Слуга повел ее в личные покои королевы, — сказал Нилл, и Йен заметил беспокойство в его глазах. —

Он сказал, что доступ мужчинам туда запрещен.

По своему опыту Йен знал, что это ложь. Фрейлины умудрялись проводить туда мужчин.

— Мне это не понравилось. Но среди женщин Шилес ничего не угрожает. — Нилл говорил и одновременно сомневался в своих словах. — Она там уже давно.

Йен повернулся к остальным.

— Можете ненадолго отвлечь на себя охрану?

— Подожди, можно поступить гораздо проще. — Алекс разглядывал кого-то в противоположном конце зала. — Мне кажется, вон та английская барышня когда-то была к тебе не равнодушна.

Проследив взгляд Алекса, он увидел грациозную женщину с идеальными чертами лица в обрамлении белокурых локонов.

— Вы говорите о леди Филиппе? — с тоской спросил Нилл.

Действительно, это была она — Филиппа, та, с которой Йен когда-то связывал свои планы о женитьбе. Словно целая жизнь миновала с тех пор!

— Бьюсь об заклад, Филиппа в мгновение ока протащит тебя в покои королевы, если захочет. — Алекс подтолкнул его вперед. — Иди, попытайся быть галантным.

Филиппа обернулась и захлопала глазами, когда увидела Йена, направлявшегося к ней. Шепнув что-то мужчине, стоявшему рядом, она заулыбалась и двинулась навстречу ему.

— Ты все так же красив, Йен Макдональд. — Она протянула ему руку в перчатке. — Сколько дамских сердец ты еще разбил с нашей последней встречи?

— Мне нужно поговорить с тобой с глазу на глаз. — Йен подхватил ее под локоть.

Филиппа оглянулась по сторонам и улыбнулась еще шире, когда он завел ее в темный альков.

— О Господи, как разволнуются сейчас все дамы! И позеленеют от зависти.

Йен едва сдерживался.

— Я так и не извинился за то, что не приехал за тобой тогда. — Из соображений вежливости сначала следовало извиниться, а уж потом просить о чем-то. — Я правда собирался вернуться и жениться на тебе, но... Это оказалось невозможно.

— Боже, Йен! Я не могла выйти за тебя. — Филиппа засмеялась тем самым смехом, который напоминал звон колокольчиков и который так очаровывал его. — В тот момент я была одной из метресс короля Якова.

Йен был потрясен. Он-то думал, что она невинна и влюблена в него!

Филиппа горько улыбнулась.

— Я поступила так, потому что моя семья просила меня об этом. Собственно, с этой целью меня и отправили ко двору.

— Мне очень жаль, что семья так дурно обошлась с тобой. Это их не украшает.

— Ах, Йен, — вздохнула она. — Как ты галантен. Мне всегда это в тебе нравилось.

— Так как ты снова при дворе, полагаю, королева так и не узнала, кем ты была для короля. — Йен надеялся, что у Филиппы хорошие отношения с королевой, а значит она сможет помочь ему. — Я слышал, королева женщина мстительная. Боюсь, ты рискуешь.

— На этот раз меня сюда отправил муж. — Она потянулась к нему и прошептала на ухо: — Муж уверен, что очень скоро Арчибальд Дуглас, граф Ангус станет главной опорой короны. Поэтому и попросил меня затащить Дугласа в постель.

Йен остолбенел.

— Твой муж попросил тебя об этом?

— Если только затащить его к себе в постель принесет пользу. Арчибальд Дуглас не из тех, кто принимает решения под влиянием своего члена или... — Она похлопала Йена по груди. — Или под влиянием сердца.

— Нда. Грустно, что у тебя оказался такой муж.

198   Филиппа дернула плечиком.

— У нас с ним одинаковая точка зрения на многие вещи.

Йен даже не знал, что сказать.

— Кроме того, я очень хорошо отношусь к Дугласу, — призналась она. — Пусть даже сейчас он сжимает в своих когтях непорочную бедняжку. Девочка такая невинная, что у нее нет ни одного шанса против него.

По спине Йена побежали мурашки.

— Что за девушка?

— Я так поняла, что она наследница замка, которым очень интересуется Дуглас. Сегодня утром я слышала, как он уговаривал королеву помочь бедной девочке развестись с мужем и выдать ее за одного из своих кузенов. — Она тяжело вздохнула. — Мне кажется, я столкнулась с ней сегодня. Боюсь, увидев такую красоту, Дуглас отдаст ее кузену не раньше, чем попользуется сам.

Йен схватил ее за руку.

— Филиппа, мне нужно встретиться с ней.

Широко открыв глаза, она приложила руку к груди.

— Только не говори... Нет, Йен, не может быть. Неужели ты муж, от которого хотят избавиться?

— Вот именно, — простонал он. — Я приехал забрать ее домой. Ты можешь провести меня в королевские покои?

Она опустила голову.

— Я не из пугливых, но, по правде говоря, немного боюсь Арчибальда Дугласа.

— Поверь мне. — Йен наклонился к ней. — Я никому не скажу, кто провел меня туда.

— Полагаю, не скажешь, даже под пытками. — Слабая улыбка вновь появилась на ее губах. — Пойдем. Нам нужно поторопиться.

Филиппа подвела его к лестнице для слуг, скрытой за ширмами. Когда они поднялись наверх, повернулась к нему лицом.

— Я надеюсь, ты не станешь обвинять ее, если... — Покусав губу, добавила: — Если найдешь ее слишком поздно.

У него на лбу выступил пот.

— Просто скажи, куда теперь?

— Королева предоставила Дугласу покои для его личных нужд. Это здесь. — Филиппа указала на дверь в конце узкого коридора.

— Будь осторожен, Йен. — И чмокнула его в щеку. — Там внутри могут быть стражники. И я слышала, Дуглас прекрасно владеет мечом.

Глава 25

О, как ей сейчас захотелось вновь очутиться дома, на Скае!

— Если вы не против, лэрд Дуглас... — Шилес попыталась отодвинуться от него еще дальше, но было некуда. — Я заберу свое прошение и отправлюсь назад.

— Чушь! — Дуглас взялся за выпавший из ее прически локон, вытянул в прямую линию и улыбнулся, когда отпустил его, и тот вновь завился. — Скажи мне, девочка, ты такая же огненная, как цвет твоих волос?

Шилес совсем не понравилось, как потемнели у него глаза, когда он задал этот вопрос.

— Я весьма добродетельная леди, — заявила она. Уж если приукрашивать действительность, так это надлежало делать сейчас.

— Судя по твоему скоропалительному решению примчаться сюда через пол-Шотландии в сопровождении какого-то мальчишки, можно предположить, что у тебя огненный темперамент.

Шилес стояла не дыша, чтобы только не касаться его грудью, тем более что он придвинулся еще ближе на дюйм. Между лопаток побежал ручеек пота, а она все никак не могла сообразить, как изловчиться и достать кинжал, подвязанный к бедру. Задрать перед ним юбку? Глупее не придумаешь!

— Быть моей любовницей — значит иметь неоценимые преимущества, — заявил Дуглас и попытался всунуть колено ей между ног.

— Не сомневаюсь, что куча девиц спит и видит, как они воспользуются этими «преимуществами», но у вас нет ничего, что могло бы заинтересовать меня.

Шилес не хотелось дотрагиваться до него, но когда стало понятно, что по своей воле он не отстанет, она толкнула Дугласа в грудь. Он, казалось, даже не заметил тычка.

— Ты передумаешь и очень скоро. — Его горячее дыхание коснулось ее лица. — Я знаю, как ублажить женщину.

Сердце неистово забилось. Дуглас наклонился к ней. Крепко зажмурив глаза, она молча взмолилась, как это делала маленькой.

«Господи, пришли Йена на помощь!»

— У меня так давно не было девственницы... — Его низкий голос вдруг охрип. — Я всему тебя научу...

Шилес передернуло, когда он усами задел за ее верхнюю губу.

— Это моя жена, Дуглас. Убери руки.

О чудо! В комнате раздался голос Йена! Надежда вновь вернулась к ней. Осторожно Шилес приоткрыла глаза, опасаясь, что слух обманул ее.

У нее перехватило дыхание, когда, посмотрев поверх плеча Дугласа, она увидела ответ на свою мольбу. Йен стоял, заполнив собой проем двери. С мечом наизготовку, с горящим взглядом — вид у Йена был величественным. И угрожающим. Таким она еще его не видела.

— Если ты прямо сейчас отойдешь от нее, — сказал он, — я сделаю вид, что поверил, будто ты не знал, что она — моя жена. И оставлю тебя в живых.

Вскинув брови, Арчибальд Дуглас посмотрел на нее. В какой-то момент Шилес показалось, что Йен просто не понимает, что угрожает графу Ангусу, **201** одному из самых могущественных людей в Шотландии и вдобавок «особому» другу королевы. Но разумеется, он все прекрасно знал.

Дуглас развернулся, выставив Шилес перед собой. Одной рукой он удерживал ее, а другой взялся за рукоять меча.

— Вот от этого мужа ты хочешь избавиться? — развеселился Дуглас. — Это про него ты говорила, что он так и оставил тебя девственницей?

— Про меня, про меня. Она — моя жена. — В голосе Йена звучала такая угроза, что у Шилес волосы встали дыбом на затылке. — И останется ею, пока я дышу.

Пока он дышит! Несмотря на всю сомнительность ее положения, его слова потрясли Шилес до глубины души.

— Так, значит, ты — Йен Макдональд из Макдональдов Слита. — Дуглас прищурился. — Ну-ка скажи, ты действительно отличный воин, как все утверждают?

— Я намного лучше, чем все утверждают, — заверил его Йен. — А теперь будь так любезен, отойди от моей жены. Я больше не стану миндальничать.

Шилес вздрогнула, когда Арчибальд Дуглас, закинув голову, неожиданно громко расхохотался.

— Обожаю людей, у которых бесстрашие граничит с глупостью, — вымолвил он сквозь смех. — Мне как раз нужны такие, как ты, чтобы сражаться вместе, когда я пойду усмирять бунтовщиков на островах.

— Ты не доживешь до этого, если не отпустишь мою жену, — сказал Йен. — У меня заканчивается терпение.

— Когда время подойдет, я дам тебе знать. — Дуглас подтолкнул Шилес вперед. — Забирай свое сокровище, Йен Макдональд с острова Скай.

Йен перехватил ее и спрятал у себя за спиной.

— И ради Бога, — добавил Дуглас, — лиши ее невинности этой же ночью.

Глава 26

Йен тащил за собой Шилес через зал, на глазах у хихикавших придворных. Он мог выдернуть руку, но ей было все равно. Шилес чуть ли не рыдала от облегчения что он здесь, что приехал за ней, пусть даже только по причине уязвленной гордости.

Не сбавляя шага, Йен махнул кому-то рукой. Шилес едва успела оглянуться, но не заметить их было невозможно — четверых высоченных мужчин, одетых, как подобает горцам, и окруженных стайкой придворных дам.

Шилес почувствовала раскаяние, потому что Коннор, Дункан и Алекс проделали из-за нее такой путь до Стерлинга, когда они были так нужны у себя дома. Несмотря на то что трое из четверых прекрасно видели их с Йеном, они не тронулись с места. Только Нилл — четвертый — помчался вслед.

— Слава Богу, с тобой все в порядке. — Он резко остановился, когда Йен обернулся к нему.

Йен был в ярости. Шилес никогда его таким не видела.

— Еще бы немного... — Йен цедил слова сквозь зубы, жилка на шее бешено билась. — Дуглас уже наложил на нее свои лапы.

Нилл потрясенно посмотрел на нее.

— Надо было пойти с тобой.

— Что тебе точно не надо было делать, — отрезал Йен, — так это везти ее в Стерлинг.

Теперь и до Нилла дошло, что их нужно оставить одних. Как только они оказались снаружи, Йен двинулся к арочному проходу рядом с часовней. Миновав арку, стал спускаться вниз по ступенькам, вырубленным в склоне горы. Почти без сил Шилес тащилась за ним. Дойдя до конца лестницы, они оказались на зеленеющем лугу. Его простор ограничивался лишь крепостной стеной, видневшейся вдали.

Не обращая на нее внимания, Йен зашагал по траве в дальний конец луга. Свободной рукой Шилес подобрала юбки и вприпрыжку заторопилась за ним. Так они дошли до стены. Ей показалось, что теперь он остановится. Вместо этого Йен дотащил ее до лестницы, выбитой в стене, и стал подниматься вверх. Он остановился только на смотровой площадке на гребне стены. Тут Йен развернулся и посмотрел на нее. А Шилес все никак не могла отдышаться после подъема.

— Ради всех святых, скажи мне, о чем ты думала? — заорал он. — Разве ты не знала, кто такой Дуглас?

Шилес огляделась. В этой части стены, которая возвышалась над утесом, не виднелось ни одного стражника. Вероятно, Йен специально завел ее сюда, чтобы можно было сколько угодно орать на нее без свидетелей.

— Он мог просто попользоваться тобой, а потом выкинуть твой труп на улицу, — вопил Йен. Он не мог стоять на месте, ходил туда-сюда по стене толщиной футов в шесть.

Неожиданно Йен остановился и уставился в дали, раскинувшиеся перед ним до самого горизонта.

— О Господи, Шил, а что если бы я вовремя не сообразил, куда ты отправилась? — Он замолчал и сжал челюсти. — Если бы я не успел прийти вовремя?

Не отрывая взгляда от вида, открывшегося ему, он подошел к краю и уселся на парапет, свесив ноги наружу.

Шилес встала сбоку и посмотрела на его профиль.

— Почему ты вообще пришел за мной?

Йен повернулся к ней. Взгляд его синих глаз был таким напряженным, что ей показалось, будто даже воздух завибрировал между ним и ею.

— Потому что ты моя жена, нравится тебе это или нет.

У Шилес пересохло во рту. И голос задрожал поневоле, когда она заговорила.

— Я поняла. Все дело в твоей гордости.

204   — Ты так думаешь? — возмутился Йен.

— Да. — Шилес облизнула губы. — А еще потому, что без меня ты не сможешь заявить свои права на замок Нок.

— Не стану отрицать, что моя гордость пострадала. Это действительно так. И не буду утверждать, что нам не нужен замок. Он нам действительно нужен, — решительно заявил Йен. — Но я пришел за тобой совсем не поэтому.

Шилес оторвала взгляд от своих изгвазданных туфель и подняла глаза на него.

— А почему?

— Так это моя обязанность — защищать тебя, — сказал Йен. — Я не могу — и не хочу! — снова потерять тебя, мою семью, мой клан. Даже если бы ты не была моей женой, — а ты моя жена! — я должен был выполнить свой долг — уберечь тебя от опасностей. Я давным-давно взялся быть твоим защитником и не собираюсь отказываться от этого.

Шилес поняла — ему нужно загладить свою вину. Однако надеялась, что она для него значит больше, чем требования долга, чем необходимость исправить какую-то ошибку. Она набрала полные легкие воздуха и медленно выдохнула.

Женщине страшно трудно заставить мужчину сказать то, что ей хочется услышать от него добровольно.

— Ты хоть немножко думаешь обо мне?

— Конечно, черт побери! — воскликнул он. — Я всегда думаю о тебе, еще с тех пор, когда ты была малюсенькой девчушкой. И ты прекрасно знаешь об этом.

«Словно я любимая собачонка!» Шилес раздраженно вздохнула.

— И я хочу тебя. — Глаза Йена потемнели. Он был готов испепелить ее взглядом. — Я так хочу тебя, что задыхаюсь от одного твоего вида.

Он снова отвернулся, уставившись на вершины гор на горизонте. Немного помолчал, потом опять заговорил:

— Когда ты сбежала, Шил... Не было ничего важнее, чем вернуть тебя.

Наверное, это был хороший знак. Знак, подающий надежду? Пусть Йен никогда не полюбит ее так, как ей хотелось, но кажется, теперь он искренне желает, чтобы она стала ему женой, и у него нет камня за пазухой. Его тянет к ней, он хочет ее.

— Святые угодники, ты напугала меня до смерти, когда вот так исчезла. — Йен снова разозлился. — Я не знал, куда ты делась, в безопасности ли ты.

— Нилл хорошо заботился обо мне. — Шилес начала успокаиваться.

— Когда-нибудь Нилл превратится в мужчину, на которого можно будет положиться. — Йен покачал головой. — Но пока он юнец. И не понимает, чем опасны такие люди, как Арчибальд Дуглас.

Какое-то время Йен молчал, глядя вдаль.

— Я знаю, ты недовольна мной, поэтому нам нужно откровенно поговорить, — наконец сказал он. — Было неправильно приезжать сюда, чтобы решить нашу проблему. Опасно привлекать к себе внимание королевы и Дугласа. Ты не представляешь, чем все это могло закончиться.

Шилес облокотилась на парапет рядом с ним. Тугой ветер был готов подхватить ее.

— Почему ты ничего не рассказал мне о ваших планах взять замок Нок.

— Мне не хотелось, чтобы ты волновалась. Кроме того, мы только-только придумали этот план. — Тон его был недовольным, но по крайней мере Йен не сказал ей, что это не ее дело. — Теперь нам не хватит времени, чтобы захватить его до выборов вождя на празднике Самайн.

— Я не хотела, чтобы Коннор с остальными приезжал сюда, — сказала она.

— Обнаружить тебя наедине с Дугласом за закрытой дверью — было ужасно, но все могло обернуться намного ужаснее, — сказал Йен. — Они понимали, что могут потребоваться мне, а мы преданы друг другу.

Шилес смотрела, как над вершинами гор собираются облака, и думала о верности. О верности Йена.

— Теперь я готова выслушать объяснения насчет Дайны.

— Дайны? Тут и объяснять нечего, — сказал он. — Она не имеет к нам никакого отношения.

Шилес не стала настаивать, а просто ждала, когда его гнев схлынет.

— Я собирался помыться перед нашей первой брачной ночью, — начал Йен. — И как раз мылся, когда на кухню зашла Дайна. У нее были свои намерения.

— А камень? — спросила она. — Я видела его на ней.

— Дайна подошла со спины и сдернула его с меня. Я даже не понял сначала. — Ему было стыдно признаться в этом. Быть застуканным голышом с Дайной было не так стыдно.

Йен спрыгнул с парапета и встал перед ней.

— Я привез тебе его. — Он влез под рубашку и вытянул кожаный мешочек, висевший на шее. Растянул шнурок, и камешек выпал ему на ладонь.

— Клянусь, я пальцем до нее не дотронулся. — Он посмотрел ей прямо в глаза.

Шилес зажала его руку с камешком в кулак и взялась за него обеими руками.

— Я верю тебе.

— Если ты останешься со мной, я буду тебе верным мужем, — сказал он. — И сделаю все, чтобы ты была счастлива.

Он не обещал вечной любви, но и этого было достаточно. Йен заботился о ней. В качестве мужа он будет ставить ее нужды на первое место, как дело чести. И если вдруг понадобится, станет защищать ее до последнего дыхания.

— Если ты все еще хочешь уйти от меня, я не стану тебя задерживать, — продолжал он. — Но **207** времена нынче тревожные, поэтому ты должна подыскать себе мужчину, который способен защитить тебя. Если намереваешься найти нового мужа, сделай это как можно быстрее.

Это нечестно — выйти замуж за другого, когда она всю жизнь любит Йена. Почему она вдруг решила, что сможет уйти от него?

— Я сделала свой выбор еще много лет назад, — сказала Шилес. — Я выбрала тебя, Йен Макдональд.

— Вот и отлично! — Йен положил камешек в мешочек, сунул мешочек под рубашку и схватил ее за руку.

И опять Шилес помчалась за ним вприпрыжку, только теперь в обратном направлении. Держась за руки, они проскочили весь замок, вышли в город и заспешили по улицам так, словно волки гнались за ними по пятам.

— Куда мы идем? — спросила она.

— Терпеть не могу Дугласа, — ответил Йен, не замедлив шага. — Но обязательно воспользуюсь его советом, и как можно быстрее.

Шилес сглотнула. Она вспомнила слова Дугласа, сказанные на прощание.

«Ради Бога, лиши ее невинности этой же ночью».

Глава 27

Нилл в одиночестве сидел за столом. Когда Йен с Шилес вошли в темную, шумную таверну, он поднялся им навстречу.

— Держись от меня подальше. — Йен кинул на него пронзительный взгляд, проходя мимо. — Я сам найду тебя утром.

Только-только наступил полдень.

Нилл схватил ее за свободную руку.

— Ты согласилась, Шил?

Храбрый парнишка! У нее у самой сердце было готово выскочить из груди, но она все равно умудрилась кивнуть головой, чтобы успокоить его.

Не глядя по сторонам, Йен широким шагом пересек зал таверны и потянул Шилес наверх. Там, у двери в конце коридора, он подхватил ее на руки и перенес через порог.

Ему явно не хотелось испытывать судьбу.

Захлопнув за собой дверь, он опустил Шилес на пол. Пока Йен загораживал дверь сундуком, передвинув его от дальней стены, она оглядела кровать, которая, казалось, занимала всю комнату. В это время он закончил возиться, обернулся к ней и впился в нее жарким взглядом. Шилес нервно сглотнула. Он весь словно лучился энергией.

Шилес видела, как вздымается и опускается его грудь, как играют желваки, как напряжена каждая мышца. Он шагнул к ней, и она с трудом удержалась, чтобы не отступить назад. Желание, овладевшее им, казалось, можно было потрогать рукой. Да еще в сочетании с гневом, причиной которого в равной степени была его уязвленная гордость и страх за ее безопасность.

Не говоря ни слова, Йен резко прижал ее к себе и дал выход страсти. Он целовал ее грубо и требовательно.

Ничего не напоминало те ласковые, легкие поцелуи, которыми он покрывал шрамы на ее спине. На этот раз Йен дал ей понять, что ради удовлетворения своей страсти готов к насилию.

Сила его желания захватила Шилес и напугала ее. В то же время в глубине души ей хотелось испытать на себе эти грубые, ничем не контролируемые и ничем не ограниченные естественные эмоции. Ей хотелось утонуть в этом море страсти, отдаться в эти руки, так по-хозяйски лежавшие на ее бедрах.

Йен оторвался от губ и принялся покрывать поцелуями ее шею и горло. Подхватив под ягодицы, он поднял ее и прижал к себе, чтобы она почувствовала, насколько он возбужден.

209

— Я хочу тебя нет сил, — прошептал он ей на ухо. — Я умру прямо сейчас, если не возьму тебя.

В первый раз Шилес ощутила свою власть над ним. И это ей понравилось. Засунув руки ему под рубашку, она укусила Йена за губу, заставив его исторгнуть низкий стон.

— Тогда возьми, — просто сказала она и снова прижалась к его губам.

Йен донес ее на руках до кровати, и они рухнули поперек нее. Он держал ее лицо в руках, он целовал ее так, словно это был их последний раз. Он снова и снова ласкал и гладил ее, полный желания. Шилес задохнулась, ей не хватало воздуха. Кровь стучала в ушах.

Его рука легла ей на грудь. Большим пальцем он попытался нащупать сосок, и когда нашел, склонился над ней, взял его в рот и пососал прямо через ткань лифа. Шилес ахнула, и мир вокруг замер, она сосредоточилась на том, что он делал. Это была сладостная мука, от которой становилось легко и пусто в голове.

Задрав ей юбку, Йен наткнулся на голое бедро. Но этого ему было недостаточно.

— Разденься, — проскрежетал он. — Сейчас же.

Перекатив ее на бок, Йен принялся расстегивать крючки на платье на спине и одновременно продолжал терзать ее поцелуями. Тут до нее дошло, что ей нужно поднять руки, и он стянул с нее платье через голову. Она кожей ощутила прохладный воздух. Заодно с платьем Йен стянул и рубашку.

Шилес не успела смутиться. Он обнял ее, обволакивая своим теплом и своей страстью. Грубая ткань рубашки колола ей обнаженную кожу.

С лихорадочно бьющимся сердцем, она застыла в предвкушении, наблюдая, как он стягивает сапоги и снимает с себя рубашку. Йен резко притянул ее к себе. Одно обнаженное тело коснулось другого обнаженного тела.

Каждая ее частичка ожила от этого прикосновения. Йен был везде, он был повсюду, целуя ее волосы, ее лицо, горло, шею. То, что они были обнажены, еще больше подстегивало его желание. Она почувствовала это по тому, как у нее под руками напряглись его мускулы, по тому, какими неистовыми становились его поцелуи.

— Ты моя. — Йен остановился и посмотрел на нее. Эти глаза могли испепелить. — Каждый дюйм твоего тела мой.

Его волосы вскользь коснулись ее кожи, когда Йен двинулся вниз, запечатлевая поцелуи в ложбинке на груди, под каждой грудью, на животе. Одновременно он продолжал играть ее сосками. Возбуждение подступало вместе с тянущей болью между ног.

Пока его рот и язык путешествовали по ее животу, к ее ощущениям добавилось малая толика беспокойства. Затем беспокойство стало расти. Потом Шилес забеспокоилась всерьез, когда Йен согнул ей ноги в коленях, и отросшая щетина на его подбородке царапнула ей бедра изнутри.

Она вся сжалась, потому что почувствовала, как его жаркий рот двинулся к ее самому сокровенному месту. Не собирается же он целовать ее туда! Шилес прерывисто задышала. Его рот, целуя, продвигался все ближе и ближе. Она была в полной его власти, и смирилась с этим. Пусть делает что хочет!

О Господи! Когда Йен все-таки поцеловал ее туда, Шилес непроизвольно дернулась, то ли от потрясения, то ли оттого, что была такой чувствительной. Он застонал, вцепившись в ее бедра.

Йен принялся ласкать ее языком. Зажав простыню в кулаках, Шилес едва удерживала рвущийся из нее крик. Она попыталась запротестовать, но ничего кроме нечленораздельных звуков из ее горла не вырвалось. А это только раззадорило его.

И чем больше он ее ласкал, тем меньше ей хотелось, чтобы он останавливался.

Шилес все неистовее комкала простыню. Внутреннее напряжение росло и росло. Когда не осталось сил терпеть, она попыталась вырваться из его рук.

Но Йен был безжалостен. И тогда волна ослепляющего наслаждения накрыла ее с головой.

Не успела она прийти в себя, как он оказался на ней. Прерывистое дыхание коснулось ее лица. Вид у него был ошеломленный, глаза смотрели в пространство. Он тяжело придавил ее грудью. А ее внимание сосредоточилось на его мужском естестве, которое теперь упиралось в то место, которое Йен только что ласкал ртом.

Помимо воли, ноги сами раздвинулись ему навстречу. Издав какой-то низкий, гортанный звук, он сделал бедрами движение вперед. И остановился, едва почувствовав, что входит в нее.

Его лицо застыло, когда он опустил на нее глаза. Потом часто заморгал, как будто только что вышел на свет из кромешной тьмы.

Йен медленно приподнялся. Ему на плечи как будто давил невидимый поток, не давая отстраниться от нее. Он сделал над собой усилие и улегся рядом.

Когда Шилес повернулась к нему, Йен убрал с ее лица волосы. Что-то изменилось в нем. Желание, которое владело им еще минуту назад, ушло вглубь.

— У меня никогда не было девственницы, поэтому не представляю, насколько больно тебе будет, — сказал он. — Ты боишься?

Шилес покачала головой, потому что в общем-то не боялась.

Ее глаза опустились к его паху. Как следует рассмотрев его член, она удивилась.

— Ох, не ожидала, что он такой большой. — Шилес глядела и не могла отвести глаз. — Он в меня войдет?

Йен хмыкнул и приподнял ей подбородок.

— Как кулак в перчатку. Мы просто созданы друг для друга.

Склонив голову набок, Шилес еще раз внимательно поглядела на его мужское достоинство.

— Боюсь, что...

— Не бойся, моя храбрая девочка. — Глаза у него заулыбались. — Хочешь потрогать?

Она не знала, что ответить.

— Да ладно, — сказал он. — Дай мне руку.

Задержав дыхание, он провел ее рукой вверх и вниз по возбужденному члену. У Шилес возникло странное чувство — на ощупь эта штука казалась твердой как сталь и шелковистой одновременно. В отверстии головки блестела капелька влаги.

— Убедилась? Тут нет ничего страшного. — Ей показалось, что голос его стал напряженным.

Шилес посмотрела на Йена. У него было такое лицо, словно он едва сдерживает боль.

— Тебе больно? — Осмелев, она более решительно водила рукой вдоль члена вверх и вниз.

— Нет... Совсем нет... Просто я не могу дождаться, когда возьму тебя.

Она согласно кивнула.

— Иди сюда, девочка. — Йен посадил ее на край кровати, а сам встал на колени на полу у нее между ног.

Он привлек ее к себе. Шилес почувствовала, как его член уперся в нее. Потом Йен принялся целовать ее: сначала лоб, глаза, подбородок, затем шею, горло. Потом раздвинул ей губы языком, проник в рот. Это был долгий, неторопливый поцелуй. Между ног возникла боль. Боль накапливалась. Он двигал бедрами, прижимался к ней членом.

Накрыв ей груди ладонями, покатал соски между пальцев, продолжая прижиматься к ней. Позвоночник отказывался держать ее, тянуло упасть на спину. Она была влажной, она была готова, но Йену, казалось, до этого не было дела.

Слегка откинувшись назад, он стал разглядывать ее потаенные местечки. Шилес замерла.

213

— Ты такая красивая! — низко и хрипло произнес Йен.

Йен и сам был красив. Эти темные от желания глаза цвета синей ночи, эти черные волосы, это литое тело молодого воина могли очаровать саму королеву фей.

— Я так тебя хочу! — выдохнул он.

Шилес обрадовалась, когда он наконец положил ее на постель, поскольку сидеть она уже не могла. Подтянув ее вверх, Йен повис над ней на четвереньках. Она вздрогнула, потому что, ухватив ее между ног, он стал гладить и мять ее.

Потом наклонившись к ней, Йен губами нашел ее губы. Шилес тут же обвила его шею руками. Для нее все вокруг перестало существовать, кроме этого волнующего поцелуя. Она притянула Йена к себе. Захотелось ощутить тяжесть его тела.

Шилес прерывисто задышала, когда он приставил к ней член. Ноги сами собой обняли его за талию, побуждая действовать решительно.

Йен оторвался от нее. Пристально глядя в глаза, сделал бедрами осторожное движение вперед и остановился, почувствовав преграду. У него на лбу обильно выступил пот.

— Будет немного больно, — предупредил он.

— Это не важно, — нетерпеливо и немного раздраженно сказала Шилес.

— Мне кажется, ты готова. — Йен задыхался от волнения. — Как ты думаешь? Может, мне особо не торопиться? — В его голосе появились неуверенные нотки.

— Я хочу почувствовать тебя.

Коротко простонав, Йен сделал резкое движение бедрами.

Шилес ощутила острую боль, и что-то порвалось внутри.

Должно быть, она вскрикнула, потому что Йен
214 стал покрывать поцелуями ее лицо.

— Все в порядке, любимая?

Он в первый раз назвал ее любимой.

— Все в порядке. — Резкая боль стала уходить. Теперь он распирал ее изнутри, и Шилес поняла, что это означает — чувствовать нутром.

— Ты такая узкая, — сказал он.

— Слишком узкая? — встревожилась она. — Это нормально?

— Ах, ты роскошная. — Он закрыл глаза. — Даже не представляешь насколько.

И Йен снова набросился на нее с поцелуями, а Шилес опять забыла обо всем, кроме него. От новых ощущений, возникших, когда он начал медленно двигаться в ней, она застонала. Его поцелуи были жадными и полными желания, движения — более быстрыми и резкими. Вскинув бедра, Шилес положила ему ноги на плечи, чтобы он стал к ней еще ближе, вошел в нее глубже.

На нее обрушилось столько эмоций, что она была готова разрыдаться. Радость! Любовь! Еще ни разу не испытанная близость с мужчиной! Она представить себе не могла, что такое можно ощутить, находясь в его объятиях. Их тела соединившись, двигались в одном ритме. Не возможно было точно определить, где кончалось ее тело, где начиналось его.

— Мне так хорошо, Шил! — Слова выходили из него с трудом. — Я... Я больше не выдержу, любимая.

Прильнув к нему, она почувствовала, как бешено заработали его бедра. Внутреннее напряжение стало невыносимым.

— Ты моя, — выдохнул Йен. — Моя! Моя! Моя навсегда.

Навсегда! Ее любовь к нему тоже навсегда.

— Шилес, — воскликнул он, входя в нее в последний раз. Она затрепетала. В глазах вспыхнули звезды, когда она обхватила его. Она выкрикивала его имя, пока волны наслаждения сотрясали ее тело.

Йен рухнул на нее. Он был тяжелым. Но Шилес нравилось чувствовать тяжесть его тела, ибо это доказывало, что он рядом, что принадлежит ей.

Главное, Йен наконец доказал ей: она принадлежит ему.

Хотя, откровенно говоря, она всегда принадлежала ему. Всегда!

О Господи! Он ужасный и человек и никудышный муж. Он был слишком груб с ней. А ведь она была девственницей. Но ему никогда еще вот так не хотелось женщину. Никогда! Наконец Йен заставил себя остановиться, чтобы не буравить ее жестко и сильно, как он делал.

Следовало с самого начала ласково поговорить и бережно обойтись с ней. Он ведь просто перепугал Шилес до смерти, навалившись на нее сразу, как только за ними закрылась дверь. А потом еще полез лизать ее. Йен улыбнулся про себя. Нет, тут не о чем жалеть. И ей эта ласка тоже понравилась наверняка.

Когда он увидел ее в экстазе... Такое больше не встретишь в этом мире. Впрочем, и в другом тоже. Его все еще колотила внутренняя дрожь. Он большой счастливец, если у него есть такая женщина, которая так действует на него.

Йен потянул Шилес на себя и положил ее голову себе на грудь. Вдохнув запах ее волос, он приготовился задремать.

— Я встретила английскую леди, на которой ты собирался жениться.

Йен сразу очнулся.

— Кого?

— Филиппу, — тихо сказала она. — Ты очень точно описал ее тогда.

— Не помню, что я говорил про нее.

«С чего это она заговорила о Филиппе?»

Едва слышно Шилес спросила:

— Ты все еще жалеешь, что тебе не дали жениться на ней?

— Шил, мне никто не нужен в жены, кроме тебя. — После того, что только что случилось с ними, как она может заговаривать об этом? Иногда, женщин невозможно понять вообще.

— Я уже говорил тебе, что не может быть никакой другой, — сказал он. — Но прошлое я изменить не в силах.

В этом и заключалась проблема. Из-за того что было у них в прошлом, ей требовались дополнительные заверения в любви.

Йен перевернул ее на спину и наклонился над ней.

— У тебя нет повода ревновать меня к Филиппе. — Он заглянул ей в глаза. — Тем более что ты намного красивее ее.

— Ах, вот теперь я понимаю, что ты лжешь. — Шилес скорчила гримасу.

— Ты не понимаешь, насколько ты красива. — С этими роскошными волосами, разметавшимися по подушке, и щеками, порозовевшими после занятия любовью, от нее было невозможно отвести глаз.

Шилес резко втянула в себя воздух, когда Йен нагнулся и поиграл языком ее соском, который напрягся и приподнялся, словно только и ждал этой ласки. Йен прижался к ней бедрами, чтобы она полностью оценила, насколько возбуждающе действует на него.

— Женитьба на Филиппе стала бы страшной ошибкой.

Шилес облизнула губы и спросила дрожащим голосом:

— Почему?

— Потому что именно ты — женщина, которая создана для меня. — Перекатившись на нее, Йен коленями раздвинул ей ноги. — А если ты сомневаешься, придется еще раз доказать тебе это.

Глава 28

Йен подмигнул Шилес и наступил ей на ногу под столом, доедая свою порцию овсянки. Он понимал, что в глазах других постояльцев, которые, прежде чем отправиться по своим делам, тоже завтракали или сидели за кружкой эля, он выглядит как помешавшийся от любви. Помимо воли широкая улыбка не сходила с его лица.

— От тебя сегодня глаз не отвести. — Он убрал прядку волос у нее со лба. Ему все время хотелось касаться ее, чувствовать, что она рядом, хотя он видел, как это смущало ее.

— Давай разыщем остальных и сразу же уедем из Стерлинга, — предложила Шилес.

У него возникла другая идея — отправиться наверх и провести пару часов в постели, когда в таверну вошел какой-то мужчина и пристально оглядел сидевших здесь. Дьявол, у него была такая же окладистая черная борода, как у Дугласа! Мужчина высмотрел Йена и через всю таверну широким шагом направился к нему. Проклятье!

— Получи свадебный подарок от Дугласа. — Его слова больше походили на угрозу, чем на поздравление.

Йен принял свиток и взломал печать. Это была грамота на владение замком Нок и прилегающими землями, подписанная королевой в качестве регентши.

— Передай мою признательность Дугласу, — сказал Йен, скатывая свиток и пряча его под рубашку. — Ты не знаешь, это единственная грамота?

У шотландских королей имелась отвратительная привычка передавать право владения на одну и ту же собственность сразу нескольким кланам, подливая, таким образом, масло в огонь уже тлевших конфликтов.

Не отвечая на вопрос, мужчина уселся рядом с ним на скамью.

218

— Дональд Чужой Макдональд из Лохалша снова поднял голову.

Дональд Чужой руководил последним восстанием против королевской власти. Как его отец и кузен до него, он стремился возродить былое величие Макдональдов, когда их вождь был Повелителем островов. После того как восстание его отца было подавлено, король забрал Дональда к себе, и он рос в Южной Шотландии, на равнине. Потому горцы стали звать его Дональд Чужой.

— Времена повелителей островов давно прошли, — сказал посланец Дугласа. — Принятие стороны бунтовщиков ни тебе, ни Макдональдам Слита не принесет ничего, кроме беды.

Йен думал точно так же, но не собирался делиться своими мыслями с первым встречным. Прошло двадцать лет с тех пор, как Повелителя островов силой заставили подчиниться власти короля Шотландии. С этого момента клан Макдональдов разбился на несколько ветвей с собственными вождями, и дороги назад теперь не было. Бывшие вассалы Макдональдов, среди которых значились Маклауды, Камероны и Маклейны, уже привыкли к своей независимости.

— Я слышал, Дональд Чужой выбил королевский гарнизон из замка Уркухарт и занял его, — сказал Йен.

— Мерзавцы! — подхватил тот. — Накинулись на нас, после того как мы понесли жуткие потери от англичан.

— У меня молодая жена, поэтому сегодня меня мало волнуют дела мятежников. — Йен обнял Шилес за талию. Неужели этот мужик никогда не уйдет?

— Мы занимаемся тем, что сеем рознь в рядах противника, — сказал человек Дугласа.

И был прав, хотя ему потребовался бы длинный список, вроде того, что вела Шилес с перечислением баранов и коров, чтобы отслеживать возникающие союзы между кланами. Маклауды Харриса и Данвегана были давними соперниками Макдональдов Слита и поддерживали бунтовщиков. Лахлан Каттанах Маклейн, известный еще как Маклейн Лохматый, тоже был на стороне восставших. А у Йена, какое-то время просидевшего в застенках у Лохматого, имелся личный счет к нему.

— Если Дуглас будет уверен, что твой кузен поддержит королевскую власть, — продолжал посланец, — он охотно окажет помощь Коннору, когда тот вознамерится отобрать у дяди место вождя клана.

— Вне всякого сомнения, я дам Коннору самый лучший совет по этой части, — пообещал Йен.

Когда человек наконец ушел, Йен с облечением вздохнул.

— Мне кажется, став вождем, Коннор получит немыслимое количество забот.

— Это верно, — согласилась Шилес. — Но чем быстрее он им станет, тем лучше.

— Моя жена — мудрая женщина. — Йен приподнял ей подбородок. — Что ты скажешь на то, чтобы вернуться в комнату?

Ах, ее глаза были такими зелеными! И главное, в них он видел то, что хотел видеть.

Йен начал подниматься из-за стола, но тяжелая рука легла на его плечо. Ну, кто теперь? Сбросил руку движением плеча и обернулся. Перед ним стоял человек с торчавшими в разные стороны волосами, от которого разило так, словно он очень долго скитался по лесам.

— Я видел, как ты разговаривал с одним из Дугласов, — заговорил подошедший. Голос у него был такой басовитый, что, казалось, скамейка заходила ходуном от этих звуков.

— Он привез свадебный подарок. — Йен начал терять терпение. — А теперь, если ты ничего не имеешь против, мы с моей молодой женой снова ляжем в постель.

— Одну минуту, друг. — В голосе не было и намека на дружелюбие. — Возвращайся домой и передай своему вождю, что мы рассчитываем на Макдональдов Слита в сражении против короны.

Господи, со сколькими ему еще придется поцапаться, прежде чем он отправится с женой наверх?

— Ты считаешь, что англичане мало побили нас у Флоддена и что мы теперь должны убивать друг друга? — Йен допил эль и бухнул пустой кружкой о стол. — Все, твое время вышло.

— Мы должны подняться сейчас, пока против нас нет короля, — не унимался тот. — Даже шотландцы с равнины не пойдут за женщиной-англичанкой.

— Я думаю, они пойдут не за королевой, а за Арчибальдом Дугласом, — заявил Йен. — Мне он не по нраву, но я не стал бы недооценивать его. У Дугласа стальной взгляд.

Наконец и этот ушел. Йен взял Шилес за руку.

— Нам надо поторопиться.

— Ах, вот и они, — сказала она.

Йен обернулся и увидел Коннора и остальных, заходивших в таверну. Он тяжело вздохнул, понимая, что друзья и так дали ему много времени. Больше откладывать отъезд было нельзя. Правда, разочарование, написанное на лице Шилес, немного добавило ему настроения.

Время от времени глаза у нее начинали смыкаться сами по себе. Вся компания сидела вокруг костра. Только Нилла сморило от усталости. Он тихо сопел, устроившись головой на бревне. Остальные тихо разговаривали. Шилес не давали заснуть урчание в животе и ноющая боль в пояснице. После дня непрерывной скачки, стало казаться, будто она просидела в седле целую неделю.

Несмотря на то что мужчины приноравливались к ее скорости, Шилес чувствовала, как их обуревает нетерпение. До Самайна и до общего схода с выборами нового вождя оставалась какая-то неделя. Времени у них оставалось в обрез из-за того, что пришлось отправиться за ней в Стерлинг. Но никто звука не проронил, чтобы обвинить ее в чем-нибудь.

И вряд ли проронит.

Йен объявил ее своей женой, и все приняли это как факт. Шилес просто физически ощущала, какая тесная связь объединяет четверых мужчин, окружавших ее и обеспечивавших ей защиту. Связь была невидимой и не поддавалась описанию, но она знала, что все они готовы отдать жизнь ради ее безопасности.

Шилес помнила еще мальчишками и Коннора, и Дункана, и Алекса, а теперь начала понимать, какими мужчинами они стали. Пока они беседовали между собой, Шилес принялась разглядывать их, начав с Алекса. Этот был вылитый мародер-викинг, от которых он и происходил, если бы не его улыбка. А улыбался он часто. Дальше сидел Дункан — человек огромного роста, который мог наигрывать нежнейшие мелодии. Тень грусти заволакивала его глаза. Когда она спросила об этом у Йена, тот рассказал, что Дункан был влюблен в сестру Коннора, которую отдали замуж за сына ирландского вождя.

И наконец, взгляд Шилес остановился на Конноре. Они с Йеном были так похожи друг на друга, что посторонний мог запросто перепутать их между собой. Если Коннора выберут главой клана, то только благодаря тому, что он отличный воин и очень умный человек. Шилес видела его задатки великого вождя, ибо Коннор обладал простотой, позволявшей ему прислушиваться к советам мудрых людей и проявлять сострадание к беднейшим членам клана.

— В Стерлинге ко мне так пристально присматривались, прямо как дома, на Скае. — Коннор перевернул кроличьи тушки над огнем.

— Еще бы, они пытаются подобрать нужную лошадку, чтобы сделать свои ставки, — заметил Дункан. — Меня больше всего беспокоит, что они заранее рассчитывают на успех.

— Когда корона в руках младенца, каждый воюет только за себя. — Коннор покачал головой. — А слабых отдают на растерзание падальщикам.

222

— Дугласы и Кэмпбеллы хуже всех, — добавил Алекс. — Они как две собаки, которые грызутся за одну кость.

— Это точно. Я на себе испытал их клыки, — сказал Коннор, и все рассмеялись.

— Надо отправить Алекса поработать с королевой, — предложил Дункан. — Тогда мы все обзаведемся роскошными титулами, как Дугласы.

— Вы принижаете мое мужское достоинство, — с оскорбленным видом заявил Алекс. — Ради клана я согласен заниматься подобной работенкой только с какими-нибудь милашками.

Когда смех снова стих, Коннор добавил:

— Лучше нам не высовываться, ребята. И без того врагов хватает.

Запах жареной крольчатины разбудил Нилла. Он сел и потянулся.

— Уже готово? Умираю с голоду.

— Сначала обслужим Шилес. — Коннор снял вертел с огня. — У нее в животе урчит так, что лошади шарахаются.

У Шилес потекли слюнки, когда Коннор протянул вертел с тушкой Йену и тот отрезал для нее приличный кусок. Хотя ей нравилось добродушное подшучивание мужчин, но как только она насытилась, шутки перестали доходить до нее.

— Твоя жена подавится и задохнется, если заснет, не прожевав до конца, — вдруг сказал Коннор.

Шилес открыла глаза и поняла, что все смеются над ней.

— Будет очень жалко, тем более что нам пришлось много потрудиться, чтобы вызволить ее, — подхватил Дункан.

— Боже мой, Дункан, это уже вторая шутка за сегодняшний вечер! — Все засмеялись.

Йен протянул ей фляжку с элем и погладил по спине, пока Шилес запивала крольчатину. **223**

— Давай я уложу тебя. — Отставив фляжку, он подхватил ее на руки.

— Доброй ночи, Шилес. Приятного сна, — раздались голоса, когда Йен понес ее от костра в темноту.

Он нашел укромное место на некотором отдалении от остальных, опустил ее на землю и расстелил плед. Шилес казалось, что она заснет сразу, как только коснется головой подстилки. Ничуть не бывало! Устроившись в объятиях Йена, она вслушивалась в шум ветра в ветвях и слабые звуки мелодии, которую Дункан наигрывал на дудочке.

Когда Йен взял ее за подбородок и нежно поцеловал, она приоткрыла губы навстречу и прижалась к нему. Как она любила его в эту минуту!

Он отодвинулся.

— Ты уверена, что не очень устала?

— Уверена. Я хочу тебя, Йен Макдональд. — Шилес нащупала его возбужденный член и погладила, чтобы показать, насколько она уверена в себе.

Вот так они проводили все ночи, пока добирались до Ская. После многочасовой скачки, которую можно было вынести с огромным трудом, они ужинали и общались. Потом Йен уводил ее за собой от костра и устраивал постель для них двоих.

Стоило Шилес лечь с ним, как усталость исчезала, словно утренняя дымка, и они полночи, не торопясь, занимались любовью. Все, что Йен делал с ней, воспринималось как чудо. Она даже начинала бояться, что феи позавидуют ей.

От усталости и счастья Шилес пребывала как в тумане, когда их компания наконец достигла побережья. Они отыскали какого-то дальнего родственника Алекса, который согласился перевезти их на тот берег пролива Слит на своей лодке. Несмотря на холодный и влажный ветер на море, Шилес задремала в объятиях Йена под мерные удары волн в борта лодки.

Неожиданно Шилес очнулась, почувствовав, как напрягся Йен. Открыв глаза, она увидела окутанную облаками громаду замка Нок, возвышавшуюся над береговой линией с северной стороны.

— Надеюсь, теперь ты поняла, что нужна мне. И не важно, есть у тебя замок или нет, — сказал Йен.

Шилес постаралась забыть о сомнениях, так и оставшихся занозой в сердце, и кивнула головой.

— Но мы должны забрать его назад, — решительно заявил он.

Шилес сжала его руку. Даже если Йен будет рядом, сможет ли она жить в месте, с которым связано столько горя? Получится ли забыть о страданиях матери или о враждебности отчима?

Удастся ли им с Йеном быть счастливыми в замке, в котором плачет привидение?

Шилес понимала важность замка и ее прав на него для клана. Но от одного его вида ей становилось плохо. И еще хуже от того, что сейчас там сидели Мердок и Ангус.

— Они ведь не увидят нас оттуда? — спросила она, понимая, как глупо звучит вопрос.

— Они могут увидеть лодку. Но тут постоянно плавают лодки, — сказал Йен. — Им ведь неизвестно, кто в ней.

Йен, не отрываясь, смотрел на замок, пока тот не остался позади.

— Я не позволю человеку, который обижал тебя, отобрать твой дом.

Только вот замок Нок никогда не являлся ее настоящим домом.

Глава 29

Когда Йен распахнул дверь родного дома, их встретили радостными криками и восклицаниями.

— Слава Богу, все живы и здоровы, и ты привез ее назад. — Мать обняла Йена, потом всех мужчин по очереди, а отец распахнул объятия Шилес.

225

— Он теперь хорошо с тобой обращается, мой тупоголовый сын? — спросил отец, обнимая ее за плечи. — Иногда мужика стоит как следует напугать, чтобы прочистить ему мозги.

— Тогда у меня с головой все в порядке, потому что она напугала меня до смерти, — засмеялся Йен.

Ах, как хорошо снова оказаться дома!

Последние новости они узнали за ужином. Несмотря на то что никто никому не говорил об их отъезде, как это часто бывает на Скае, все узнали об этом через день-два.

— Приспешники Хью стали распространять слухи, что Коннор подался куда-то за хорошей жизнью, — рассказывал отец. — Сестра Дункана рассказала, что Хью пообещал всем золотые горы, лишь бы его поддержали. Кажется, это подействовало, к сожалению.

Ничего хорошего это не сулило. С самого начала было понятно, что Коннор должен забрать власть у своего дяди, и все рассчитывали, что захват замка Нок привлечет всех на его сторону. Люди любят победителей. Но сейчас момент для сбора людей и организации нападения был упущен.

— До Самайна осталось два дня. — Подбадривая, Алекс хлопнул Коннора по спине. — Нужно шевелиться быстрее. Пусть люди знают, что ты здесь и готов занять место вождя.

Времени оставалось в обрез. Однако его вполне хватало, чтобы доказать сородичам, что Коннор — человек, достойный их выбора, а Хью — нет.

Ужин прошел за обсуждением стратегии предстоящего схода. Но когда с едой было покончено, друзья отложили в сторону заботы о будущем и решили отпраздновать возвращение домой и начало совместной жизни Йена и Шилес.

Дункан достал свою дудочку, а остальные принялись распевать хорошо всем известные старинные песни. Шилес пела и хлопала в ладоши вместе с другими. Ее оживление передалось Йену, и, глядя на нее, у него стало тепло на сердце.

Откинувшись на спинку стула, он разглядывал сидевших за столом. Йен увидел, как отец подмигнул матери, и понял, что родители радуются за них с Шилес. Даже у Нилла изменилось отношение к ним. Несмотря на то что брат держался настороже, когда они уезжали из Стерлинга, теперь, видя, как счастлива Шилес, он смягчился.

Йен почувствовал мир в душе здесь, дома, с Шилес, с друзьями и родными. Он не мог припомнить, когда еще ему было так хорошо.

— Ну все, нам пора откланяться, — объявил Коннор, поднимаясь из-за стола. — Завтра спозаранок, еще до того как наши голубки проснутся, мы с Дунканом и Алексом уедем. До Самайна нужно поговорить как можно с большим количеством людей.

— Надо будет увидеться перед сходом, — сказал Йен.

— Шилес, девочка, — пробубнил Дункан. — Надень для схода то новое платье, о котором ты говорила.

Йен чуть не упал со стула. Добряк Дункан изо всех сил старался сделать Шилес полноправным членом их мужской компании.

— Должно быть, у меня с головой было что-то не в порядке от усталости, если я заговорила с тобой о нарядах. — Шилес слегка покраснела. — Я не думала, что ты воспримешь мою болтовню всерьез.

— Я ведь не треплю языком все время, как некоторые. — Дункан выразительно посмотрел на Алекса. — Но внимательно слушаю. Поэтому уяснил, что оно зеленого цвета, под цвет твоих глаз. Так вроде?

Йен переглянулся с Алексом и Коннором, которые были удивлены речами Дункана не меньше его.

— Да, оно зеленое. — Шилес широко улыбнулась. — А ты сыграешь нам на сходе?

— Ах, этой малышкой я пользуюсь в походах. — Дункан похлопал себя по груди, где под рубаш- **227** кой на шнурке висела дудочка. — Если Коннор станет вождем, я сыграю на волынке, а может, и на губной гармошке. Сестра бережет их для меня.

Мужчины поднялись, чтобы отправиться на ночевку в старый дом.

Шилес поднялась на цыпочки и поцеловала Дункана в щеку.

— Увидимся на сходе.

— Будь осторожнее, девочка, — предупредил ее Дункан. — Мне совсем не хочется, чтобы Йен воткнул мне кинжал в спину.

— А я рискну, — сказал Алекс и широко распахнул ей объятия. — Помнишь, в лодке ты дала мне обещание, что поцелуешь меня.

— Какое еще обещание? — начал Йен, но Алекс подхватил Шилес на руки и поцеловал прямо в губы.

Не успел Йен отобрать жену у Алекса, как заговорил Коннор:

— Так как мы уедем затемно, я лучше поцелую Шилес сейчас.

Понятливый Коннор чмокнул ее в щечку.

— Я сыт по горло вашими ухаживаниями за моей женой. — Йен обнял ее за талию и привлек к себе.

— А я? Теперь моя очередь, — выступил вперед Нилл.

— Ты проводил с моей женой ночи напролет и остался жив только из жалости. — Йен поднял руку, останавливая его. — Радуйся этому.

После того как мужчины ушли, а родители устроились у очага поговорить, Шилес отвела Йена в сторону.

— Я хочу рассказать Гордону про нас, — сказала она. — Будет неправильно, если он услышит об этом от кого-нибудь другого.

Йен кивнул.

— Согласен. Утром я отведу тебя к нему.

— Лучше пойти туда сейчас и покончить со всем раз и навсегда, — предложила Шилес. — Ты не против?

Он вспомнил, как Нилл говорил об очереди из мужчин, надеявшихся, что ей надоест ждать его. Если она так торопится сообщить первому в этой очереди, что у того больше нет шансов, тогда это просто чудесно.

— Я провожу тебя и подожду снаружи, — сказал он.

Уже вскоре Йен стоял, опираясь на дерево в темноте, а его жена стучала в дверь Гордона.

Когда дверь открылась, оттуда упал поток света, осветив Шилес и пространство вокруг нее. Йен слышал их тихий разговор в дверях.

Потом услышал крик матери Гордона:

— Эта мерзавка бросила мужа ради тебя, да?

Как всегда, Гордон был само терпение со своей матерью.

— Успокойся, мама. Я все потом объясню. — Он вышел на крыльцо и захлопнул за собой дверь.

Их разговор длился довольно долго, а затем Шилес оставила его и направилась к дереву, где стоял Йен. Он чувствовал, как глаза Гордона буравят его в темноте.

— Не обижай ее, — громко произнес Гордон.

— Ни за что.

Йен держал Шилес за руку, пока они шли домой по темной тропе. Он не стал спрашивать, о чем они говорили с Гордоном. Если нужно, расскажет сама.

Не доходя до дома, он остановился и повернулся к ней. Убрал волосы, упавшие ей на лицо. Было темно, и Йен не мог понять, с каким выражением Шилес смотрит на него.

— Я совершенно не хотел позорить тебя, когда так долго не возвращался домой, — сказал Йен.

— Я знаю, — ответила Шилес.

Но правда заключалась в том, что он совсем не думал о ее чувствах, и они оба понимали это.

— Случись такие обстоятельства снова, я не поведу себя, как последняя задница.

— Ты уверен? — Чувствовалось, что Шилес улыбается.

Получалось, что она помогала ему освободиться от тяжести на душе. Йен обнял ее и положил подбородок ей на голову.

— Прости, что я делал тебе больно. Мне очень не хотелось жениться по принуждению, пока мы не были готовы. Теперь все по-другому, теперь мы все делаем правильно.

— Это правда, я не была готова, — призналась Шилес. — Но я всегда хотела, чтобы ты в конце концов стал моим мужем.

— Потому что ты умнее меня. — Он уткнулся в ее волосы. — Хотя мне страшно не нравится, когда моя жена считает день нашей свадьбы худшим днем своей жизни. Я сделаю все, чтобы ты изменила свое мнение.

Шилес немного отодвинулась от него, и Йен почувствовал легкое прикосновение ее пальцев к своей щеке.

— Давай будем считать, что наш брак начался сегодня, а не пять лет назад.

До него вдруг дошло, что Шилес правильно сделала, когда отправилась поговорить с Гордоном именно сегодня. Надо было закрыть прошлое и все начать с чистого листа. Впереди их ждала новая жизнь.

Йен прижал ее к себе.

— Я постараюсь наверстать каждый потерянный день.

Глава 30

Шилес понимала, зачем Йен заговорил об этом. Не для того чтобы заставить поверить, что он обязательно сделает ее счастливой. Она и без того знала это. Просто где-то в глубине души у Йена оставалось чувство вины за то, что его не было рядом с ними, когда они нуждались в нем. И он будет мучиться от вины, пока не искупит ее. За это она любила его еще больше.

Наблюдая за ним сегодня, смеясь и болтая с его друзьями и родными, Шилес вдруг поняла, что сможет просидеть с ним вот так за одним столом, за завтраком еще лет пятьдесят, и ей это не надоест. Любовь все-таки странная штука. Йен любил ее и делал все, чтобы стать для нее хорошим мужем. А ведь большинство женщин не могли рассчитывать на такое же отношение мужей, которым они отдали все в своей жизни. Судьба бедняжки-матери была у нее перед глазами.

Чувство, которое соединяло их в момент, когда они занимались любовью, было таким мощным, что Шилес поверила, что Йен со временем полюбит ее так же, как она любит его. Когда он входил в нее, то называл любимой или другими ласковыми именами, например, биением моего сердца.

Однажды одна молодая женщина рассказала ей, что ее муж, твердивший о любви в моменты страсти, ушел от нее, как только родился ребенок. Ее Йен будет говорить ей ласковые слова и в других ситуациях, возможно, сидя с ней за столом или держа на коленях их ребенка, но для нее это все равно будет проявлением любви.

Со временем она привыкнет к ним и — да! — даже к его ненасытной страсти по ночам, и будет радоваться этому.

Но с нетерпением будет ждать того дня, когда он целиком и полностью отдаст ей свое сердце.

Войдя в дом, Йен обрадовался, увидев, что в доме никого нет. Они поднялись в спальню, которая встретила их мягким светом от дюжины зажженных свечей. Йен улыбнулся заботливости матери.

Они остановились возле кровати, и он взял лицо Шилес в руки. Когда они первый раз занимались любовью в Стерлинге, из-за долго сдерживаемого желания их совокупление превратилось во что-то неистовое и жгучее. Если откровенно, желание обладать ею граничило с яростью, и так длилось до того мо- **231** мента, пока словно какое-то чудо не снизошло на Йена и потрясло до глубины души.

По дороге на Скай они занимались любовью каждую ночь в темноте, под его пледом, на холодной и влажной земле. И каждый раз с таким неистовством, как будто этот раз был последним.

Но сегодня они находились дома в собственной постели и впервые вместе как муж и жена. Заглянув в глубину зеленых глаз, Йен почувствовал, как нежность к Шилес переполняет его.

— Сегодня я буду любить тебя медленно-медленно. — Он погладил ее по щеке.

Шилес потянулась к нему, когда он наклонился, чтобы поцеловать ее. Ах, какими теплыми и мягкими были эти губы! Желание переполняло его, но он не торопился, наслаждаясь поцелуем. Она теперь всегда будет рядом. Потому что принадлежит ему.

Йен провел руками вниз по ее спине. Руки спустились к талии и легли на бедра. Обняв его за шею, Шилес еще крепче прижалась к нему. Их поцелуй длился и длился. Так они и стояли возле кровати, не желая отпускать друг друга.

Наконец Шилес оторвалась от него и, положив голову ему на грудь, счастливо вздохнула. Йен заулыбался.

— Не могу наглядеться на твои волосы. — Он пропустил сквозь пальцы длинные пряди, наблюдая, как свет свечей искрится на них. Здесь были все оттенки красного — золота, корицы, меди и красного вина.

— Ты расстегнешь крючки на платье? — спросила она.

Нащупав застежки на ее спине, Йен принялся расстегивать крючок за крючком. Ему понравилась мысль, что теперь каждую ночь он будет заниматься этим. Стянув платье с плеч, Йен поцеловал ее теплую, молочно-белую кожу. Когда Шилес, слегка откинув голову, посмотрела на него, он увидел золотистые искорки в ее зеленых глазах.

232

Это было желание. У него кругом пошла голова.

— Давай ляжем в постель, Йен.

Он сглотнул, потому что Шилес отпустила платье, и оно упало на пол. Шилес перешагнула через него, и не успел он опомниться, как сорочка последовала вслед за платьем.

Судя по всему, жена решила задать тон на все их последующие супружеские ночи. И он был совсем не против. При этом ему больше всего нравилось, что она почти перестала стесняться своих шрамов.

Его взгляд пропутешествовал от блестящей гривы волнистых волос, рассыпавшихся по голым плечам и прикрывавшим груди, как у лесной нимфы, к тугим завиткам на лобке и дальше, вдоль крепких бедер к стройным коленям и узким ступням.

— Ах, как ты прекрасна, Шилес!

— Теперь твоя очередь раздеваться. — Когда Йен присел на край кровати и принялся стягивать сапоги, она наклонилась над ним. — Дай, я сама.

Он даже не представлял, насколько это может быть возбуждающе, когда обнаженная женщина сидит у его ног и стаскивает с него сапоги. То была сногсшибательная картина, от которой член встал в полный рост. Шилес опустилась на колени и провела руками вверх по его икрам. Расстегнув пояс, Йен не глядя отбросил его в сторону.

Затаив дыхание, ждал, когда ее руки двинутся дальше, под длинную рубашку. Под ней ничего не было, конечно. Вздыбившийся член приподнимал ткань, привлекая к себе внимание.

— Пожалуйста, Шил! — Йен закусил губу, чтобы не взмолиться о том, чтобы она дотронулась до него.

Пристально посмотрев ему в глаза, Шилес провела руками вдоль его бедер.

— А рубашку?

— Ах да! — Йен чуть-чуть приподнялся, чтобы вытащить ее из-под себя и сдернуть через голову.

233

Это было настоящее мучение, пока Шилес гладила его ноги, бедра, грудь. И только потом взялась за его член.

Зажав его в руке, она сделала несколько движений вверх и вниз. Тут он не выдержал, сжал ее плечи и поцеловал. Поцеловал со всей страстью, от которой мутилось в голове. И совсем забыл, что хотел любить ее медленно и не торопясь. Когда Шилес прервала поцелуй, он снова вспомнил об этом. Но куда там! Думать ни о чем не хотелось. Ее рассыпавшиеся волосы щекотали ему бедра, живот, а она целовала ему грудь. Когда ее поцелуи спустились еще ниже, Йен вообще перестал думать.

— О! — Весь воздух вышел из него, когда он почувствовал, как ее губы коснулись головки его члена.

— Я правильно делаю? — спросила она.

У него не было сил сказать ни слова. Стон она, должно быть, восприняла как руководство к дальнейшим действиям. И они оказались выше всяких похвал. В конце концов в нем все-таки прорезалась способность говорить.

— Ты можешь взять меня в рот, любимая?

Шилес подчинилась собственному инстинкту, и поэтому дальнейших инструкций не потребовалось. Йен откинулся на спину. Его колотила дрожь. Мелькнула неясная мысль остановить ее и заняться с ней любовью обычным способом. Но Йен не мог заставить себя пошевелиться. То, что она делала, было чертовски приятно.

Он кончил. Это было сравни взрыву, который чуть не убил его. И оставил чувство благодарности. Йен поднял ее и, обняв, прижал к себе.

— Ах, любимая, это было... Это было... что-то умопомрачительное.

Веки у него отяжелели. Глаза начали слипаться. Уже две недели он нормально не спал.

234

Йен внезапно проснулся от запаха цветущего вереска, которым пахли ее волосы. Когда он открыл глаза, Шилес сидела рядом, опершись на руку, и с улыбкой разглядывала его. У нее был довольный вид.

— Я долго спал?

— Нет. Совсем чуть-чуть.

Судя по тому что свечи выгорели едва-едва, это была правда. Должно быть, она снилась ему, потому что, как только он открыл глаза, ему снова захотелось ее. Йен положил ей руку на бедро.

— Откуда ты узнала про это? — Он имел в виду то, как она его только что ласкала.

— Я слышала, замужние женщины рассказывали, что мужчинам это нравится.

До сего момента Йен терпеть не мог женские пересуды.

— Они рассказывали и смеялись, поэтому мне показалось, будто они шутят. — Шилес криво усмехнулась. — Теперь понимаю, бабы говорили серьезно.

Свет от канделябра играл на ее коже. Розовые соски задорно торчали. Глаза стали темными, когда он взял в руки ее груди и большими пальцами погладил соски.

— Мне понравилось, — сказал он.

Притянув к себе, Йен стал целовать ее, одновременно сунув руку ей между бедер. Она была там горячая и влажная. Все для него! По тому как Шилес жадно отвечала на его поцелуи, она не хотела ждать.

В следующий раз, это точно! В следующий раз он возьмет ее медленно и не торопясь.

А сейчас... А потом они опять занимались любовью. В перерывах между любовными схватками тихо дремали.

Проснувшись в очередной раз, Йен увидел, что свечи догорели, а в окне занялся рассвет. Он приподнялся на локте, чтобы посмотреть на спящую Шилес. Ее волосы, дико спутанные, как после шторма, **235** разметались по подушке, но лицо казалось безмятежным.

Йен испытал к ней нежность, которая больше походила на душевную боль.

Хотя в Стерлинге он пообещал дать ей свободу, если она не захочет остаться с ним, сейчас он понял, что соврал тогда. Никуда он ее не отпустит.

Йен любил ее. Он терялся в догадках, когда это началось, и подозревал, что давно. До него это просто не доходило. Тыльной стороной ладони он отвел волосы с ее лица.

Шилес не знала себе цену. Йену нравились ее сильный характер, доброе сердце, любознательность и смелость. Еще он любил ее за преданность его семье. То была самая настоящая добродетель, хотя скажи ей об этом, она и слушать не станет.

Йен любил ее за то, что она не скрывала, что у нее было на уме, и могла постоять за себя. И за то, что искренне отдала ему себя. Еще маленькой девчушкой она доверялась ему, когда он вытаскивал ее из какой-нибудь переделки. А сейчас, будучи уже взрослой женщиной, доверила свое сердце.

Он сделает все, чтобы быть достойным такого отношения к себе. Сейчас и впредь.

Почувствовав запах еды и услышав доносившиеся снизу мужские голоса, Йен понял, что пора вставать. Но все равно дал себе еще несколько минут, чтобы полюбоваться на ее ясное лицо, на то, как спокойно Шилес дышит во сне.

Невозможно было оторваться от нее, даже зная, что сегодня снова настанет ночь. И еще много ночей до скончания жизни.

Но сначала надо было успеть поговорить с отцом, прежде чем Коннор с остальными уедут. Подозрения насчет того, что реально произошло у Флоддена, слишком серьезные, чтобы поверить в них. Оставалась одна надежда на память отца, которая постепенно восстанавливалась по мере выздоровления.

Глава 31

Напевая что-то под нос, Шилес сполоснулась в тазу и оделась. Сколько же она проспала? Снизу не доносилось ни звука. Значит, она найдет Йена в одиночестве. На щеках у нее появился румянец при мысли о встрече с Бейтрис и Пейтоном после сегодняшней ночи. Вдруг им было слышно, чем они с Йеном занимались?

Во всем теле ощущалась слабость. Ноги тряслись, когда она шла вниз по лестнице.

Не успела Шилес ступить на последнюю ступеньку, как дверь громыхнула и в дом ввалился Алекс, держась за бок. Она захлопала глазами, не понимая, что происходит.

О Господи, это же кровь сочится у него между пальцев! Пока Йен с Ниллом усаживали его, она метнулась на кухню за чистыми полотенцами и тазом для воды. Когда она вернулась в зал, Йен уже снял с Алекса шотландку и разрезал рубаху. Обнажилась глубокая рана на боку и еще одна на бедре.

— Йен, быстро отправляйся за Коннором и Дунканом, — приказал Алекс, со свистом втягивая воздух сквозь зубы. — Им досталось больше, чем мне.

Он вздрогнул, так как Шилес принялась очищать рану влажным полотном.

— Где их найти? — спросил Йен.

— Мы попали в засаду на тропе примерно в миле отсюда к северу, — объяснил Алекс. — Они остались там, так как идти не могут.

— Поехали. — Йен кивнул Ниллу. — Возьмем лошадей.

— Йен, — позвал Алекс. — Нас бросили умирать, и я не думаю, что те вернутся. Но все равно будь начеку.

— Сколько их было? — спросил Йен.

— Человек двадцать, когда наскочили на нас, — ответил Алекс. — Но теперь уже меньше.

Во время разговора в комнате появилась Бейтрис и сразу кинулась помогать Шилес, промывать раны Алекса.

Дверь за Йеном и Ниллом захлопнулась.

— Давай-ка мы тебя уложим, Алекс, — предложила Шилес. — Нужно зашить порез у тебя на лице. На вид он очень глубокий.

— Не надо, — попытался спорить Алекс, но потом позволил уложить себя возле очага.

— Постарайся не делать резких движений, — предупредила она. — Мне кажется, у тебя сломана пара ребер.

Шилес стала разводить огонь в очаге, а Бейтрис бросилась за иголкой и нитками.

— Надо поторопиться, — сказала, возвращаясь, Бейтрис. — Ребята скоро привезут Коннора с Дунканом.

От страха громко колотилось сердце, когда Шилес очищала от грязи и крови рану на щеке Алекса. Если он ранен не тяжело, тогда в каком виде те двое?

— Можешь рассказать, что случилось? — Шилес попыталась отвлечь его разговором.

— Они выследили нас. — У Алекса перехватило дыхание, когда она сделала первый стежок, зашивая зияющую рану. — Я думаю, кто-то увидел нас, когда мы вчера переплывали залив.

— Хью был там? — спросила Шилес.

— Нет. — Алекс снова поморщился. Шилес в этот момент накладывала следующий стежок. — Это были Маккинноны и несколько их лучших друзей из Маклаудов.

Пальцы Шилес замерли.

— Ты уверен? Что им нужно здесь, в глубине территории Макдональдов?

— Очень интересный вопрос, — скривился Алекс. — Твой отчим Мердок был с ними и этот буйвол Ангус тоже.

Шилес подавила приступ паники и взяла себя в руки, чтобы не испортить шов. Потом осторожно наложила на рану мазь, которую держала Бейтрис.

— Свободен, — сказала она, вытирая пальцы. — Шрам останется наверняка. Но от этого ты станешь только интересней.

Вдвоем с Бейтрис они быстро обработали ему другие раны.

— Теперь лежи спокойно, — сказала Бейтрис, поднимаясь с колен. — Нам нужно накипятить воды и достать чистые простыни для других.

Они едва успели приготовить и то и другое, как в дверь протиснулся Йен с Дунканом на руках. Голова рыжеволосого гиганта, покоилась на плече Йена. Вид у него был, как у спящего ребенка. Шилес раскинула простыню возле очага, где еще недавно лежал Алекс. Опустившись на колени, Йен осторожно уложил Дункана на пол.

— Пойду помогу Ниллу. Он с Коннором. — Йен посмотрел ей прямо в глаза. — Коннор очень плох.

Кровь из раны Дункана уже натекла на плиточный пол возле очага.

— Помоги нам, Господи! — взмолилась она. В это время Бейтрис заняла место Йена с другого бока стонущего мужчины.

— Он пытается не потерять сознания, — сказала Бейтрис. — Это хороший признак.

Шилес показалось, что свекровь таким образом старается успокоить ее. Взяв у нее нож, она принялась кромсать окровавленную рубашку на Дункане. Рот наполнился горечью, когда глазам Шилес предстала рана.

— О Боже, нет! — Она зажала рукой рот.

— Дай, я сам. — Над ней навис Алекс, потом отодвинул ее в сторону. — Я уже занимался такими ранами.

Ей не удалось с ним поспорить, потому что Йен распахнул дверь спиной, втаскивая Коннора в дом. Он держал его за плечи, не давая болтаться голове, а Нилл — за ноги.

Пресвятая Дева Мария! Нет ничего удивительного, что Маккинноны бросили его умирать. Если **239** бы не длинные черные волосы, такие же как у Йена, Шилес не узнала бы в этом изуродованном человеке Коннора.

Йен опустил его на простыню, которую она успела расстелить. Кинжалом распорол окровавленную одежду, тут же бросая ее в огонь. На Конноре было так много крови, что Шилес сначала даже не могла сообразить, куда он ранен. Но больше чем обильное кровотечение, ее напугало его прерывистое дыхание.

Точно так же как и Алекс, Йен действовал быстро и эффективно, что говорило о большом опыте. Она знала, что им пришлось повоевать во Франции, а перед этим на границе. Но только сейчас ей стало понятно, через какие опасности им пришлось пройти.

— Виски есть? — спросил Алекс, продолжавший вместе с Бейтрис хлопотать возле Дункана.

— Хорошая девочка, — похвалил он, когда Шилес сняла кувшин с полки. — Теперь намочи пару полотенец и подай сюда.

Шилес сделала так, как он сказал, потом подбросила топку в очаг и пламя весело загудело, согревая раненых, лежавших у огня.

— Его спасла дудка, — сказал Алекс и поднял ее, чтобы все увидели. Обычно висевшая у Дункана под рубашкой на кожаном шнурке, железная дудочка была расплющена посередине, куда пришелся удар меча.

Дункан дернулся, когда Алекс и Бейтрис стали обтирать его полотенцами, обильно намоченными виски. Хотя Шилес хорошо понимала, насколько ему больно, но такая реакция внушала надежду на то, что он выкарабкается.

Коннор только дрожал, когда Йен промывал ему раны. Подавая Йену чистые полотенца, Шилес беззвучно молилась.

— Он выживет? — спросила она у Йена хриплым шепотом.

240

— Я не позволю ему умереть, — заявил муж.

Она помогла наложить повязки на голову и на грудь, а потом перебинтовать ему руки. Лицо Коннора посерело. Он потерял слишком много крови.

«Господи, яви ему милость твою! Коннор такой прекрасный человек, он надежда всего нашего клана! Не забирай его у нас!»

Пытаясь остановить кровотечение у Коннора, Йен одновременно обдумывал план действий. Прежде всего нужно где-то укрыть раненых друзей. Судя по всему, главной целью нападавших являлся Коннор. И как бы то ни было, они собирались убить их всех.

— Надо где-то спрятать вас, пока вы не оклемаетесь, — бросил он через плечо Алексу. — Лучше всего, если они решат, что добились, чего хотели.

— Это были Маккинноны и несколько Маклаудов, — сказал Алекс. — И я подозреваю, что Хью заключил с ними дьявольский договор на этот счет, иначе они не стали бы атаковать нас посреди территории Макдональдов.

— Я тоже так думаю, — откликнулся Йен, завязывая последний узел на повязке на руке Коннора. — Другое дело, что это еще нужно доказать.

— Лучшего доказательства, чем наша смерть, не придумаешь, — сказал Алекс.

Перехватив взгляд Йена, Алекс кивнул головой в сторону, показав, что хочет поговорить с ним один на один. Когда Йен присел рядом с ним на корточки, Алекс заговорил вполголоса:

— Ты обратил внимание на то, что Маккинноны и Маклауды не забрали своих покойников? Что-то напугало их?

— Да. И это главная причина, почему вам нельзя оставаться здесь. — Йен вытер рукавом пот со лба. — Я переправлю вас к Тирлаг. Она вылечит вас лучше любого из нас и заодно спрячет. Прямо как прежде.

— Нилл, подгони к крыльцу тележку. Мы перевезем их на берег, — крикнул он брату, а сам вернулся к Коннору.

Он посмотрел на разбитое лицо Коннора, и гнев охватил его. Поначалу у него не было времени оценивать раны друга, следовало срочно остановить кровь.

— Почему мы не убили Черного Хью в тот день возле храма! — воскликнул Йен, сжимая кулаки. — Клянусь, он ответит за эту кровь.

Подошла мать и опустилась на колени рядом с Шилес с другого бока Коннора. Сурово сжав губы, она приложила пальцы к щеке раненого.

— Приведи священника, прежде чем увезешь его отсюда, — сказала она.

— У нас нет времени, — ответил Йен.

— Я не хочу, чтобы единственный сын моей покойной сестры явился к своему Создателю с грузом грехов.

— Коннор не умрет.

— Боюсь, он близок к этому, сынок, — тихо сказала мать. — Хуже того, ты можешь погубить его своей перевозкой.

Йен оглядел Коннора и оценил риски.

— Нет, я увезу его отсюда. Нельзя позволить, чтобы они вытащили его во двор и закололи, как какую-нибудь животину.

Алекс согласно кивнул. В суматохе никто не заметил, когда из своей комнаты появился отец.

— Йен прав. — Пейтон положил руку на плечо жены. — Как только они услышат, что Коннор выжил, придут за ним.

Вместе с потоками холодного воздуха, от которых закачалось пламя в очаге, в комнату влетел Нилл.

— Я поставил повозку у двери.

Йен потер лоб. Отец и мать будут в безопасности, если в их доме не найдут Коннора. Но ему не хотелось оставлять Шилес одну, пока Мердок рыщет поблизости.

И что прикажете делать? Брать ее с собой, когда Хью и Маккинноны нацелились убить Коннора, было еще опаснее, чем оставлять здесь. Вдобавок в рыбацкой лодке едва хватит места для раненых мужчин.

Оставался единственный вариант.

— Нилл, я хочу, чтобы ты отвел Шилес к Гордону.

Йен глянул на нее. Она так и стояла на коленях рядом с Коннором и, наклонившись над ним, держала его за руку. Вылитый ангел! Господи, как же он любил ее! Йен опустился на одно колено и погладил ее по щеке.

— Из-за Маккиннонов тебе небезопасно оставаться здесь, — сказал он. — Они не додумаются отправиться за тобой к Гордону, а я не сомневаюсь, что он будет защищать тебя даже ценой собственной жизни.

Шилес покусала губу и согласно кивнула.

— После того как отведешь ее, — повернулся он к Ниллу, — найди священника и передай ему, чтобы он пришел к Тирлаг как только стемнеет. И пусть позаботится, чтобы его никто не увидел.

Теперь мать успокоится, да и не помешает, если священник помолится за парней.

— Давай, я помогу тебе довезти их до лодки, а потом отведу Шил, — предложил Нилл.

— Я сам ему помогу, — сказал Алекс.

Йен увидел, как у него на лбу выступил обильный пот, когда он попытался подняться. Алекс был ранен тяжелее, чем хотел обнаружить.

Когда они везли повозку вниз, на берег, холодный ветер рвал концы одеял, которыми укрыли раненых. Шилес дошла за повозкой до края воды. Пока Йен с Ниллом перетаскивали мужчин в лодку, она нашла подходящую палку для Алекса, чтобы тот мог опираться на нее, и помогла ему перелезть через борт.

Йен оглядел трех своих друзей. Алекс сидел сгорбившись, а двое тяжелораненых лежали на дне. Один Бог знает, как ему удастся перетащить их с берега к домику Тирлаг, но он это сделает.

243

Пожав плечо брату, он повернулся, чтобы попрощаться с Шилес.

— Ты самый лучший из всех, Йен Макдональд, — решительно проговорила она. Глаза у нее были сухими и ясными. — Если кто-то и может их спасти, то только ты.

Шилес всегда верила в него, и ему нужно было это сейчас услышать.

— Вернусь как только смогу. — Йен взял ее лицо двумя руками и крепко поцеловал в губы. — Береги себя, моя любимая.

Глава 32

— Вот возьми кинжал, — сказал ей Нилл, когда они пошли от берега вверх по тропе. — Спрячь его в рукав. Просто так, на всякий случай.

На развилке дороги они повернули к дому Гордона и быстро зашагали, в молчании думая о тех, кого оставили на берегу. Возложить на Гордона защиту жены, должно быть, оказалось горькой пилюлей для Йена, но он смирил свою гордость ради ее безопасности.

Оглянувшись через плечо, в просвете между деревьями Шилес увидела, как Йен сталкивает лодку на воду. Неожиданно она задрожала всем телом.

«Прошу тебя, Господи, помоги Йену и сбереги его для меня. Не дай им погибнуть молодыми!»

До дома Гордона оставалось примерно полмили. В этом месте тропа резко шла в горку и делала поворот. Теперь тех, кто шел по ней, не было видно ни из одного дома поблизости. Когда они миновали поворот, в отдалении показалась дюжина всадников, которая поскакала в их сторону.

Шилес затаила дыхание. Неужели это ее отчим с Ангусом скачут впереди отряда? Даже с такого расстояния они могли легко узнать ее по огненнорыжим волосам. Шилес почувствовала на себе их взгляды. То, чего она боялась годами, стало реальностью.

Они примчались за ней.

— Беги, — сказала она Ниллу. — Они приехали забрать меня, и ты не сможешь им помешать.

— Побежали назад домой, мы успеем. — Нилл потянул ее за собой.

— Нет! — закричала Шилес. — Если они бросятся за нами к дому, то увидят лодку. И расправятся со всеми.

Маккинноны уже один раз попытались убить Коннора. Если они поймут, что это им не удалось, тогда убьют всех, кто находится в лодке. Йен — прекрасный воин. Но врагов слишком много. А он умрет, но не отдаст друзей. Скорее всего на помощь ему кинутся Пейтон с Бейтрис, и тоже погибнут. Она не может этого допустить.

— Пожалуйста, Нилл, — попросила Шилес. — Умоляю тебя, беги. Им нужна я.

— Только с тобой. — Она услышала знакомый свист стали, когда Нилл выхватил свой меч из-за спины.

— Беги и расскажи Йену, что они меня взяли. — Шилес схватила его за руку.

— Поздно. Спрячься за мою спину. — Нилл вышел вперед.

В следующий момент их окружила дюжина Маккиннонов.

— Надо же, каков храбрец, — засмеялся один из них, когда все спешились. И тут же отскочил назад, потому что меч Нилла прошел в каком-то дюйме от его груди.

— Прекрати, мальчуган. Тебе ни к чему умирать сегодня, — сказал другой. — А вот девчонка принадлежит нам.

Люди расступились, пропуская вперед Мердока, сидевшего на коне.

— Ты ответишь за все, Шилес, — сурово глядя на нее сверху, сказал он. Потом кинул взгляд на Нилла. — Кто этот идиот, который и в самом деле готов умереть за нее?

Она не успела ничего соврать, потому что Нилл с вызовом ответил сам:

— Я Нилл Макдональд — сын Пейтона и брат Йена.

— Взять его! — скомандовал Мердок.

Шилес закричала, когда несколько человек бросились на него со всех сторон. Нилл отсек руку одному, нанес удар другому, но их оказалось слишком много. И уже скоро они крепко держали его.

— Он твой. — Мердок повернулся к Ангусу.

Ее охватила паника, когда Ангус спешился. Просить его о чем-нибудь было бессмысленно, потому что Ангусу нравилось мучить людей и он не относился к тем, кто думает о последствиях. Вот Мердок — другое дело. Тот был расчетлив. Смерть Нилла ничего не значила для него, поэтому нужно было придумать вескую причину, чтобы остановить его.

— Не трогай мальчишку, а то пожалеешь! — завопила Шилес.

Мердок поднял руку, останавливая Ангуса.

— С чего бы мне жалеть, если одним Макдональдом на земле станет меньше?

— Потому что Йен Макдональд человек упрямый, — крикнула она. — Ты, наверное, слышал, что он уехал на пять лет только потому, что его заставили жениться на мне?

— Я даже слышал, будто он так и не лег с тобой в постель. — Мердок заржал, другие подхватили его смех. — К счастью, Ангус не такой привередливый.

Шилес не отважилась посмотреть на Ангуса, потому что боялась, что при виде его от ее храбрости ничего не останется.

— Это правда, Йен не хочет меня. — Шилес вытянула руку и указала на Нилла. — Но этот парнишка — единственный брат Йена. И если хоть один волос упадет с его головы, не сомневайся, Йен найдет тебя. Не важно, сколько времени ему для этого потребуется. В один прекрасный день он поймает тебя. Вот такой он упрямец.

— Хватит болтать! — Ангус вытащил меч.

От страха у Шилес замерло сердце, когда он шагнул к Ниллу.

— Мердок, тебе нет выгоды убивать его!

— Если Йен так плохо обращается с тобой, — прищурился Мердок, глядя на нее, — почему ты так переживаешь о том, что случится с его братцем?

— Потому что он для меня тоже как брат, — честно ответила она.

— Не была бы твоя мать такой никчемной, сейчас у тебя был бы настоящий брат. — Мердок не сдерживал гнева.

Шилес нащупала кинжал в рукаве. Если Мердок не остановит Ангуса, ей придется остановить мерзавца самой, когда тот окажется рядом. У нее будет только один шанс, но она пока не решила, куда нанесет удар. Сердце от волнения билось как сумасшедшее, а она думала. У Ангуса огромный живот. Если она ударит в брюхо, его это не остановит. Значит, надо бить в его толстую шею.

— Ангус, мы получили то, ради чего приехали, — сказал Мердок и повернулся к остальным. — Привяжите мальчишку к дереву. Если он загнется раньше, чем его найдут, так тому и быть.

Шилес испытала слабость от радости и облегчения. Слава Богу! Она стояла и смотрела, как вяжут отбивающегося Нилла.

— Поехали, Шилес. Не будем тратить времени, — сказал Мердок. — Ты поедешь с Ангусом.

Не так-то просто было сохранить самообладание, видя, как щерится Ангус, выставляя напоказ коричневые пеньки зубов и маня ее к себе скрюченным пальцем.

— Я попрощаюсь с ним, — выпалила Шилес, и прежде чем ее остановили, бросилась к дереву, под которым сидел привязанный Нилл. Она обняла паренька за шею.

247

— Передай Йену, что я буду ждать его, — шепнула она Ниллу на ухо и сунула ему кинжал за спину.

Уже через секунду Ангус, грубо дернув за руку, резко поставил ее на ноги.

Глава 33

Коннор лежал совершенно неподвижно, и пока Йен вел лодку к берегу, ему приходилось время от времени напряженно вслушиваться, дышит тот или нет. К счастью, Коннор продолжал дышать, но жизнь в нем едва теплилась.

Они с Алексом молча обменялись тревожными взглядами. Что тут скажешь? Как только лодка уткнулась в берег, Йен подхватил безвольное тело кузена на руки. Ему стало не по себе: видеть Коннора в таком состоянии было страшно тяжело.

Оставив Алекса присмотреть за Дунканом, он по крутым ступенькам потащил Коннора к вершине обрыва. Ему вспомнилось, как они мальчишками сломя голову носились по этой каменной лестнице вверх и вниз. Сейчас разница в два года между ним и Коннором уже не ощущалась. А тогда Йен смотрел на кузена как на взрослого. Отважный, как и все в их четверке, Коннор тем не менее был самым осмотрительным из них. Ему каким-то образом удавалось удерживать их от безрассудных выходок, во всяком случае, от многих из них. Можно сказать, только благодаря Коннору они сумели дожить до этих лет.

Когда Йен поднялся на кромку обрыва, он увидел Тирлаг и сестру Дункана Айлизу, которые, борясь с ветром, вглядывались в даль.

— Я видела, что вы идете сюда, — воскликнула Тирлаг. Он понял, что она говорит о своем внутреннем видении, которым славилась на весь остров.

Женщины торопливо провели его в домик и велели положить Коннора на покрывало, заранее постеленное рядом с очагом. Айлиза побледнела, как Коннор, когда увидела, в каком он состоянии.

— Принеси других, — махнула рукой Тирлаг.

Вернувшись к лодке, Йен с облегчением заметил, что Дункан пришел в себя и его можно взвалить к себе на спину. Несмотря на свою силу, Йен под тяжестью Дункана пару раз чуть не потерял равновесие и не скатился вниз по скользким ступеням. Порывистый ветер сеял мелким ледяным дождем. К тому времени когда они добрались до верха обрыва, Дункана колотило от холода.

Йен ввалился в домик и пошатываясь дотащил свою ношу до лежанки Тирлаг. Лежанка была частью каменной перегородки, которая не доходила до потолка и отгораживала жилую часть помещения от закута, в котором содержалась корова. Было слышно, как та шевелится, недовольная тем, что ее покой нарушили.

Айлиза накрыла брата одеялом, а Тирлаг достала из очага накаленный камень и положила ему в ноги.

Не теряя времени на отдых, Йен вернулся на берег за Алексом.

— Я могу сам идти. Только дай мне руку, — сказал тот.

— Не выдумывай, садись на закорки, — ответил Йен. — Так будет быстрее. Я не собираюсь тратить время на споры.

Алексу это не понравилось, но делать было нечего.

Взвалив его к себе на спину, Йен проворчал:

— Вы, наверное, жрете каждый за троих. Помоги мне, Господи!

Когда в третий раз Йен оказался у дверей домика, его ноги тряслись от усталости. Алекс настоял, чтобы его усадили на стул. И не стал возражать, когда женщины закутали его в одеяло, в ноги положили ему горячий камень и сунули в руки чашку с горячим отваром.

Йен тяжело опустился на табуретку у стола. Ему удалось привезти сюда всех их живыми, хотя **249** жизнь Коннора висела на волоске, да и Дункану было немногим лучше. Йен порадовался, что обе женщины искусны во врачевании, хотя и подозревал, что сейчас для раненых нет ничего важнее, чем тепло и горячее питье.

И молитва.

— Ты тут не рассиживайся. — Тирлаг обратила на него здоровый глаз. — Твоя жена в опасности.

Шилес! Йен вскочил. У него было такое чувство, что ему ударили под дых.

— Что ты можешь мне сказать? — спросил он.

— Только то, что она сильно напугана, — ответила Тирлаг.

— Возьми с собой. — Догнав его у двери, Айлиза сунула ему в руку кусок ячменной лепешки.

Снаружи дождь стоял стеной. В один миг на Йене не осталось сухого места. Он зарычал от досады, когда понял, что не сможет поставить парус. Оставалось налечь на весла. Сердце было готово выскочить из груди, а дождь не переставая хлестал ему в лицо.

Если бы Шилес не отдала кинжал Ниллу, она сейчас смогла бы воткнуть его в Ангуса. Зловоние, исходившее от него, окутывало ее облаком. Она посмотрела вниз на его массивное бедро, которое терлось о нее, и представила, как вонзает в него клинок раз, и еще, и еще раз. Когда, обхватив Шилес за талию рукой, Ангус прижимал ее к себе и при этом пытался пощупать ее грудь, она коротко била его локтем под ребра.

Похоже, Ангус не обращал на это внимания.

— Сколько маленьких девочек ты изнасиловал с того момента, когда мы в последний раз виделись с тобой? — спросила она и еще раз двинула его локтем.

— Да я не считал, — хохотнул он. — Жалко, что ты выросла, Шилес. Ты мне тогда больше нравилась.

— Мерзкая тварь, гореть тебе в аду, помяни мое слово.

— Ничего, я покаюсь на исповеди, — сказал он. — Приставляешь кинжал к горлу священника и получаешь легкую епитимью. Только с проклятым отцом Брайаном этот номер не проходит. Настоящий фарисей и ханжа!

— Мой муж убьет тебя. Ты даже покаяться не успеешь, — пообещала она. — И душа твоя будет черна от грехов.

— Твое замужество — фикция, об этом всем на острове известно. — Ангус наклонился к ней и коснулся ее лица своей грязной бородой. Шилес чуть не стошнило. — Но очень скоро ты узнаешь, что такое настоящий муж, который понимает, как следует обходиться с женой.

Способность шутить, которая помогала ей бороться со страхом, вдруг куда-то делась. Йен обязательно придет за ней. Но когда? Он-то думает, будто она в безопасности, под защитой Гордона. Сколько ей предстоит пробыть в замке Нок вместе с Ангусом и Мердоком, пока Йен сообразит что к чему?

Чтобы окончательно лишить ее надежд, с неба полил ледяной дождь.

Откуда-то из-за дождевой завесы выплыл замок. Тяжелый страх навалился на нее. Перехватило дыхание в груди. Шилес не была в замке с того момента, как девчонкой сбежала отсюда по подземному ходу, когда Мердок избил ее. Они переехали подъемный мост, и Шилес подняла глаза, чтобы увидеть тяжелую железную решетку и массивные деревянные ворота. Господи, как же Йену удастся вызволить ее?

Шилес подумала про замковое привидение, которое, бывало, являлось ей. По легенде, Зеленая леди, которую так называли из-за ее зеленого платья, приходила улыбаясь или плача, в зависимости от того, какие новости она приносила семье, владевшей замком.

К ней привидение всегда заявлялось в слезах. **251**

Глава 34

К тому времени когда Йен подгреб к берегу, как раз под тем местом, где стоял родительский дом, мускулы на руках и плечах превратились в мочало. Он прищурился, пытаясь разглядеть, что происходило за пеленой дождя. На берегу кто-то стоял и махал ему руками.

Это был Нилл. Сердце упало. Тирлаг сказала правду. Все пошло наперекосяк. Йен перескочил через борт и зашлепал по воде, волоча лодку за собой. Нилл кинулся в прибой на помощь ему.

— Они забрали Шилес, — крикнул он, перекрывая шум ветра и хватаясь за другой борт.

— Кто они? — закричал Йен в ответ.

— Маккинноны и ее отчим. — Йен увидел, что брат готов разрыдаться. — С ними был Ангус.

Йен ударил кулаком в борт лодки. Господи, нет!

После того как они оттащили лодку за линию прибоя, Нилл быстро рассказал ему, что произошло.

Эти мерзавцы Маккинноны забрали его жену и чуть не лишили жизни брата!

— Я пытался защитить ее. — Голос Нилла дрожал.

Стиснув зубы, чтобы не дать выхода гневу, Йен сжал плечо брата.

— Я знаю, ты сделал все, что мог.

— Йен! Нилл!

Обернувшись на крик, Йен увидел, что к ним по тропинке над обрывом бежит Гордон.

— Только не говорите, что Маккинноны схватили ее. — Гордон кубарем свалился с обрыва и встал рядом.

Откуда он знает, что это были Маккинноны? Ярость охватила его. Вытащив кинжал, он шагнул к Гордону.

— Что ты знаешь об этом?

Нилл положил ему руку на плечо.

— Гордон никогда не сделает Шилес ничего дурного. Пусть говорит.

У соседа был совершенно обезумевший вид и вдобавок он сам нашел их. Йен опустил кинжал, но не спрятал его.

— Когда вчера вечером Шилес пришла поговорить, мать подумала, будто она решила бросить тебя и выйти за меня, — торопливо заговорил Гордон. — Мать сразу отправила записку Мердоку с мальчишкой, который работает у нас. Она сообщила ему, что вы четверо вместе с Шилес вернулись из Стерлинга и остановились в доме твоих родителей. Мне только сейчас стало об этом известно.

Нилл рассказал Гордону, что произошло. Тот опустился на мокрый песок и взялся за голову. Не глядя на него, Йен отошел в сторону. К черту Гордона вместе с его мамашей!

— Теперь Мердок удерживает Шилес в замке, — сказал он Ниллу, когда они направились к дому. — Мне нужно вытащить ее оттуда.

Вспомнив про шрамы, которые Мердок оставил на ее спине, Йен сжал кулаки. Он в любом случае прикончит его. Но если Мердок хоть пальцем коснется ее, он будет убивать его медленно, отрубая от него кусок за куском.

— Йен. — Брат с беспокойством глядел на него. — Она дала понять Мердоку, будто ты к ней безразличен, и что ты не... В общем, что вы еще не муж и жена.

Йен ждал продолжения.

— Мердок собирается выдать ее за Ангуса.

У Йена даже руки затряслись от гнева, стоило ему представить, как Ангус своими мясистыми лапами хватает Шилес. Он должен ее освободить. И как можно скорее! Иначе Ангус изнасилует ее, и он никогда не простит этого себе. Никогда!

Только нельзя позволить гневу затуманить себе голову. Йен заставил себя сосредоточиться на проблемах, которые стояли перед ним. Сначала надо придумать, как освободить Шилес из замка. Потом, **253** когда она окажется в безопасности, следует избавить клан от Хью. Без друзей ему было не с кем решить эту задачу.

Единственным светлым пятном в этом мраке было ее послание, которое передал Нилл. «Скажи Йену, я буду ждать его». Шилес верила: он не оставит ее.

Рядом с ним всегда были Коннор, Дункан и Алекс. Детьми они играли вместе. Когда подросли, учились ходить по морю, бились друг с другом на мечах. Когда стали взрослыми, сражались бок о бок. За прошедшие годы они по-глупому рисковали жизнями немыслимое количество раз и столько же раз спасали друг друга. И всегда прикрывали друг другу тылы.

Сейчас, когда Йен нуждался в них больше, чем когда-либо, он остался один.

— У тебя есть я и отец. — Брат словно услышал его мысли.

Йен чуть не расхохотался. Если добавить отца Брайана, их снова будет четверо. Но одноногий калека, пятнадцатилетний мальчишка и священник — никудышная замена настоящим воинам-горцам в самом расцвете сил.

— Может, мне удастся собрать мужчин? — спросил Нилл.

— Они были готовы сражаться вместе с нами, поскольку верили: Коннор станет новым вождем, — покачал головой Йен. — Хью уже наверняка распространил слух о том, что Коннор либо мертв, либо сбежал. Пока он не встанет на ноги, нельзя подвергать его опасности, нельзя объявлять, что он выжил после нападения.

— Тогда как мы поступим? — не унимался Нилл.

— Тогда мы поступим так, как всегда поступают горцы, когда враг сильнее. — Йен посмотрел брату в глаза.

— Это как?

— Пустим в дело обман и хитрость, конечно.

Глава 35

Мыши брызнули из-под ног, когда Мердок втащил Шилес в зал замка. Тут стало еще грязнее, чем было при ней.

— Подать еды на этот стол! — гаркнул отчим женщине, копошившейся в углу. Потом поддал пинком двух собак, которые грызлись из-за кости, и повернулся к Шилес. — Сейчас поедим и устроим свадьбу.

— Ничего у тебя не получится, — сказала Шилес. — Я уже замужем. И это не какой-то пробный брак, а настоящий. Нас повенчал священник.

Губы Мердока скривились в усмешке.

— Ты поверила, что тот пьянчуга, которого приволок тогда твой вождь, настоящий священник?

Шилес была ошеломлена.

— Конечно!

И тут же вспомнила, как священник путался в молитвах и с какой угрозой смотрел на него вождь. Всплыли и другие воспоминания того дня. Вот священник спотыкается об облачение, которое явно длинно ему. Вот он идет за ними, а не ведет их в спальню, чтобы окропить кровать святой водой, а потом Йен обещает спустить его с лестницы.

— Ты такая же легковерная, как твоя мать, — заключил Мердок.

И действительно, какая же она дура!

— Мы с Йеном дали друг другу клятву и по горскому обычаю стали мужем и женой. — Шилес нервно сглотнула. — Мне все равно, что тебе говорили про нас, но что, если я уже беременна от него?

Шилес приложила руку к животу, словно подтверждая правоту своих слов.

— Ты думаешь, мне не все равно, чей это ребенок? — Мердок пожал плечами. — Если Ангус не признает твоего ублюдка, его дело. Ребенок ведь может умереть в любой момент.

255

Шилес раскрыла рот от такой откровенности. Ей казалось, что даже Мердок не способен на такое.

— Но если сейчас ты не беременная, то очень скоро станешь ею, — продолжал Мердок. — Так или иначе, ты принесешь потомство Маккиннонов, на которое у твоей матери не хватило сил. Нам нужен этот ребенок, чтобы заявить свои права на замок.

— Не надейся, Мердок, я не отдам свое дитя в твои руки.

— А ты не надейся улизнуть из замка, поскольку я приказал завалить подземный ход. — Он резко толкнул ее в спину. — Иди, помоги собрать еду на стол. Мужчины проголодались.

Чтобы в замке Данскейт не поняли, что это он идет к храму, Йен накинул шотландку поверх головы.

Ему повезло. Священник оказался один. Стоя на коленях перед скромным церковным алтарем, отец Брайан молился.

— Простите, отец, но дело не терпит.

Священник перекрестился и поднялся.

— Тебе так не терпится исповедаться, Йен Макдональд? — отряхнув колени, поинтересовался он.

— Нет, у меня на это нет времени.

— А я-то подумал, — сказал он. — Подозреваю, что выслушать тебя будет намного интереснее, чем других.

— Как-нибудь мы устроим мне многочасовую исповедь за кувшином виски, если вы будете не против, — пообещал Йен. — Но сейчас мне нужна совсем другая помощь.

— Какая именно? — спросил священник.

— Вы в хороших отношениях с Маккиннонами?

— В хороших или плохих — не важно. Я здесь к услугам всех кланов, — пожал плечами отец Брайан. — Вообще-то говоря, следующими я собирался посетить земли Маккиннонов, как делаю каждый год.

256

— Они позволят вам войти в замок Нок? — спросил Йен.

— Если им нужно исповедаться или повенчать кого-нибудь, тогда, конечно, они откроют мне ворота, — ответил он. — А почему ты спрашиваешь?

При упоминании о венчании Йену стало не по себе. Ему не хотелось думать, что желание Мердока выдать Шилес за Ангуса станет тем ключом, который откроет ему ворота замка.

— Мердок Маккиннон держит мою жену в замке Нок, — процедил Йен сквозь зубы. — Я должен вытащить ее оттуда. Вы поможете мне, святой отец?

Когда священник ничего не ответил, Йен добавил:

— Он собирается отдать ее за Ангуса Маккиннона.

— Ох, только не за Ангуса. Мне известно, что он делал с маленькими девочками. — Глаза отца Брайана сверкнули гневом. — Что от меня потребуется?

— Поговорим по дороге. — Йен надеялся, что теперь план действий сложится окончательно. Сам Бог послал ему отца Брайана, и это было хорошее начало.

Перекрестившись, Йен вышел из храма. «Прошу тебя, Господи, сбереги и сохрани ее, пока я не приду за ней!»

Глава 36

Шилес с удивлением рассматривала женщину, стоявшую возле лестницы вниз, на кухню.

— Дайна, — зашептала она, — что ты здесь делаешь?

— На меня положил глаз один из Маккиннонов, — сказала Дайна. — А больше податься мне было некуда.

— Плохо, что все так вышло. — Хотя повода особо жалеть Дайну у нее не было, Шилес все равно сочувствовала ей. Жить в вертепе — такого никому не пожелаешь.

257

— Мне тоже жалко, что ты здесь очутилась, — сказала Дайна.

— Поможешь мне?

— Я не смогу вывести тебя отсюда, — замотала головой Дайна. — На воротах стоит стража.

— Тогда нужно придумать что-то, чтобы отвлечь их от меня, пока Йен не придет за мной, — сказала Шилес.

— Ты так в нем уверена? — удивилась Дайна.

— Уверена.

— Если бы я знала, как ты страдаешь по нему, то никогда бы не сделала того, что сделала, — призналась она. — Ты отказывала ему в постели, и поэтому я не видела ничего ужасного, чтобы устроить то представление.

Их прервал Мердок, который проревел из другого конца зала:

— Где ужин?

Когда о стену над головой Шилес ударился железный кубок, женщины бросились вниз. На лестнице было темно, но с кухни пробивался свет, доносились голоса и звон посуды.

— У меня есть яд. — Дайна приблизила губы к уху Шилес.

— Яд? — Шилес остановилась как вкопанная и повернулась к Дайне. — Откуда он у тебя?

— От Тирлаг, — объяснила Дайна. — Перед тем как отправиться сюда, я пошла к ней попросить какой-нибудь амулет. Я не стала говорить ей, куда собираюсь, но она сама сказала, что такой дурехе, как я, требуется что-то посерьезнее, чем талисман-оберег.

Дайна наклонилась и достала из сапожка маленький пузырек, наполненный жидкостью.

— Вот, что она мне дала. Нужно добавить это в эль.

— Я не хочу убивать их всех, — предупредила Шилес.

— Тирлаг сказала, что от одной или двух капель человек просто занеможет. — Дайна протянула ей пузырек. — Кувшины с элем стоят на подносе за дверью. Ты займись делом, а я отвлеку мужчин.

258

— У тебя получится?

Дайна рассмеялась.

— Увидишь. Нет ничего легче.

Миновав коридор с низкими сводчатыми потолками, они оказались на шумной кухне. Остановившись в дверях, Шилес стала наблюдать за Дайной. Та, виляя бедрами, подошла к здоровенному мужику с мясницким ножом в руках, который громовым голосом командовал поварами и поварятами.

Он замолчал на полуслове, увидев приближающуюся Дайну.

— Я голодная как волк, Дональд, — замурлыкала она. Потом положила руку ему на плечо. — У тебя, может, имеется что-нибудь... особенное... для оголодавшей барышни?

Все в кухне бросили дела и уставились на Дайну, которая, подавшись к шеф-повару, говорила с ним сыпля намеками. На столе рядом Шилес заметила полдюжины кувшинов, полных эля. Повернувшись спиной к комнате, она вытащила крохотную пробку из пузырька.

Так сколько отравы нужно налить в каждый кувшин? Если бы еще знать, сколько человек будут пить из одного кувшина. Трясущимися руками она накапала по нескольку капель в каждый.

— Что ты там делаешь? — Грубый голос за спиной заставил ее вздрогнуть, и Шилес вылила в последний кувшин все, что оставалось в пузырьке.

— Мердок приказал ей принести еще эля, — встряла Дайна. — Поэтому лучше не задерживай ее.

Подняв поднос, Шилес заторопилась из кухни, расплескивая напиток. В начале лестницы она остановилась и перевела дух. Надо успокоиться. Какой смысл травить эль, чтобы потом разливать его по полу.

Мужчины начали хватать у нее кувшины с подноса еще на пути к столу.

— Прекратите, вы, животные! — Шилес подняла поднос повыше, боясь, что на нем ничего не останется.

До стола ей удалось добраться только с одним кувшином, но зато с тем самым, в котором оказалась самая большая порция отравы. Пряча улыбку, Шилес поставила его между Мердоком и Ангусом.

Неожиданно какой-то мужлан оттолкнул ее в сторону и схватил этот кувшин. В бессильной злобе она смотрела, как он дует напиток прямо из посудины, как эль стекает у него по подбородку.

— Решил оставить меня без выпивки, да? — Ангус ударил грубияна в живот.

В ней вновь родилась надежда, когда он забрал кувшин в руки и поднес ко рту, и вновь умерла, когда из кувшина не пролилось ни капли эля. Ангус швырнул бесполезную посудину в очаг и принялся дубасить наглеца, осмелившегося опередить его.

— Принеси еще, — приказал Мердок и с силой хлопнул ее по спине. Ее обожгло болью, у него была тяжелая рука. — И передай этому никчемному повару, если прямо сейчас он не подаст жратву, я воткну в него кинжал.

Она допустила чудовищную ошибку. Надо было скормить весь яд Мердоку, чтобы наверняка убить его. Оставшись без главаря, остальные носились бы вокруг в смятении, как цыплята с отрубленными головами.

Мердок обернулся и перехватил ее взгляд.

— Что ты вылупилась на меня? — И бухнул кулаком по столу. — Пошла отсюда!

Стоя у стены, Шилес с Дайной наблюдали за жующими мужчинами и ждали, когда появятся признаки отравления. А время шло.

Шилес покусала губы.

— Почему яд не действует, Дайна?

— Понятия не имею. Может, еще рано?

Шилес вздрогнула, когда Мердок встал и стукнул кружкой о стол. Воцарилось молчание, и тогда он громко объявил:

— А теперь поженим их!

Оглядев комнату, он взглядом нашел Шилес и подал ей знак подойти. Она не сдвинулась с места. Мердок указал на нее двум своим громилам.

— Я слышала, будто у Ангуса ничего не получается, если женщина не сопротивляется, не кричит и не плачет, — сжала ей руку Дайна. — Поэтому лежи и не двигайся как мертвая.

Шилес в отчаянии огляделась в поисках выхода, а двое громил приближались. Забыв о предупреждении Дайны, она закричала, когда они схватили ее и, протащив через весь зал, поставили перед Мердоком и Ангусом.

— Теперь произносите ваши клятвы, — приказал Мердок.

— Ни за что! — Шилес пристально посмотрела ему в глаза. — Если ты не смог заставить меня сделать это в тринадцать лет, то сейчас и подавно не заставишь.

— После утех в кровати с ним ты наверняка станешь более покладистой. А если нет, — пожал отчим плечами, — и не надо. Нам ты не нужна, нам нужен только ребенок Маккиннонов.

— Мой муж Йен убьет тебя, если ты дашь вот этому коснуться меня хоть пальцем, — сказала она. — А Макдональды не дадут тебе житья, пока ты сидишь в замке Нок.

— Ты такая наивная, что даже больно становится за тебя, — укоризненно покачал головой Мердок. — Мы с Хью Макдональдом заключили соглашение. Я получаю тебя и замок Нок в обмен на убийство его племянника Коннора.

В Шилес поднялась волна гнева и выплеснулась вместе со словами, неожиданными для нее самой.

— Именем моей матери, я проклинаю тебя, Мердок Маккиннон! — завопила она, выкинув руку в его сторону и указывая на него пальцем. Затем медленно обвела рукой всех присутствующих в зале. — Я проклинаю каждого из вас! Вы еще пожалеете о том, что похитили меня у моего мужа, и о том, что забрали себе **261** то, что принадлежит мне и моему клану. Каждый из вас получит по заслугам!

В зале повисла тишина. Все взгляды устремились на нее. Некоторые переглядывались друг с другом.

— Ангус! — Низкий рык Мердока разрушил тишину. У Шилес все замерло в груди. — Отволоки ее наверх.

Волной накатила паника, когда Ангус подхватил ее и перекинул через плечо. Голова Шилес болталась где-то внизу, в ушах стучала кровь. Она кричала и изо всех сил колотила Ангуса по спине. Мужской смех, доносившийся из зала, постепенно стих. Он тащил ее по выдолбленной в стене винтовой лестнице, которая вела в жилые комнаты на верхних этажах.

Когда Ангус внес ее в бывшую спальню матери, Шилес овладела настоящая истерика. Все вокруг перестало существовать для нее, кроме образа матери. Та лежит на постели в сорочке, пропитанной кровью, на окровавленных простынях. Шилес видит, как кровь мелкими капельками падает на пол. Мать умирает.

Шилес забилась, царапаясь и визжа, как дикое животное. Потом вонзила зубы в руку Ангуса. Ему пришлось отпустить ее, тогда она скатилась кубарем с кровати и кинулась к двери.

Со всего размаха она налетела на Мердока, заслонившего собой проем двери. Он перехватил ее.

— Нет, только не здесь, — стала умолять Шилес. Ее трясло. — Пожалуйста, не здесь. Здесь она умерла.

Мердок не обратил на нее внимания, как не обращал внимания на ее мать.

Сколько раз в своей жизни Шилес довелось стоять по другую сторону этой двери и слушать, как рыдает мать? Та настрадалась от двух своих мужей, которым от нее требовался только наследник на этот замок и которым было все равно, что тем самым они ее убивают.

Годами Шилес пыталась отодвинуть далеко в глубь памяти воспоминания о мучениях матери. В отличие от дочери она была красива, изящна и уступчива. По правде говоря, Шилес считала, что в их с ней несчастьях виновата мать, ибо та сама выбрала такую участь. Только теперь Шилес поняла, что мать, должно быть, тоже попала в ловушку, как она сейчас.

Когда Мердок подтащил ее назад к кровати, Шилес снова увидела мать. Увидела ее раскинувшиеся на подушке рыжевато-белокурые волосы, резко контрастирующие с черной кровью на простыне. В нос ударил запах крови и смертельного пота. Снова увидела мертвенно-бледную кожу и безвольно свисавшую руку женщины, у которой даже не осталось сил плакать.

Мердок бросил ее на постель. Шилес упала на тюфяк, придавленная своим горем. А перед глазами у нее возникла мать такой, какой она видела ее в последний раз. С открытыми глазами, которые уже ничего не видели. С протянутой через кровать рукой, как будто она все еще надеялась, что придет кто-то, кто возьмет ее за руку и избавит от постоянного кошмара, в какой превратилась ее жизнь.

То был конец. Господь проявил милосердие и забрал ее, чтобы она соединилась со своими умершими детьми.

Шилес лежала не мигая, уставившись на балки потолка. Она чувствовала себя неуязвимой для этих мужчин, впитывая в себя горе собственной матери, глубину которого она постигла только сейчас.

Глава 37

Темнеющее на глазах небо подстегивало нетерпение Йена. Он внимательно оглядел верх стен замка Нок.

— Пока видно только двух человек, — заметил его отец, который тоже был тут.

Йен согласно кивнул.

— Вы готовы, отец Брайан?

263

— Готов.

Йен влез в ручную тележку и уселся на корточки рядом с бочкой вина. О Господи, что он делает!

— Надо было заложить повозку, тогда бы и мы с отцом смогли отправиться с тобой, — пожалел Нилл уже не в первый раз.

— Большая повозка более подозрительна для часовых, — сказал Йен. — Я впущу вас, как только смогу.

На деле он и сам не знал, сколько человек его ожидает по другую сторону ворот — двое или сорок, из которых никто не захочет умереть.

— Ну, с Богом, — сказал отец Брайан и накинул на него брезент, как он накидывал покрывало на алтарь. Потом обернул ткань вокруг Йена, чтобы со стороны тот напоминал бочку, а настоящую бочку с вином не стал накрывать специально.

Их уловка была стара как мир. Ею пользовались еще древние греки. Но, судя по всему, Мердок и Ангус на свою беду плохо штудировали классиков.

Взявшись за ручки, отец Брайан крякнул и толкнул тележку вперед. Хорошо, что священник оказался крепким мужчиной. От деревьев до замковых ворот было добрых сто ярдов и все в гору.

Облокотясь на бочку, в которой плескалось вино, Йен размышлял на тему, сидели ли троянцы вот так же в три погибели в брюхе деревянного коня? Пока тележка громыхала по подъемному мосту, он удерживал края брезента, чтобы они не разошлись. Наконец отец Брайан остановился и опустил тележку на землю, и Йену пришлось еще ближе подобрать под себя ноги, чтобы они не вылезали наружу.

Через дырку, которую он проделал кинжалом в брезенте, ему было видно, как священник подошел к деревянным воротам и забарабанил в них. Ему ответили, но Йен не разобрал слов.

— Я обхожу остров Скай, как делаю это каж-**264** дый год, — громко заговорил отец Брайан. Потом показал на тележку. — Тут у меня бочка вина из монастыря святого Ионы. Я должен отвезти ее епископу, но путь далекий, поэтому хочу продать ее вам.

Ворота со скрипом отворились. Йен схватился за рукоятку кинжала, когда священник принялся толкать тележку внутрь.

— У нас как раз празднуют свадьбу. Поэтому мы не сомневаемся, что вы захотите преподнести вино как подарок, — сказал часовой.

При упоминании о свадьбе, Йен похолодел и принялся молиться, чтобы ему не прийти слишком поздно.

— Не прикасайтесь к вину, пока я не получу на руки плату за доброе монастырское вино. — Отец Брайан вкатил тележку во внутренний двор.

Однако, как Йен и предполагал, часовые не собирались ждать. Один из них подошел и откинул брезент. Йен с размаху ударил его под поднятую руку, и тот умер, даже не пикнув. Всего вокруг бочки собралось пятеро часовых, которые собирались помочь священнику избавиться от вина. Выскочив из тележки, Йен выхватил меч и уложил еще одного.

Остальные быстро отступили. Придя на помощь, отец Брайан подставил подножку одному из них. Тот, вскрикнув, рухнул навзничь. Когда его товарищ обернулся, чтобы посмотреть, что случилось, Йен взмахнул мечом и почти полностью отсек ему голову.

Теперь уцелевшие стражники вытащили мечи и изготовились к бою. Оставшихся на ногах было двое, но Йен сразу решил их атаковать, торопясь покончить с ними как можно быстрее.

Краешком глаза он заметил, что третий — тот, которого отец Брайан подножкой отправил на землю, уже поднялся и, выставив перед собой клинок, кинулся на священника. Мгновение спустя он валялся у ног отца Брайана, а священник вытирал кровь с клинка нападавшего о его же одежду.

265

Меч Йена описал полный круг в воздухе. Раздался крик. Это противник Йена получил смертельный удар в бок. Черт, от них слишком много шума! Последний охранник сделал выпад, рассчитывая, что Йен не окажется достаточно проворным, чтобы отбить удар. И ошибся.

То была его последняя ошибка.

Йен снова оглядел стены поверху. И никого не увидел. Вероятно, те двое, которых он заметил раньше, спустились вниз, надеясь отведать дармового вина, и сейчас лежали тут. Йен бросился к воротам и замахал рукой отцу и брату.

— По-моему, вы не всегда были священником, отец Брайан. Я прав? — поинтересовался Йен, когда они вдвоем оттаскивали убитых в пустую кладовку, устроенную в стене.

— Мне казалось, что все мои битвы остались в прошлом, — сказал священник. После того как они убрали последнее тело, он перекрестился, вытер руки о свою накидку. — Здесь еще осталось немало бойцов. Как ты думаешь, где они?

— В башне.

Празднуют свадьбу.

В поле ее зрения появилась массивная фигура Ангуса. Словно с другого края земли Шилес смотрела, как он сбрасывает с себя шотландку, стаскивает сорочку. Она задрожала. Тело инстинктивно почувствовало опасность, пока она пыталась отстранить от себя образ матери и избавиться от ощущения беды, пригвоздившей ее к постели.

Но когда мясистые руки Ангуса схватили ее за бедра, Шилес пришла в себя и непроизвольно дернулась. Прикосновения этого монстра были непереносимыми. Прежде чем она успела начать сопротивляться, он отвернулся от нее и посмотрел себе за спину.

— Ну, что еще? — спросил Ангус. — Так и будешь стоять и разглядывать меня?

— Я хочу быть уверенным, что ты все сделал. Захватить ее, это еще полдела. Главное, чтобы она забеременела.

За спиной этого мамонта Шилес не видела, кто стоял в ногах у постели, но по голосу поняла, что это Мердок.

— У меня ничего не получается, когда она смотрит на меня, как покойница, — пожаловался Ангус.

— Мы оба знаем, что ты должен взять ее, — сказал Мердок. — Займись делом.

При этих словах Мердока она вспомнила совет Дайны: «Лежи и не двигайся, как мертвая». Когда Ангус повернулся к ней и замахнулся, она застыла, готовясь принять удар.

Но тут он вдруг замер. Его глаза уставились на что-то у нее над головой. Жуткие, зловещие причитания наполнили спальню. Шилес подняла голову и увидела, как в воздухе над ней повисла просвечивающая фигурка Зеленой леди. Она рыдала, издавая жалобные звуки.

Ангус в мгновение ока соскочил с постели.

— Эта мерзавка своим проклятьем вызвала привидение!

Он заслонил лицо рукой, а Зеленая леди зарыдала еще громче и горше. Звук ее голоса мог бы заставить рыдать самих ангелов.

— Она пришла за мной! — Путаясь в собственных ногах, Ангус бросился прочь из комнаты.

Шилес села на кровати и встретилась с взглядом отчима. Вторжение Зеленой леди дало ей время вернуть себе мужество и злость.

— Это ты заставил ее рыдать, — сказала она. — Ты всегда так делал.

В три прыжка Мердок пересек спальню и снова толкнул ее на кровать.

— Ее плач никогда не останавливал меня, — заявил он. — А сегодня тем более.

Шилес во все глаза смотрела на него, сердце сжималось от ужаса.

— Я — дочь твоей жены. Даже ты не должен брать такой грех на душу.

Мердок навалился на нее всем телом. Шилес почувствовала, как от него пышет жаром.

— Я скажу тебе то же самое, что говорил твоей матери, — прошипел он ей в лицо. — Мне нужен мой собственный ребенок, моей крови.

Зеленая леди стала плакать тише, словно поняла, что на Мердока это не действует.

— Из сопливой дурнушки ты превратилась в милашку. — Мердок слегка откинулся, его жесткие черные глаза уставились на ее грудь. — Если Ангус ни на что не способен, то я другое дело. У меня не заржавеет.

Глава 38

— Сейчас увидим, сыграет уловка с вином во второй раз или нет, — сказал Йен. — Отец Брайан, вы можете ввезти бочку в зал и отвлечь внимание на себя?

Священник кивнул.

— Как только все они соберутся вокруг отца Брайана, мы потихоньку войдем внутрь, — повернулся Йен к отцу и брату. — Если Шилес там, мы хватаем ее и уходим до того, как они заметят нас.

По крайней мере он на это надеялся.

— Если ее нет в зале... — Йен нервно сглотнул, понимая, что это может означать. — Тогда отец с Ниллом перекроют лестницу, пока я пойду наверх искать ее.

Это был плохонький план, но другого он не придумал.

Отец Брайан прочитал короткую молитву, и все перекрестились. Йен со священником потащили бочку по ступенькам к башне. В этот момент Йен обернулся и посмотрел, как отец пересекает внутренний двор.

Видя, как медленно он передвигается, Йен с ужасом подумал, что привел сюда своих близких на верную смерть.

— Бог на нашей стороне. — Отец Брайан похлопал его по руке, успокаивая, потом распахнул дверь и ввез тележку в зал. — Доброго вам вечера, Маккинноны!

Йен выждал несколько мгновений. Каждый мускул заныл от напряжения. Он осторожно приотворил дверь и проскользнул в зал. Около двери стражу поставить не додумались. А может, и додумались, только сейчас часовые вместе с остальными сбились в кучу вокруг отца Брайана и винной бочки. В дверь просунулась голова Нилла. Йен махнул рукой, чтобы тот заходил, а сам, оставаясь в тени, двинулся вдоль стены.

Он оглядел тускло освещенный зал, пытаясь глазами отыскать Шилес, и насчитал при этом примерно пятьдесят человек Маккиннонов против них четверых. Женщин было мало, и среди них он не увидел Шилес. Йену стало не по себе, когда он сообразил, что в зале отсутствуют также Мердок с Ангусом.

Его взгляд остановился на одной из женщин. Дайна? Что она здесь делает? Та не отрываясь смотрела на него. Йен напряженно ждал, что будет дальше.

Оглянувшись по сторонам, Дайна выдернула факел из кронштейна на стене и кинула его на тростник, устилавший пол. Потом посмотрела Йену прямо в глаза и кивнула в сторону лестницы.

Таким образом Дайна дала ему знать, что они держат Шилес наверху.

Йен бросился под арку, откуда начиналась винтовая лестница наверх. Позади полыхнул тростник. Лестница закручивалась по часовой стрелке. Ее строили с таким расчетом, чтобы обеспечить защитников замка явным преимуществом. Отступая вверх, они могли свободно действовать мечом в правой руке. А вот у атакующих, если они были правшами, отсутствовала свобода маневра. Мечи нападавших должны были **269** постоянно задевать за камни на оси спирали. Но это преимущество было мнимым, поскольку теперь воины умели владеть мечом как правой, так и левой рукой. Бросившись вверх по ступенькам, Йен переложил меч в левую руку.

Наверху над ним послышался топот. Неожиданно на него всей тяжестью обрушился человек. Увлекаемые им, они оба покатились вниз по ступенькам. Сбросив с себя грузного мужчину в конце лестницы, Йен узнал в нем Ангуса. Ненависть ослепила его.

— Что ты с ней сделал? — закричал он, вонзая кинжал Ангусу в брюхо.

Но Ангус был силен. В панике он начал размахивать руками и отбиваться как сумасшедший. Времени было мало, поэтому Йен уселся ему на грудь и приставил кинжал к его горлу.

— Я спрашиваю, что ты сделал с моей женой? — Он нажал на кинжал, и показалась кровь.

— Я видел привидение! — вопил Ангус. — Оно летало у меня над головой!

Йен застыл. Он боялся, что они изнасилуют Шилес, и не подумал, что они способны убить ее.

До него донесся полный ужаса неестественный крик. Йен похолодел. Только не это. Господи, не дай ей умереть! Взмахнув кинжалом, он перерезал Ангусу горло, вскочил и помчался вверх по лестнице.

В несколько прыжков Йен оказался на верхнем этаже. Дверь с лестницы открывалась в огромную спальню. Остановившись на пороге, Йен увидел мужчину, наклонившегося над кроватью, увидел обнаженные женские колени, подол голубого платья, свисавшего с кровати. В платье такого же цвета он видел Шилес в последний раз.

В голове от ярости зашумело. Выкрикнув боевой клич и крутя мечом над головой, Йен ворвался в **270** спальню.

Глава 39

Мердок зажал Шилес рот рукой, а она из последних сил боролась, пытаясь выбраться из-под него. За его тяжелым дыханием уже не было слышно плача Зеленой леди.

Даже замковое привидение бросило ее.

— Твоя мать ни на что не годилась, — хрипел Мердок. — Брюхатить ее был напрасный труд. Но с такой красавицей, как ты, у меня получится крепкий сын.

Неожиданно он отпустил ее. В комнате оглушительный, как удар грома, раздался боевой клич. Шилес была готова разрыдаться от счастья.

Йен пришел за ней!

Бросив ее, Мердок молниеносно выхватил свой меч. Хотя ему удалось блокировать прямой удар Йена, по его руке потекла кровь. Рукав рубашки моментально промок. Под сводами комнаты зазвенели мечи. Противники без передышки перемещались по ней туда-сюда.

Поджав под себя ноги, Шилес сидела на кровати и наблюдала за поединком. И молилась.

Йен смотрелся просто роскошно с развевающимися черными волосами, с синими глазами, пронзительными, как у сокола, готового ринуться из-под небес на свою жертву. Его мускулы танцевали, когда он, держась двумя руками за свой тяжеленный меч, описывал им смертоносные дуги.

Он действовал строго и взвешенно, но Шилес чувствовала, как ярость пульсирует в нем. Йен атаковал раз за разом. Лезвие рассекало воздух с тяжелым свистом. Еще взмах, и кровь заструилась у Мердока из раны в верхней части бедра, почти в паху. Еще удар, и плечо окрасилось кровью. Однако Мердок упорно отвечал ударом на удар. Он был сильным человеком и опытным воякой, сражавшимся всю свою жизнь. Мужчины рычали, обмениваясь выпадами.

Кровью плеснуло на постель, схватка приблизилась к Шилес вплотную. Когда Мердок упал спиной на кровать, она вскочила на четвереньки и ринулась прочь. Но Мердок успел выкинуть руку ей вслед и схватить за лодыжку. От страха Шилес пронзительно завизжала.

— А-а! — завопил Мердок, когда меч Йена пронзил ему живот насквозь и пришпилил к кровати. Действия Йена были последовательными. Он схватил Мердока за волосы и одним движением перерезал ему горло, потом медленно вытащил из него меч. Меч противно чавкнул.

Переступив через мертвое тело, он поднял Шилес на руки. Она изо всех сил прижалась к нему.

— Тихо, тихо, я с тобой, — приговаривал он, гладя ее по спине, целуя ей волосы. — Никому тебя не отдам.

— Йен, нужно спешить!

Услышав низкий мужской голос, Шилес обернулась и увидела в дверях отца Брайана. За спиной у него подымались клубы дыма.

— Не стой столбом! — прикрикнул священник. — Замок горит.

С Шилес на руках Йен заторопился к лестнице. Когда он проносил ее через дверь, Шилес поверх его плеча оглядела спальню, ставшую местом стольких страданий для матери. Дым так быстро заполнял комнату, что тело Мердока уже с трудом угадывалось на полу. Последнее что она увидела в наползавшей серой пелене, было легкое движение бледно-зеленого платья.

Лестница стояла в густом дыму. Отец Брайан, шедший впереди, был совсем неразличим, она только слышала его кашель. Глаза наполнились слезами, засаднило в горле. Наконец они спустились. Рядом с лестницей их дожидались Нилл с Пейтоном.

Два живых человека, окруженных мертвыми телами.

Как только Йен поставил ее на ноги, все четверо двинулись вдоль стены к наружным дверям. В зале было не так много дыма. Здесь бушевал огонь. Горело все, что могло гореть — тростник на полу, столы, перевернутые скамьи. Пламя, охватившее хозяйский стол на помосте, взметнулось вверх и теперь лизало деревянный потолок.

Она надеялась, что Дайне удалось вырваться отсюда. В зале оставались только мертвецы.

— Я пойду первым. Снаружи могут поджидать уцелевшие. Как только мы выйдем, они накинутся на нас, — предупредил Йен и открыл дверь.

Но тревога была напрасной. Когда он вышел из башни, оказалось, что во всем замке не осталось ни одного Маккиннона. Во внутреннем дворе было пусто, за исключением Дайны, козла и пищавшего выводка цыплят.

— Вы бы видели Нилла! — Отец спускался из башни по лестнице, останавливаясь на каждой ступеньке. В покрытой кровью одежде, он для поддержки опирался на Нилла. Но по улыбке было видно, как Пейтон счастлив. — Мы с ним бились бок о бок. Он прикрывал мои уязвимые места и рубил под корень всех Маккиннонов, кто пытался прорваться к лестнице.

Йен обнял Шилес за плечи. Он не мог разделить их веселья от успеха. У него перед глазами стояла картина, как его жену прижимает к постели мужчина, устроившись у нее между ног. Это видение еще долго, очень долго не отпустит его.

— Вот отец Брайан — это действительно было зрелище! — хохотал Нилл. — Он решил не пользоваться ни мечом, ни кинжалом, поэтому бил их по головам серебряным подсвечником.

— Другого и не требовалось, — отозвался отец Брайан. — Они все никак не могли проблеваться, а тут еще пожар. Так что они бежали, словно зайцы.

— Мы с Дайной отравили эль, — тихо призналась Шилес.

— Умницы! — расплылся в улыбке священник.

Пока остальные обменивались рассказами, Йен привлек Шилес к груди и закрыл глаза. Он нашел ее, слава Богу!

Йен встрепенулся. По доскам подъемного моста затопали ноги. Прикрыв собой Шилес, он вытащил меч. Тут в ворота ввалилась дюжина вооруженных мужчин.

— Это Гордон, — сказала Шилес.

Йен расслабился и опустил меч, потому что действительно это был Гордон, который привел группу соседей.

— Замок Нок — наш! — Приветствуя сородичей, отец поднял свой меч к небу.

Мужчины внимательно огляделись и увидели, что Маккиннонов и след простыл. Судя по их виду, все были недовольны, что опоздали к главному событию.

— Я успел собрать только дюжину, — подходя к ним, объяснил Гордон.

— Спасибо, что пришли, — сказал Йен. Он увидел страдание в глазах Гордона, когда тот глянул в сторону Шилес.

Отвернувшись, Гордон посмотрел на клубы дыма, выползавшие через открытые двери башни.

— Я думал, тебе нужна помощь, но вижу, что ошибся.

— Нет, не ошибся, мне действительно требуется твоя помощь, — сказал Йен.

Гордон повернулся к нему.

— Тогда ладно. Что я должен делать?

— Уже темнеет, поэтому сегодня мы переночуем здесь, — заговорил Йен. — Но утром мне нужно проведать мой дом и отвезти Коннора на сход. Можешь присмотреть за замком, пока меня не будет?

— Конечно. Подсобные помещения от огня не пострадали, поэтому мы разместимся там, — сказал Гордон. — Завтра я отправлю на сход кого-нибудь, чтобы выступить от всех мужчин, оставшихся здесь. — Он вновь посмотрел на дымившуюся башню. — Тут много камня, и башня не будет гореть долго. Мы вытащим, что сможем, но не думаю, что уцелеет много.

Йен подумал о горьких воспоминаниях, связанных у Шилес с этим местом, которое теперь должно стать их домом. Ему не хотелось брать отсюда ни единой вещи — ни мебели, ни посуды, ни постельного белья.

— Пусть народ заберет себе все, что спасет, — сказал он. — Мы с Шилес начинаем жизнь с чистого листа.

По тому как Шилес сжала его руку, он понял, что поступил правильно.

— Как ты себя чувствуешь, девочка? — спросил отец.

Пока она говорила с отцом и Ниллом, Йен отвел Гордона в сторону.

— У меня к тебе есть еще одна просьба, — сказал Йен, понизив голос.

Гордон уставился себе под ноги и поддал носком сапога комок грязи.

— Ты ведь знаешь, что я твой должник, после того что натворила моя мать.

— Можешь позаботиться о Дайне, после того как мы завтра уедем? — Когда Гордон вскинул голову, Йен добавил: — Ровно до того момента, пока я не подыщу ей какое-нибудь пристанище.

— Она что, твоя любовница? — зашипел Гордон, ноздри у него затрепетали. — Я помню, что должен тебе, но это не значит, что стану помогать обманывать Шилес.

— Ты меня не понял. — Йен понял руку. — Мне не нужна ни одна женщина, кроме Шилес.

Гордон недоверчиво сжал губы, но продолжал слушать.

— Если бы не помощь Дайны, я сомневаюсь, что мы выбрались бы отсюда живыми, — объяснил Йен. — Мне очень не хочется оставлять ее без защиты. Можешь пока присмотреть за ней, чтобы с ней ничего не случилось?

Гордон оглядел Дайну. Та одиноко стояла в сторонке, обнимая себя за плечи. С неба начал сыпать мелкий холодный дождь.

— Она совершила пропасть ошибок, — сказал Йен. — Но мы все заслуживаем шанса, чтобы искупить свои ошибки.

— Пожалуй, ты прав, — согласился Гордон. — Я присмотрю за ней.

Глава 40

В надвратной башне, где они расположились на ночь, было сыро и холодно. Хорошо хоть, у них имелась еда. Гордон захватил с собой вяленой рыбы, овсяных лепешек и сыра. А отец Брайан — благослови его Господь! — догадался вывезти бочку с вином из башни, когда они спасались от огня.

После холодного ужина отец Брайан позвал их на молитву. Склонив головы, они помолились о выздоровлении Коннора, Алекса и Дункана и о благополучии клана.

Пока все укладывались на ночлег или вели тихие разговоры, Йен с Шилес уселись на корточки возле стены лицом к дверям. Йен не был уверен, что Маккинноны не вернутся. Хотя замковые ворота они забаррикадировали, а на стенах под дождем стояли часовые, Йен не мог не беспокоиться. Их людей было явно не достаточно, чтобы выдержать настоящую атаку.

Он плотнее закутал Шилес в шотландку и поцеловал ее в голову, которую она положила ему на грудь. Каждый раз когда Йен вспоминал о том, насколько он был близок к тому, чтобы потерять ее, ему казалось, будто огромная безжалостная рука до боли стискивает сердце.

— Мне нужно тебе кое-что рассказать, — заговорила Шилес тихим голосом.

Кровь застучала у него в ушах. Пришлось сделать над собой усилие, чтобы выслушать то, что невозможно было вынести. Но он должен был сделать это ради нее.

— Это был Ангус или Мердок? — задыхаясь, спросил Йен. Пока он жив, он никогда не простит себе, что не успел прийти вовремя и уберечь ее от насилия.

Кончиками пальцев Шилес коснулась его лица.

— Ни тот, ни другой. Им ничего не удалось.

Она лжет из жалости? Ему не хотелось давить на нее сейчас. Когда все уляжется, когда можно будет спокойно поговорить, он выяснит сам, что произошло в замке.

— Я говорю правду, — сказала Шилес. — Я уже не надеялась, что ты найдешь меня, до того, как они меня изнасилуют. Но ты нашел.

На Йена накатила волна облегчения. Ее схватили, напугали до смерти, но самого страшного она избежала.

— Я ничуть не сомневалась, что в последний момент ты меня спасешь, — сказала Шилес. — Ведь так было всегда.

Ее вера в него поражала. Йен взял ее за руку и поцеловал пальцы.

— А завтра ты сделаешь все, чтобы Черный Хью не стал вождем нашего клана, — решительно продолжила Шилес. — Ты сделаешь это ради нашего клана, ради Коннора и всех остальных. И ради меня тоже.

— Сделаю все, что нужно.

— Главное, мне нужно было тебе рассказать, что Мердок договорился с Хью о том, что получает замок Нок и заодно меня в обмен на убийство Коннора.

— Я знал это. — Йен стукнул кулаком по грязному полу. — Обещаю тебе, что никогда не позволю Хью стать главой клана.

Лучше он убьет его, но не даст такому случиться.

Шилес снова уронила голову ему на грудь.

— Как хочется просто сидеть и чувствовать, как ты обнимаешь меня, — прошептала она. — Но я настолько вымоталась, что глаза слипаются сами собой.

— Тшш. Спи, любимая. — Шилес так и заснула в его объятиях.

Едва забрезжил рассвет, Йен поднял своих людей. Ему не терпелось перевезти жену в безопасное место и выяснить, как чувствуют себя Коннор с друзьями. Кроме того, нельзя было терять ни минуты. Дни в это время года короткие, а празднование Самайна должно было начаться на вечерней заре.

— Йен! — крикнул Нилл от ворот. — Иди, посмотри-ка сюда.

В голосе брата он услышал тревогу, поэтому кинулся к нему на подъемный мост.

— Вон там. — Нилл указал на море, где три военные галеры шли, направляясь к берегу.

Черт, черт, черт! Прищурившись, Йен пытался рассмотреть за дождем, чьи они были. Вот пропасть! На носу передней стоял не кто иной, как его бывший тюремщик Маклейн Лохматый.

Откуда он здесь взялся? Три лодки, полные вооруженных людей. Это не может быть дружеским визитом.

— Господи, помоги! — воскликнул Йен. — У меня нет сейчас времени заниматься этими убийцами.

Он обернулся и увидел подошедшего к ним отца Брайана.

— Я так понимаю, ты просишь помощи у Господа, а не поминаешь его имя всуе, — сказал священник. — Тем более что, судя по обстоятельствам, нам действительно потребуется вмешательство свыше.

Отец Брайан был прав. Маклейны причалили к берегу.

— Быстро! Всем подняться на стену! — закричал Йен, бегом возвращаясь назад. — Каждый берет щит у убитого. Сейчас здесь появятся Маклейны, и надо заставить их поверить, что нас больше, чем есть на самом деле.

Йен не стал останавливать Шилес, когда увидел, как она вместе с Дайной и Гордоном потащила щиты на стену. Если Маклейны ворвутся в замок, там ей будет безопаснее.

— Я выйду к ним, — вдруг заявил Йен своим людям.

За пеленой дождя и с большого расстояния Маклейн Лохматый мог бы обмануться количеством щитов. Это означало, что Йен должен был выйти и встретить его на берегу, подальше от замка.

Лохматый обладал особым чутьем на любую слабину. Поэтому Йен направился к нему с таким видом, будто всю жизнь мечтал встретить его и его людей на

278 своей земле.

— По-моему, ты слегка заблудился, Лохматый? — обратился к нему Йен, подходя.

Его обрадовало, что рядом с Маклейном Лохматым стоял его старший сын Гектор. Тот имел репутацию более благоразумного и надежного человека, чем его отец.

— Что за глупость — выходить в одиночку к трем галерам, набитым воинами? — Лохматый метнул на него взгляд из-под черных бровей. — Хотя я слышал от Дугласа, что ты смел до безрассудства.

Иногда в Шотландии новости распространяются быстрее, чем передвигаются люди.

Йен пожал плечами.

— Мне просто стало любопытно, с чего это ты решил плавать в здешних водах.

— Вот уж который день все никак не могу отыскать прекрасную маленькую лодчонку, которую вы увели у меня, — откликнулся Лохматый. — Даже прошел мимо твоего дома, правда, безрезультатно. Так и ищу ее до сих пор.

На один вопрос Йен получил ответ. Должно быть, Маккинноны увидели эти три лодки с воинами с берега, когда напали на Коннора и остальных, и потому бросили их недобитыми и бежали. Однако не верилось, что Маклейн Лохматый приплыл за своей лодкой.

— Не могу предложить тебе радушного приема, как следовало бы, — продолжил Йен. — Мы тут запалили замок, пока вышибали из него Маккиннонов. Донжон в очень плохом состоянии.

Лохматый явно собрался кинуться на него, но Гектор схватил отца за руку.

— Кстати, у меня к тебе есть предложение, — добавил Йен. — И если ты не такой чокнутый, как говорят, ты его примешь.

Гектор снова удержал отца за руку.

— Давай сначала выслушаем его.

— Помогая Хью отобрать место вождя у Коннора, ты поддержал не того человека. Мы сбежали от тебя, а сейчас отбили Нок. — Йен помолчал, давая Лохматому возможность проникнуться его словами, потом добавил: — Полагаю, ты поменяешь сторону, пока это еще возможно.

Маклейн проворчал что-то. Йен воспринял это как добрый знак и потому решил продолжить.

— Хью пальцем не пошевелил, когда Маккинноны захватили замок Нок. Потому и ты решил, что можешь прийти и забрать его себе, — заявил Йен. — Если наш вождь не будет защищать наши земли, тогда Маккинноны и Маклауды захватят нас, и это будет конец Макдональдов с острова Скай.

Йен замолчал. Пауза затянулась.

— Как ты думаешь, что предпримут Маккинноны и их более могущественные собратья Маклауды, если захватят весь Скай?

— Какое мне дело до этих чертовых Маклаудов? — возмутился Маклейн Лохматый.

Йен воздел руки.

— Если тебе нет никакого дела до того, что они окажутся у порога твоего дома, тогда следующее, что они сделают, двинутся на юг и займут твои земли на острове Малл.

Гектор бросил косой взгляд на отца. По этому взгляду Йен понял, что тот уже предупреждал отца примерно в тех же выражениях. Любой разумный человек понимал, насколько необходимо поддерживать баланс в отношениях с друзьями, и с врагами тоже. В Шотландии одни очень быстро могут превратиться в других.

— Но этого никогда не случится, поскольку Коннор станет вождем. — Йен скрестил руки на груди с таким видом, словно его мало что беспокоило в этом мире. — Коннор не тот человек, которого тебе нужно иметь во врагах. Поэтому если ты вознамерился захватить замок Нок, лучше бы тебе отказаться от этой мысли.

280

Маклейн обменялся взглядами с сыном.

— Хью сказал, что примкнет к восстанию против короны, — заметил он. — А Коннор?

— Не стоит верить словам Хью, — пожал плечами Йен. — Я не могу говорить за Коннора, но он делает то, что отвечает интересам нашего клана. — Вцепившись глазами в Йена, Маклейн Лохматый поскреб бороду. Несмотря на дождь и холодный ветер с моря, по спине Йена побежал ручеек горячего пота. Драгоценное время утекало. Хоть бы Маклейны быстрее ушли отсюда подобру-поздорову. Ему еще надо успеть съездить за Коннором.

Тем не менее он откинул голову назад и посмотрел в небо, словно интересуясь погодой. Тут Маклейн Лохматый наконец заговорил:

— Коннор ведь пока не взял себе жену, я прав?

Йен так удивился, что чуть не рассмеялся. Однако не надо было иметь семь пядей во лбу, чтобы понять смысл вопроса. При том количестве жен, которых за долгие годы завел себе Маклейн Лохматый и которым потом дал отставку, у него наверняка имелось несколько дочерей на выданье.

— Коннор еще не женился. Пока. — От нетерпения Йен начал раскачиваться с носков на пятки, желая только одного, чтобы этот пройдоха убрался подальше вместе со своими чертовыми лодками.

— Если Коннор возьмет в жены одну из моих дочерей — предположим, он действительно станет вашим вождем, — я мог бы согласиться с тем, чтобы оставить у него ту лодку в качестве свадебного подарка.

— Прекрасная, быстрая галера! — подхватил Йен. — Я передам Коннору мысль насчет твоих дочерей.

— Скажи ему, что он может прийти ко мне на ней за невестой. — В огромной бороде Маклейна Лохматого возник прогал, в котором обозначились кривые зубы. Йен посчитал это улыбкой.

281

— Когда Коннор приедет договариваться о женитьбе, — бросил Маклейн, направляясь к лодкам, — мы поговорим с ним о том, как он относится к восстанию.

Бедный Коннор! У него будет хлопот полон рот, после того как он станет вождем.

Если он еще не умер.

Вернувшись в замок, Йен оседлал коня.

— У меня может не получиться приехать в Данскейт
к началу схода, — сказал он отцу, вскакивая в седло. —
Ты можешь задержать выборы вождя, пока мы с Коннором не появимся?

— Наш бард будет рассказывать истории из жизни
клана с древних времен до теперешних, — успокоил его
отец. — Когда он дойдет до деяний отца Коннора, я тоже
расскажу кое-что, чтобы почтить память моего старого
друга. Попрошу выступить и других стариков. Хью будет очень трудно нас остановить. Но тебе все равно нужно поторопиться.

— Я еду с тобой, — заявила Шилес, беря его за руку.

— Хорошо, едем вместе. — Он помог ей забраться на
свою лошадь.

Прошлый раз он не взял ее с собой, рассчитывая, что
она останется в безопасности. Ему больше не хотелось
рисковать. Что бы сегодня ни случилось, они встретят
любой поворот событий рука об руку.

Как только галеры Маклейна Лохматого скрылись
из виду, Йен с Шилес пронеслись галопом по подъемному мосту. На небе, затянутом тяжелыми тучами, солн-
це виднелось светло-серым диском. На всем расстоянии до замка Данскейт не переставая лил дождь. Это
означало, что Хью, возможно, не видел дыма, подни-
мавшегося над замком Нок, и не догадывался, что его
планы находятся под угрозой.

Йен очень рассчитывал на это. Чтобы добиться успеха, ему требовалось заранее приготовить сокру-
шительный сюрприз.

Глава 41

— Ты выглядишь даже лучше, чем я ожидал. — Наклонившись к лежавшему на кровати Коннору, Йен пожал его здоровое плечо.

Несмотря на слабость и раны, Коннор был готов действовать.

— Ему пока нельзя вставать, — запротестовала Айлиза. — И бедняга Дункан тоже слаб, как котенок.

Хотя ситуация не располагала к веселью, мужчины, переглянувшись, заулыбались. Даже тяжело раненного Дункана, никто, кроме его сестры, не мог сравнить с котенком.

— А вот рана на ноге Алекса беспокоит меня еще больше. — Айлиза наставила палец на непослушного пациента.

— Да все с нами будет в порядке, — сказал Дункан. Но лицо его заливала бледность, и от этого веснушки стали еще заметнее.

— Как считаешь, ты сможешь поехать со мной? — обратился Йен к Коннору. — Сход вот-вот начнется.

На удивление хрупкая Айлиза встала между ним и Коннором и подбоченилась.

— Надеюсь, ты не потащишь его за собой, Йен Макдональд?

— Я должен быть на сходе, — сказал Коннор сквозь стиснутые зубы и попытался сесть на кровати.

Дункан удержал сестру за руку, когда Йен стал помогать Коннору подняться.

— Коннору нужно быть там, — сказал он. — И нам тоже.

Попытка сесть дорого обошлась Коннору. Он тяжело дышал, на лбу выступил пот.

— Нужно-то нам нужно, только как мы туда доберемся? — спросил Алекс, занимавший стул в другом конце небольшой комнатенки. — Не хочется говорить об этом, ребята, но в нынешнем состоянии мы не произведем устрашающего впечатления на наших врагов.

Йен оглядел их с ног до головы. У Дункана с Алексом было две здоровые ноги на двоих и одна рука, готовая держать меч. А вот что касается Коннора, тот вообще не держался на ногах.

— Алекс прав. Если Хью увидит вас такими, вы не успеете войти в замок, — сказал Йен. — Нужно провести вас внутрь так, чтобы никто не заметил.

— Есть две вещи, которые сыграют нам на руку, — продолжил он. — Первая — Хью вас не ждет, ибо считает вас уже покойниками.

— А вторая, — добавила Шилес, — сегодня канун Самайна, и мы можем сделать из вас ряженых.

Половина клана придет на праздник, вырядившись черт знает как, то ли изображая покойников, то ли чтобы отпугнуть смерть. Йен толком в это не вникал.

— Можем вымазать лица черной краской, — предложил Дункан. — Большинство парней так сделает.

— Когда я появлюсь в сопровождении трех мужиков ваших габаритов, да еще у которых волосы такой масти, как у вас — в особенности как у тебя, Дункан — боюсь, ваших чумазых лиц будет недостаточно, чтобы ввести в заблуждение людей Хью. Кто-нибудь обязательно вас узнает.

Тирлаг, склонившись над огнем и готовя что-то в котелке, обернулась к ним и заговорила в первый раз за все это время.

— Айлиза, помнишь, мы тут обряжали кое-кого к похоронам в последний раз? Я не выкинула ту, прежнюю одежку. Может, она им подойдет?

— Моему отважному братцу это не понравится, — сказала Айлиза и расплылась в улыбке. — Но в такой одежде никто в замке его не узнает.

Маленькая легкая лодка, доставшаяся им от **284** Маклейна Лохматого, резво бежала по волнам. К счастью, попутный ветер оказался силен, и Йену не пришлось садиться на весла.

— Ах, какой у тебя соблазнительный вид, — захихикал Алекс. Как раз в это время Дункан схватился за шляпку у себя на голове, чтобы ее не сдуло в море. — Боюсь, от ухажеров у тебя не будет отбоя.

Дункана переодели в платье, оставшееся после известной на всю округу сплетницы, которая умерла несколько недель назад и которая, к счастью, была огромных размеров. Дункану с Алексом пришлось тянуть соломинку, чтобы решить, кому достанется одежка покойной.

— Любой, кто прикоснется ко мне, очнется лежа на полу, — мрачно пообещал Дункан.

— Мне не хочется тебя обижать, но думаю, никому в голову не придет сделать тебе неприличное предложение, — заметил Йен. — Правда на всякий случай сунь кинжал под юбки.

Дункан фыркнул и посмотрел в сторону приближавшегося замка.

Алекс нацепил на себя маску, которую Тирлаг сшила из оставшихся лоскутков, чтобы скрыть его разбитое лицо. Такую же маску она сшила и Дункану.

— Вот она, жизнь! Приходится прятать свою красоту, а на праздник соберутся все хорошенькие девчонки нашего клана.

Коннор в полузабытьи лежал на дне лодки. Хотя почти весь путь от домика до берега Йен нес его на руках, короткое путешествие до лодки забрало у кузена последние силы.

— Пора его поднимать, — сказал Йен.

Дункан с Алексом помогли Коннору сесть, а Шилес надела на него маску.

Йену не имело смысла скрывать лицо, потому что люди ждали его. Тем не менее он надвинул шапку на глаза и направил лодку к морским воротам замка. Днем здесь наверняка толпились лодки, дожидавшиеся своей очереди, чтобы причалить к берегу. Сей-   **285** час наступал вечер. Вечернюю темноту разгонял свет факелов, укрепленных на морских воротах. Впереди их суденышка виднелась только одна лодка, которая привезла последних припозднившихся гостей.

Айлиза вернулась в замок пешком еще днем, чтобы ее не хватились, когда придет время подавать на стол собравшимся, и не давать повода для подозрений.

Вода плескалась между лодок и билась о ступени выходящей из моря лестницы. Один из стражников подхватил конец веревки, брошенной с носа лодки, и намотал его на кнехт. Наступил самый опасный момент. Йен приготовился выхватить меч и зарубить стражу, если все пойдет не так.

Второй стражник небольшого роста, гибкий парень игриво предложил руку Дункану.

— А вот и красавица великанша!

По взгляду Дункана можно было понять, что он предпочел бы удавить стражника, а не взять предложенную руку. Как бы здесь не началось осложнений! Йен напрягся, поскольку стражник повернулся к ним и внимательно оглядел всех по очереди. Встретившись взглядом с Йеном, он неожиданно широко улыбнулся щербатым ртом.

— Я Тейт, — тихо сказал стражник. — Меня прислала Айлиза, позаботиться, чтобы вы причалили без помех.

В свете факелов, бившего у стражника из-за спины, Йен все-таки узнал его. Это был тот самый парень, чью сестру Хью изнасиловал.

— Я сейчас привяжу эту последнюю лодку, а потом закрою ворота, — крикнул Тейт первому стражнику. — Ты же не хочешь пропустить праздничный костер, так ведь?

На этот раз когда Тейт протянул ему руку, Дункан не стал отказываться от нее. Он наступил на борт лодки. Тот просел под его тяжестью, а потом снова всплыл, когда он сошел на причал.

— Рад видеть вас, ребята, — сказал Тейт. Другой стражник уже исчез наверху лестницы. — Проклятый Черный Хью целый день разгуливает по замку, как петух.

Спустившись в лодку, Тейт помог им вынести Коннора. Когда они потащили его, повисшего у них на плечах, Йен обернулся и увидел, что Шилес помогает Алексу.

— Сейчас все уже собрались во дворе у костра, — предупредил Тейт.

Йен оценил длину пролета уходящей вверх лестницы, которую освещали факелы, укрепленные на стенах по обе стороны. Теперь, чтобы оказаться во внутреннем дворе, им предстояло пройти через башню.

Без всякой помощи Алекс пошел первым. За ним, волоча ногу, двинулся Дункан. Его поддерживала Шилес.

— Я пойду сам, — сдавленно произнес Коннор, но тихо застонал, когда, опираясь на Йена и Тейта, шагнул на первую ступеньку.

— Береги силы, — посоветовал Йен. — Они скоро тебе пригодятся.

— Голову даю на отсечение, что Хью приказал своим людям выследить тебя, Йен, — сказал Тейт. Они медленно преодолевали ступеньку за ступенькой позади всех.

Им показалось, что минула вечность, пока эта чертова лестница подошла к концу.

— Он узнал, что кое-кто из мужчин собирается предложить тебя в качестве главы клана, ибо все думают, будто Коннор умер. Пусть даже ты и не состоишь в прямом родстве с вождем, — добавил Тейт.

— И на черта я тогда тащил его сюда на себе? — фыркнул Йен.

Коннор замер на месте и повернулся к нему.

— Может, тебе и стоит взять это на себя, Йен. Я не в состоянии вести за собой клан.

— Нет-нет-нет! Пожалуйста, не перекладывай на меня жуткую обязанность руководить толпой таких упрямцев. — Йен помог Коннору подняться на последнюю ступеньку. — Только ты способен заниматься этим. Ты — единственный.

Праздничный костер неистово пылал в центре внутреннего двора. Сколько Шилес себя помнила, так происходило каждый год. Странно, так сильно поменялась жизнь, а эта традиция осталась.

На них не обратили особого внимания, когда они появились и встали в тени позади людей, окружавших костер. Здесь все были одеты пестро и ярко. Большинство держало в руках фонари, сделанные из пустых реп с вырезанными на них страшными рожами. Считалось, будто это лучшее средство, отпугивающее злых духов.

Несколько молоденьких девушек метали кости и жареные орехи, гадая, за кого они выйдут замуж. Самайн был временем ворожбы. Этой ночью многие девушки ответят молодым людям согласием или отказом, в зависимости от того, какой знак они получат.

Дети, как обычно, веселились своим отдельным кружком. Но среди взрослых витало напряжение. Шилес явственно чувствовала его. Хью дал понять всем: он пригласил их лишь затем, чтобы каждый до конца ночи засвидетельствовал ему свою верность.

— Когда все зайдут внутрь на церемонию, я хочу, чтобы ты нашла Айлизу и оставалась с ней все время, — сказал Йен. — Она знает, как вытащить тебя отсюда, если начнется заварушка.

— Хорошо. — Шилес поняла, что так мужу будет легче сосредоточиться на деле и не беспокоиться о ней.

Заныли волынки, загремели барабаны, и все повернулись к Хью, который встал лицом к толпе и спиной к полыхавшему костру.

— Самайн — это время, когда мы собираемся

288 вместе, чтобы отпраздновать окончание уборки

урожая и вспомнить наших усопших, — начал Хью и раскинул руки в стороны.

— Я бесконечно признателен вам за многочисленные и долгие истории в память о дорогом и — увы! — ушедшем от нас моем брате, — сказал он, подчеркнув слова «многочисленные» и «долгие» и посмотрев при этом в сторону группы стариков, среди которых стоял отец Йена. — Но Самайн — это еще и время, когда мы отмечаем начало Нового года. А в этот раз мы также празднуем начало новой эры для Макдональдов с острова Слит.

Шилес топнула ногой. Сегодня Хью был в отличной форме.

— Я специально оставил место во главе стола для моего брата и племянника Рагналла. Такова традиция. Их души будут находиться рядом с нами в эту особую праздничную ночь.

На взгляд Шилес, вот так взывать к памяти покойного, было довольно рискованно, большинство клана знало, что Хью ненавидел брата со дня своего рождения. Однако кровные узы всегда уважались в Шотландии.

Хью приложил руку к сердцу.

— Я знаю, брат был бы доволен, увидев, что я занял его место во главе клана.

Алекс с Дунканом закашлялись. Хью метнул взгляд в их сторону, но не понял, кто это. Те так и оставались в тени.

— А теперь оставим печаль, как бы трудно это ни было, — воззвал Хью, — и принесем клятву верности новому вождю.

— Он что, рассчитывает вообще избежать выборов? — Шилес не удержалась и шепотом спросила Йена.

— Да, но народу это не понравится.

По глухому ворчанию, раздавшемуся вокруг них, стало понятно, что Йен прав.

289

— После принесения клятвы сразу начнем праздновать, — воскликнул Хью. — Прошу в зал!

— Иди вместе с другими и будь готов, — обратился Йен к Тейту. Потом повернулся к Коннору и остальным. — А вы не открывайте лиц, пока я не подам сигнал.

— Береги себя, любимая. — Йен сжал руку Шилес и исчез в толпе.

Вместе с оставшейся троицей Шилес дождалась, когда большинство народа войдет внутрь. Потом они вместе двинулись в зал, который встретил их шумом и громкими разговорами. Выбрали себе место и встали у дальней стены.

Шилес вытянула шею и оглядела своих спутников с ног до головы. У них был вид странной, но привычной для глаз группки хорошо подвыпивших людей — двух мужчин в карнавальных масках и женщины в огромной шляпе, под стать ей. Чтобы не упасть, они прислонились к стене и вдобавок поддерживали друг друга.

Приподняв маску, Коннор прошептал ей на ухо:

— Тебе не нужно стоять рядом с нами, тут будет опасно.

Теперь в его голосе звучала сила, не то, что раньше. Он выпрямился во весь рост. Вот это другое дело! Шилес пожала Коннору руку и отошла к Айлизе и Бейтрис, которые стояли в компании женщин.

С этого места ей хорошо было видно Хью. Тот сидел на помосте, на почетном месте вождя. Ей были незнакомы мужчины бандитского вида, стоявшие по обе стороны от Хью, но Шилес предположила, что это его подельники со времен пиратских похождений. Они пристально вглядывались в толпу, словно собирались выбить клятву из любого, кто не захочет дать ее добровольно.

— Кому выпадет честь начать? — обратился Хью к залу.

Стало тихо, как будто все ждали того, кто выйдет вперед первым. Раздался общий вздох, когда

Йен вышел на освещенное пространство перед Хью и его охраной.

— Надо же! А ты, оказывается, намного умнее, чем мне казалось, Йен Красавчик. — Хью употребил прозвище, которое Йену в шутку дали женщины еще в детстве. — Я-то подумал, что мне придется посылать своих людей, чтобы «убедить» тебя сделать то, что ты должен.

Однако вместо того чтобы преклонить одно колено и произнести клятву, Йен вдруг повернулся лицом к собравшимся. Его глаза вспыхнули огнем. Он возвышался надо всеми, широко расставив ноги, словно приготовился сразиться с полдюжиной бойцов одновременно. И он действительно был готов к этому. При взгляде на мужа у Шилес перехватило дыхание.

— В соответствии с нашей традицией каждый человек перед выборами вождя имеет право высказаться. — Голос Йена донесся до дальних уголков зала. — Мне есть что сказать.

Толпа одобрительно зашумела.

Хью побарабанил пальцами по подлокотнику. Судя по всему, его так и подмывало отдать приказ сразу зарубить Йена. Но он не был глупцом. По реакции на заявление Йена ему стало понятно, что клан одобряет следование традициям, пусть даже исход дела, как ему казалось, был предрешен.

— Говори, если хочешь. — Хью нетерпеливо махнул рукой. — Но я не вижу в этом особого смысла. Я ведь тут единственный единокровный родственник прежнему вождю.

Йен обернулся и через плечо глянул на Хью.

— Ты уверен, что у моего дяди больше не осталось сыновей, о которых ты просто ничего не знаешь?

Несколько мужчин расхохотались, ибо соплеменники знали все про своего вождя, — как и про его отца, — и скольких женщин он уложил к себе в постель за эти годы.

— Но я здесь не для того, чтобы испортить праздник, рассказывая тебе о новых претендентах на место главы клана. — Йен вскинул вверх руку со сжатым кулаком. — Я здесь, чтобы сообщить тебе, что я отобрал замок Нок у Маккиннонов!

Зал взорвался. Мужчины потрясали своими мечами. Толпа криками выражала одобрение.

Хью встал и поднял руку, требуя тишины. Но зал не слышал его. Потребовалось какое-то время, чтобы люди обратили на него внимание.

Когда ликование улеглось, Хью заговорил:

— Твои слова о взятии замка ничего не значат. Сказать можно что угодно.

Шилес поразилась, когда Гордон выбрался из толпы и встал рядом с Йеном. Его одежда была вся в саже, а выглядел он так, словно мчался сюда во весь опор, чтобы успеть на сход.

— Большинство из вас знает, что у нас с Йеном отношения не сложились, — сказал он. — Поэтому вы можете поверить моим словам. Вчера он захватил замок Нок.

Раздались крики, но Гордон замахал рукой, показывая, что он еще не закончил.

— Маклейн Лохматый утюжит море поблизости, поэтому я надеюсь, что утром кто-нибудь из вас присоединится ко мне в замке Нок. Мы не можем отдать его Маклейнам, после того как отобрали его у Маккиннонов.

Зал снова наполнился криками. Снова поднялся лес мечей. Закончив свою речь, Гордон коротко поклонился и вернулся в толпу.

— Сегодня действительно знаменательный день для Макдональдов острова Слит. — Хью говорил так, словно все были обязаны ему этой победой. Хотя люди знали, что он держался в стороне, пока Маккинноны владели замком Нок.

Взгляды всех собравшихся устремились на Йена.

Он завоевал безусловную поддержку зала. Сделав

несколько шагов, Йен подошел к столу на помосте, где были оставлены два пустых места для погибших.

— Прежде чем перейти к выборам нового вождя, — снова заговорил Йен негромко и рассудительно, — мы должны выяснить вопрос о смерти последнего главы нашего клана и его сына Рагналла.

При упоминании об этих смертях по залу пробежал холодок. На Самайн живые и мертвые отделялись друг от друга лишь тончайшей завесой. Шилес чуть ли не воочию увидела вождя и Рагналла — огромных, мощных мужчин, стоявших по бокам Йена с мрачными лицами.

— Те из нас, кто сражался при Флоддене, знают, как все произошло, — заявил Хью. Его жесткие серые глаза обежали собравшихся. — Пока Йен упивался сладкими винами и ублажал дам во Франции, мы рубились с англичанами!

Йен дождался, пока ворчание толпы умолкнет, а потом, задыхаясь от ярости, произнес:

— Наш вождь и его сын погибли не от рук англичан.

Кровь отхлынула от лица Хью. С отвисшей челюстью он вытаращился на Йена. Потом очнулся и захлопнул рот. Толпа замерла.

Выкинув вперед руку, Йен ткнул пальцем в Хью и выкрикнул голосом, который эхом отдался под сводами зала:

— Я обвиняю тебя, Черный Хью Макдональд в том, что ты убил нашего вождя и его сына во время битвы у Флоддена!

Толпа в волнении загудела.

Несколько раз Хью пытался заговорить, но его никто не слушал. Наконец ему удалось обратить на себя внимание.

— Я сражался в той битве, — выкрикнул он, стиснув кулаки и с ненавистью глядя на Йена. — Как ты смеешь обвинять меня в тяжелейшем преступлении? Я бился на поле брани по щиколотку в шотландской крови, а ты бросил наш клан в минуту опасности.

293

Он обернулся к своим стражникам и гаркнул:

— Взять его!

Шилес охнула и рванулась вперед, но Бейтрис с Айлизой удержали ее.

Тут с другого конца зала донесся голос Тейта:

— Давайте послушаем, что скажет Йен.

Его поддержало несколько голосов:

— Да-да! Давайте послушаем! Пусть Йен скажет!

Хью поднял руку, делая вид, что останавливает стражников, но те все равно двигались в сторону Йена, только медленнее.

— Обвинять легко, — сказал он Йену. — В особенности когда кроме слов ничего больше нет.

— У меня есть доказательства. — Йен сделал паузу, чтобы дать всем время оценить смысл сказанного. — Я прошу подойти сюда моего отца Пейтона Макдональда.

Шилес вцепилась в руки Бейтрис и Айлизы, когда Пейтон вышел вперед и встал перед собравшимися. Несмотря на увечье и седину, он был еще мужчина хоть куда — с мощными плечами, с боевыми шрамами на лице и отметинами на руках. Ее сердце наполнилось гордостью при виде отца и сына, прекрасных и благородных мужчин, стоявших бок о бок перед своими сородичами.

— Отец, — обратился Йен, — скажи, кто из нашего клана сражался тогда рядом с тобой?

— На поле сражения я находился слева от вождя, справа от него — Рагналл. Так было всегда, — начал отец. — Мы стояли во главе нашего войска. Опять же как всегда.

Мужчины согласно загудели, понимая, что Пейтон говорит правду.

— А кто был позади вас? — спросил Йен.

— Сразу за нами стоял Черный Хью и несколько его людей.

В ответ на слова Пейтона толпа загудела. То, что Хью находился за спиной погибших, само по себе ничего не значило.

— Можешь рассказать нам, как погибли вождь и Рагналл?

Пейтон покачал головой.

— Я не видел, кто нанес удар, но совершенно точно знаю, что убийцы напали с тыла. С тех пор я только и делаю, что пытаюсь отгадать эту загадку.

В зале повисла такая тишина, что Шилес слышала собственное дыхание.

— Англичане навалились на нас всеми силами. Им требовались наши жизни, — продолжал Пейтон. — И все равно я понятия не имею, как английским солдатам удалось зайти нам за спину, да еще так, что мы ничего не заметили.

Йен пожал плечами.

— В пылу сражения по сторонам не смотришь.

— Мы всегда сражались втроем и всегда прикрывали спину друг другу. Я могу понять, если кто-то один из нас мог проворонить солдата, зашедшего с тыла, но ведь не все трое сразу. — Пейтон покачал головой. — Нет, это было невозможно.

Стоявшие впереди одобрительно заворчали. Это были три старых воина, мнение которых считалось непререкаемым. Им пришлось принять участие и удалось выжить в многочисленных сражениях, в которых многие погибли.

— На нас напали одновременно, — сказал Пейтон. — Я увидел, как наш вождь повалился вперед, и тут же услышал крик Рагналла. Я не успел кинуться им на помощь, потому что получил сзади удар в голову.

— Сзади, в голову, — повторил Йен. — Отец, ты видел того, кто нанес удар?

Пейтон снова покачал головой.

— Я очнулся через две недели дома без ноги.

— Это что, доказательство? — вмешался Хью. Он развел руками. — Весьма прискорбно, что мой брат и Рагналл погибли у Флоддена, но ты даром тра- **295** тишь время, заставляя нас выслушивать байки о прошлом.

Йен повернулся к трем старым воинам, стоявшим в первом ряду.

— Вы в свое время много повоевали и с англичанами, и с другими шотландцами, поэтому можете ли вы определить на глаз разницу в их оружии?

— Что за глупости ты спрашиваешь? — возмутился один из них. — Конечно, можем.

— Тогда посмотрите, от какого оружия мог остаться такой шрам на затылке у моего отца?

Пейтон стянул шапку и повернулся к ним спиной. У него был выбрит затылок вокруг пятидюймовой раны.

— Тебе повезло, что ты получил удар острием меча, не то быть бы тебе покойником, — сказал старик. — Ты кинулся на помощь вождю и Рагналлу и ускользнул от удара. Это тебя и спасло.

— А что это был за меч, можете сказать? — спросил Йен.

— Наверняка это был обоюдоострый шотландский меч, а не английский клинок, — уверенно заявил старик, двое других согласно закивали головами. — Видишь, какой широкий след? Да, это удар от шотландского меча.

От поднявшихся криков можно было оглохнуть. Йен поднял руку, призывая всех к тишине.

— У нас много врагов среди других кланов, и большинство из них находились на поле сражения в тот день, — вдруг возник Хью. — Вождь был моим братом, а Рагналл — племянником. Я никогда бы не смог поднять руку на родную кровь.

— А Коннор не твоя родная кровь? — Сжав руки в кулаки, Йен шагнул к Хью. — Почему бы тебе не сказать всему клану, что ты сделал с Коннором?

— В глаза не видел его последние пять лет.

— Я знаю, что ты сделал. — Йен прищурил синие глаза. — Первое, ты попросил Маклейна

296

Лохматого убить нас, всех четверых по дороге сюда, на Скай. Но мы тебя очень удивили, сумев сбежать из его замка.

Хью начал было говорить, но Йен заорал на него:

— И тогда ты заключил сделку с проклятым Мердоком Маккинноном! Ты предложил ему оставить при себе замок Нок и забрать мою жену в обмен на убийство Коннора.

Уже давно все присутствовавшие в зале удивлялись, почему Хью не борется за замок Нок. Теперь Йен дал объяснение, которому они могли поверить.

— Ты лжешь! — выкрикнул Хью, но на лбу у него обильно выступил пот.

— Мердок Маккиннон рассказал моей жене о твоей измене.

— Жена расскажет что угодно, чтобы сделать тебе приятное. — Хью обвел взглядом зал. — Я полагаю, произошло вот что: Коннор с двумя своими товарищами решил снова отправиться во Францию вскоре после вашего возвращения вчетвером домой.

— Зачем тогда ты распространял слухи, что их убили Маккинноны? — спросил Йен. — Может, мне стоит призвать Коннора, Алекса и Дункана, чтобы из первых уст услышать все как было?

В дальнем конце зала вдруг раздался пронзительный свист. Толпа обернулась и увидела на том месте Коннора, Алекса и Дункана уже без маскарадного обличья. Мужчины ахнули от удивления, а женщины, подобрав юбки, кинулись в стороны, когда трое друзей двинулись через зал к помосту.

— Сейчас время Самайна, дядя, — обратился к нему Коннор. — Ты готов встретиться с мертвецами?

Выпучив глаза, Хью глядел на них не в силах сказать ни слова, пока его приспешники разбегались, истово крестясь. Несмотря на измученный вид, на лица сплошь в синяках, не было никакого сомнения, **297** что эти трое настоящие воины и с ними нельзя не считаться.

— Ты должен был убить меня своей собственной рукой, — заявил Коннор, остановившись перед дядей. — Только глупец мог доверить Маклейнам или Маккиннонам выполнить такую важную задачу.

Когда несколько членов клана окружили Хью, он принялся искать глазами своих людей. Но они, еще со времен пиратства известные своей способностью бесследно исчезать с места преступления, и на этот раз растворились в толпе. В мгновение ока Хью разоружили и оттащили в сторону.

Все взгляды устремились к четверке вернувшихся из Франции воинов-шотландцев. Несмотря на свои раны, это были настоящие мужчины смелые, решительные, представлявшие новое поколение Макдональдов, готовых взять на себя ответственность возглавить и защитить их клан.

Отец Йена принялся ритмично колотить своей палкой по каменному полу. Этот ритм немедленно подхватили остальные, которые затопали ногами и захлопали в ладоши. Одновременно из дюжих глоток вырвался единый клич, толпа начала скандировать:

— Новый вождь! Новый вождь!

Коннор вышел вперед и вскинул вверх руки, а толпа продолжала неистовствовать. Теперь у всех на устах звучало его имя. Люди выбрали Коннора своим вождем.

Это было чудо — Коннор мог стоять без помощи других столько, сколько нужно. Шилес показалось, что толпа даже не заметила, как его повело из стороны в сторону и он закачался, но тут подоспели Алекс с Дунканом и встали у него по бокам.

Йен стоял немного в отдалении и взглядом обыскивал зал, пока не наткнулся на Шилес.

Они достигли своей цели! Следующим главой клана Макдональдов острова Слит будет Коннор.

Йен с облегчением ощутил, как тяжкий груз свалился с его плеч, груз, который он тащил на себе с того момента, когда впервые услышал о катастрофе при Флоддене. Ему удалось искупить свою вину и спасти клан от грядущих бед.

Но война не закончилась. У Хью все еще оставались сторонники в зале. Другие под шумок сбежали из замка. Ими еще предстоит заняться, но сегодня они уже не смогут испортить праздника.

Ему хотелось разделить свое ликование с Шилес. Улыбаясь, Йен обернулся, отыскивая ее глазами.

У него замерло сердце, когда их взгляды встретились, потому что она улыбалась ему в ответ, а ее глаза светились радостью. Люди расступились, когда он двинулся к ней. Неожиданно взгляд Шилес переместился ему за спину, и она закричала от ужаса.

Йен развернулся на месте и заметил короткий блеск стали позади Коннора, Алекса и Дункана, там, куда оттащили Хью. В праздничной эйфории никто, казалось, не заметил, как один их тех, кто удерживал Хью, вдруг завалился на пол, заливая все вокруг себя бьющей из горла кровью. Через секунду к нему присоединился второй. У этого кровь струилась с уголков губ.

Никто не обратил внимания на предостерегающий крик Йена. Хью выдернул кинжал из-за пояса убитого, а Йен уже мчался через толпу, пытаясь опередить его и не дать напасть на Коннора.

Йен несся что было сил, но при этом видел все отчетливо, как будто время замерло на месте. Он видел, как люди отшатываются в стороны, уступая ему дорогу, как аплодирует Дункан, как смеется Алекс, откинув голову, и как Хью перемещается в сторону Коннора, нацелив кинжал ему в спину.

— Нет! — закричал Йен. В три прыжка он преодолел оставшееся расстояние и взлетел в воздух.

Он ощутил, как кинжал Хью резанул его по спине, когда он всей массой навалился на Коннора, увлекая того на пол. Приземлившись, Йен выхватил свой кинжал и поднял голову, готовый пустить оружие в ход. Но Дункан и Алекс уже крепко держали Хью. Визг и крики наполнили зал. Все кинжалы и мечи мгновенно вылетели из ножен и изготовились к бою.

— Весьма признателен, что ты спас мне жизнь, — заворчал Коннор, пытаясь избавиться от его веса. — Но не мог бы ты слезть с меня. У меня такое ощущение, будто на меня упала лошадь.

— Надеюсь, твои раны не открылись. — Йен поднялся. — Ох, судя по крови на тебе, так оно и есть.

— На этот раз, это твоя кровь, — сказал Коннор, когда Йен помог ему встать на ноги. — Повернись спиной, я посмотрю, насколько серьезно он тебя задел.

— Я совсем ничего не чувствую. — Йен поглядел себе за спину на окровавленную рубашку.

— Коннор, как нам поступить с этим убийцей? — спросил Алекс и тряхнул Хью.

— Мой отец был великим вождем. Брат Рагналл мог бы даже превзойти его. — Коннор, не отрываясь, смотрел на своего дядю. — Ты лишил клан их заботы и силы.

Йен считал, что Коннор как вождь окажется лучше их обоих, но сейчас было не время говорить об этом.

— У тебя нет твердости, необходимой вождю, — с ненавистью произнес Хью. — Твой отец имел хотя бы ее.

— Я не хочу омрачать праздник казнью. Но начинай молиться, Хью, утром ты умрешь. — Коннор повернулся к нескольким воинам клана, стоявшим у него за спиной. — Бросьте его в донжон и не спускайте с него глаз. Он очень скользкий.

В зале поднялся шум, когда несколько человек подхватили Коннора и усадили на место вождя. После того как открылась правда об убийстве главы клана, общий выбор был ясен. Это совсем не означало, что люди безоговорочно приняли главенство Коннора, но сегодня никто бы не усомнился в нем.

Они выбрали Коннора, поскольку он был сыном своего отца и братом Рагналла и потому что он не был таким, как Хью. Большинство членов клана даже не догадывались, сколько в нем отваги. Но со временем он покажет себя. Когда они узнают Коннора так же близко, как Йен, то последуют за ним, за прекрасным человеком и великим вождем, которым ему суждено стать.

Нынешней ночью Коннору и всему клану ничего не угрожает. Праздник продлится до утра, но Йену можно не оставаться вместе со всеми. Следует сделать последний шаг, завершающий счеты с прошлым, и искупить вину перед самым дорогим существом.

Йен нашел Шилес и вывел ее из толпы за локоть. Почувствовав на себе его взгляд, она, как прежде, широко улыбнулась ему. После всех обид, которые он причинил ей, эта улыбка воспринималась как маленькое чудо, как дар, который он еще надеялся заслужить.

Йен поднял ее на руки и вынес из зала.

Большинство гостей закончит ночь, улегшись спать прямо здесь в зале, на полу. Но Йен собирался воспользоваться спальней. В замке их много. И он знал, что Коннор не станет возражать.

Глава 42

Как только за ними захлопнулась дверь спальни, он привлек Шилес к себе. Зарывшись лицом в ее волосы, Йен вдохнул родной запах. Пока она оставалась в опасности, все его мысли концентрировались на том, чтобы вызволить ее из беды. Потом нужно было думать о том, как доставить Коннора на сход и устроить выборы.

— Я чуть было не потерял тебя.

Только сейчас, когда поставленные задачи оказались выполненными и опасность миновала, Йен понял, насколько велика была эта угроза. Его вдруг **301** одолела слабость. Он провел руками по ее плечам, по ее спине, чтобы убедиться, что она тут, рядом, в целости и сохранности.

— Я должен был предвидеть твое похищение Мердоком, — сказал он.

— Йен, не надо винить себя за все, что случилось. — Шилес слегка отодвинулась и посмотрела на него чистыми зелеными глазами. — Ты же спас меня.

— Я так часто обижал тебя... Начиная с того дня когда нашел возле подземного хода и когда не поверил, что тебе угрожает опасность, — признался он. — Я не должен был бросать тебя на произвол судьбы и уезжать во Францию. Не уверен, что ты поймешь, как я сейчас жалею об этом.

— Ты вернулся домой именно тогда, когда мы больше всего нуждались в тебе. — Шилес коснулась его щеки кончиками пальцев. — Если бы ты не уехал, тебя бы убили у Флоддена, как и остальных. И что бы мы теперь без тебя делали? Отец так и не поднялся бы с постели и вымещал свою злобу на Нилле, Хью стал бы вождем, а меня скорее всего выдали бы за эту скотину Ангуса.

Мысль о том, что Ангус хватался за нее своими лапами, снова вызвала в нем прилив холодной ярости. Если бы можно было убить его еще раз, Йен сделал бы это не задумываясь.

— Даже не знаю, сможешь ли ты простить меня.

— Ты не догадываешься, почему я ждала тебя пять долгих лет, Йен Макдональд? — Мягкая улыбка осветила ее лицо.

Его самого это интересовало.

— Только потому, что знала, ты — особенный. Я поняла это еще маленькой девчонкой. Даже когда ты поступал неправильно, я верила в того мальчишку, у которого в сердце так много храбрости и доброты. Я поняла, какой мужчина вырастет из тебя.

Йен взял ее лицо в ладони. Его переполняла

благодарность к ней за такую веру в него, благодарность к той малышке, которая верила в него как в своего спасителя, благодарность к тринадцатилетней девчонке, безоглядно доверившей ему свою судьбу. А главное, к этой молодой женщине, которая ждала его возвращения и которая, несмотря на то что он снова обидел ее, все-таки дала ему еще один шанс доказать свое благородство.

Он вернулся домой, только чтобы примириться с собой, а Шилес подарила ему чудо любви.

— Я сделаю все, чтобы оправдать твои надежды.

— Ты уже оправдал, — сказала она.

Йену безумно ее захотелось. Захотелось доказать, как он любит ее. Однако ей еще требовалось какое-то время, чтобы прийти в себя после пережитого. Его еще долго не оставит воспоминание о Мердоке, который навалился на нее. Воспоминания Шилес, должно быть, намного тяжелее. Исчезнут ли они когда-нибудь из ее памяти, чтобы ей снова захотелось его?

— Давай я уложу тебя в постель, любимая, — предложил он. — И если тебе не претит, когда до тебя дотрагиваются, я хотел бы, чтобы ты заснула в моих объятиях.

Ему, конечно, хотелось больше, чем объятий, но он только поцеловал ее в лоб.

Йен был возбужден еще до того, как она обняла его за шею. Когда Шилес поднялась на цыпочки и прижалась к нему, он удержал себя в руках и нежно поцеловал ее. Но стоило ей прильнуть к его губам, раздвинуть их и коснуться кончика его языка своим языком, как кровь кинулась в голову. Он понял, что пропал.

Все-таки Йен заставил себя отодвинуться.

— Не надо делать этого, только чтобы доставить мне удовольствие. Тебе нужно...

— Я хочу растормошить тебя. — Шилес схватила его за рубашку на груди и притянула к себе. — И только попробуй сказать, что мне нужно отдохнуть.

Йен доверился жене. Она знала, чего хочет. **303**

***

Шилес было необходимо, чтобы муж занялся с ней любовью. Только так она могла избавиться от страха, который охватил ее в тот момент, когда Алекс весь в крови ввалился к ним в дом накануне утром. Она не показывала вида, но на самом деле боялась, что ее изнасилуют, боялась боли, боялась смерти. Шилес страшно переживала за родных Йена и его друзей, которые стали ее родней и ее друзьями. Но больше всего пугало то, что она умрет и больше никогда не увидит Йена.

Шилес отчаянно хотелось прижаться к нему, чувствовать его в себе и вокруг себя. Они упали на кровать, целуясь, гладя друг друга, не в силах оторваться один от другого, словно это был их последний шанс. Сорвав с себя всю одежду, они легли и обнялись. Но этого было еще недостаточно.

Ей хотелось ощутить тяжесть его тела. Шилес потянула его на себя, и Йен послушно перекатился и улегся сверху. Она закрыла глаза и глубоко вздохнула. Йен придавил ее всем своим весом. И тогда она поверила, что он рядом.

И только теперь почувствовала себя в безопасности.

И вдруг ей захотелось его с такой страстью, как никогда до этого. Его рука скользнула между ее бедер. И Йен застонал, обнаружив, что она уже вся влажная в ожидании его.

— Возьми меня, — хрипло прошептала она. — Я хочу, чтобы мы стали единым целым.

Навалившись на нее, Йен задрожал, пытаясь удержаться и не войти в нее сразу. Но когда она обняла его ногами за талию, Йен сделал то, что хотелось им обоим. Вошел в нее, и Шилес задохнулась.

На мгновение оба неподвижно замерли, а потом она окунулась в наслаждение от их близости. От предчувствия, что сейчас он вновь задвигается в ней.

— Моя любимая, — на ухо сказал ей Йен пошотландски. Он удерживал ее лицо в руках, целуя ей глаза, щеки, волосы. — Ты знаешь, как я люблю тебя?

— Знаю. — Шилес действительно знала. Его глаза светились любовью, в его голосе звучала любовь, его прикосновения полнились любовью. Любовь, как облако, висела вокруг нее, наполняя ее своим теплом. Этот момент, когда он отдал ей свое сердце, стоил того, чтобы так долго ждать. Сам Йен стоил того, чтобы так долго ждать его.

Встретившись с ней глазами, он медленно двинул бедрами. Мешочек с камнем, который она ему подарила, закачался у него на шее, задевая за груди и словно устанавливая прямую связь между их сердцами. Его дыхание стало тяжелым, лицо напряглось.

— Быстрее! Быстрее! — Выгнувшись, Шилес еще теснее прижалась к нему, заставляя глубже и глубже погружаться в себя.

— Моя ласковая... Моя нежная... — шептал Йен на шотландском. Шилес была слишком переполнена ощущениями, чтобы произнести хоть слово. Потом сил сдерживать эмоции не хватило, и слезы неожиданно заструились по ее щекам. Йен накрыл ее рот губами и принял в себя ее крик, когда их одновременно настигла ослепительная вспышка наслаждения.

Обнимая ее, Йен перекатился на спину, и она оказалась лежащей на нем. Ей было слышно, как у нее под ухом оглушительно колотится его сердце. Он убрал волосы с ее лица.

— Мы теперь с тобой единое целое, — сказал он. — И останемся им навсегда.

Когда она проснулась, серый рассвет смотрел на нее сквозь узкие бойницы окон. Йен лежал рядом. Одной рукой он обнимал ее, второй — держал ее за грудь. Поерзав, она спиной прижалась к нему и почувствовала, как он возбужден. Тогда Шилес повернулась **305** к нему лицом. Йен погладил ее по щеке и поцеловал так нежно, что у нее защемило сердце.

— Теперь мы займемся любовью медленно и не торопясь. — У него в глазах загорелся лукавый огонек. — Ты же не будешь сопротивляться?

— Не буду, — улыбнулась она.

Йен сел и взял ее за руку.

— Но сначала мне нужно кое о чем спросить.

Серьезность, с которой он обратился к ней, заставила ее забеспокоиться. Скрестив ноги, Шилес уселась напротив и натянула одеяло на плечи.

— О чем?

Йен облизнул губы. Ей еще не доводилось видеть его таким взволнованным. Она заволновалась сама.

— Я хотел спросить тебя, согласишься ли ты пройти через это еще раз? — наконец произнес он. — Я имею в виду, что собираюсь устроить свадьбу. С друзьями, с соседями, которые придут с подарками, с праздником, музыкой и танцами.

Шилес онемела от изумления.

— На этот раз я хочу все сделать как полагается, — признался Йен.

У нее глаза наполнились слезами. Голос упал до шепота.

— Ты действительно этого хочешь?

— Да, хочу. — Йен с нежностью смотрел на нее. — Когда я буду клясться тебе перед всеми друзьями и соседями, я хочу, чтобы они знали, что на этот раз я действую так по собственной воле и буду верен своей клятве.

Шилес старалась никогда не подавать вида, что разговоры об их браке ранили ее, но в островном клане, где все знают все про всех, это было трудно. Йен нашел способ восстановить ее чувство собственного достоинства — выказать ей уважение перед лицом всего клана.

— Мердок сказал, что священник, который поженил нас тогда, был не настоящим, — вдруг вспомнила она.

— От моего дяди этого стоило ожидать. На этот раз мы попросим отца Брайана благословить нас. — Йен приподнял ей подбородок. — Я хочу, чтобы ты оделась красивее всех, и пусть каждый мужик смотрит и умирает от зависти, что ты — моя.

Шилес тут же вспомнила о том чудовищном красном платье, которое висело на ней мешком, от которого лицо будто шло пятнами, а волосы казались оранжевыми.

— Тогда я надену синее платье, как раз под цвет глаз. — Она загадочно улыбнулась. — Оно будет таким роскошным, что у женщин не будет другой темы для разговоров несколько недель.

— Значит, ты согласна? — спросил Йен. — Еще раз выйти за меня?

Шилес обняла его за шею.

— Я готова выйти за тебя еще тысячу раз, Йен Макдональд.

Йен крепко обнял и прижал ее к себе.

— Когда я был мальчишкой, Тирлаг напророчила, что я женюсь дважды, — с улыбкой сказал он. — Тирлаг уберегла бы меня от многих глупостей, если бы сказала, что я женюсь дважды на одной и той же женщине.

Шилес посмотрела на него из-под ресниц.

— Так с какой из жен ты собираешься заниматься любовью медленно и не торопясь?

— С тобой и только с тобой, моя любовь. — Йен поцеловал ее за ухом и потянул в кровать. — А потом еще раз с тобой.

Глава 43

Шилес и Бейтрис поприветствовали женщин, которые последними прошли под воротами замка Нок. Женщины тут же раскудахтались над свадебными подарками, которые выкладывались прилюдно.

— Ах, Маргарет, на этой подушке вышивка у тебя получилась просто чудо! — сказала одна из них своей подруге.

— Зато железный котел, который даришь ты, незаменимая вещь. Невеста очень обрадуется, — ответила подруга.

Прошло всего три дня, после того как Коннор стал вождем, и у женщин не хватило времени приготовить свои подарки. Но никто из них не осуждал Шилес за то, что она поторопилась с настоящей свадьбой. Ей и так пришлось долго дожидаться.

Ароматы готовящейся пищи не смогли до конца перебить запах пожарища. И все равно Шилес радовалась, что Йен настоял на том, чтобы устроить свадьбу, не дожидаясь, пока замок приведут в порядок.

Как только женщины рассмотрели подарки и перестали рассыпаться в похвалах друг другу, Бейтрис позвала их:

— А теперь настало время для омовения ног невесте!

Шилес засмеялась, а женщины всем скопом усадили ее на стул, перед которым стояла деревянная лохань — свадебный подарок Айлизы. Потом сняли с нее обувь, чулки и опустили ей ноги в холодную воду.

Шилес выросла среди мужчин и поэтому всегда чувствовала себя в женской компании белой вороной, в особенности в последние годы, когда ее не принимали в свой круг ни девушки на выданье, ни замужние матроны. Многие из них, не задумываясь, терзали ее своими замечаниями по поводу долгого отсутствия Йена. Но сегодня она ощутила себя ровней им, и ей это понравилось.

Шилес увидела, как свекровь стянула с пальца свое обручальное кольцо и кинула его в лохань.

— У тебя самый счастливый брак, какой я только видела. Значит, твое кольцо и мне принесет счастье. — Она взяла Бейтрис за руку и улыбнулась

308

ей. — Это благословение свыше, когда свекровь становится такой же близкой, как родная мать.

Бейтрис захлюпала носом под одобрительные восклицания женщин.

Потом те, кто хотел найти мужа, собрались вокруг лохани. Шилес завизжала от щекотки, когда они по очереди начали тереть ей ступни и искать на дне кольцо. Хотя Айлиза была моложе ее и вдовой, Шилес все равно удивилась, увидев ее в очереди. До этого момента Айлиза ничем не выдавала своего желания вновь выйти замуж.

Однако очередь до нее так и не дошла.

— Вот оно! — закричала Дайна. Женщины обменялись выразительными взглядами. Им всем было прекрасно известно, чем закончилось ее последнее замужество.

— Удачи тебе, Дайна, — пожелала Шилес. — Может, тебе тоже повезет.

Наконец женщины соблаговолили заметить Йена и других мужчин, которые по традиции столпились при входе, подшучивали друг над другом и совали носы в дверь. Жених позволил женщинам ввести себя внутрь и усадить на стул у лохани по другую сторону от Шилес.

С нежностью глядя на нее, Йен приложил руку к сердцу и произнес на шотландском:

— Приветствую тебя, любимая.

В ответ послышались прочувствованные вздохи женщин, что, впрочем, не помешало им перемазать ему ноги золой, а потом заставить его засунуть их в лохань.

Обычно омовение ног и преподнесение подарков происходило накануне бракосочетания, но Йен с Шилес решили устроить все в один день, поскольку отцу Брайану нужно было собираться в дорогу.

Йен взял ее за руки и помог подняться. Стоя вместе с ней в лохани, он поцеловал ее. Шилес забыла обо всем на свете и пришла в себя, только когда услышала одобрительные крики гостей.

— Я думаю, он мог бы дать пару уроков моему старому Дональду, — сказала одна из пожилых женщин, вызвав новый прилив веселья.

— С тебя достаточно, Йен Алуинн, — сказала другая. И Йен не стал сопротивляться, когда женщина ростом вполовину меньше его принялась толкать его к двери.

Прежде чем они всем скопом навалились на него, он послал Шилес воздушный поцелуй.

— Я жду тебя во дворе, любовь моя.

— Какая ты счастливая! — воскликнула Дайна. В этот момент Шилес помогли вылезти из лохани и стали вытирать ей ноги. По тому как женщины провожали взглядами Йена, было понятно, что Дайна здесь не единственная, кто с радостью поменялся бы с ней местами.

Шилес все никак не могла понять, куда исчезла Бейтрис. И тут увидела ее, возвращавшуюся из дальнего конца комнаты с платьем из мерцающего шелка цвета лесного колокольчика.

— Ах, какая роскошь! — выдохнула Шилес и потрогала тонкую материю. — Когда ты успела его сшить?

Лицо Бейтрис расплылось в улыбке.

— Я начала его в ту ночь, когда Йен вернулся из Франции.

Шилес не стала спрашивать свекровь о том, почему она решила, что ей потребуется такой наряд. Просто подняла руки вверх, и две женщины стянули с нее старое платье, оставив в одной сорочке.

— Бейтрис, эта сможет родить тебе много внуков, — заявила пожилая женщина с белыми как лунь волосами. Она внимательно оценила ширину бедер Шилес.

— У нее будут красивые дети, — откликнулась Бейтрис, через голову надевая на нее свадебное платье.

Прошелестев прохладным шелком, оно легло на плечи, обволакивая фигуру. Платье сидело на Шилес как влитое, подчеркивая каждый изгиб тела, каждую линию. Сотворить такое чудо было под силу только феям. Шилес встретилась с глазами Бейтрис и поняла, что они думают об одном и том же — об ужасном красном платье, которое было на ней на первой свадьбе.

— Спасибо тебе, Бейтрис. — Они понимающе улыбнулись друг другу.

— Ах, какая ты счастливица! — Женщины продолжали восторгаться ее нарядом, ибо когда свадебное платье невесте впору, это к счастью.

Затем они натянули на нее тонкие чулки и убрали волосы. Напоследок Айлиза приколола к ее волосам веточку белого вереска — еще один добрый знак.

Потом старушки, вздыхая и ахая, принялись рассказывать ей — как рассказывали и другим, — что она самая красивая невеста из тех, кого они видели. Когда Шилес наконец вышла на замковый двор и Йен посмотрел на нее, ей показалось, что все, что говорили женщины, настоящая правда.

Йен и сам был просто неотразим. При виде его у нее замерло сердце. Камень, который она подарила ему, теперь сверкал в булавке, закалывавшей его шотландку на плече. А в шапку он воткнул веточку белого вереска, такую же, как у нее в волосах.

Рядом с ним стояли Дункан, Коннор и Алекс, разодетые в пух и прах. Молодые и здоровые, они быстро приходили в себя от ран, хотя следы синяков напоминали о том, что с ними случилось.

Когда Дункан вопросительно посмотрел на нее, Шилес кивнула, и он заиграл. Замковый двор наполнился звуками волынки, которая пела о надежде и радости. Все глаза устремились к Шилес, когда она подошла к Йену и встала рядом с ним напротив отца Брайана.

— Я, Йен Пейтон Макдональд, беру в жены тебя, Шилес Макдональд. Перед лицом Господа и всех свидетелей обещаю быть тебе любящим и верным мужем, пока смерть не разлучит нас.

Потом настала очередь Шилес произнести клятву. После того как отец Брайан благословил **311** их, Йен поцеловал ее, а толпа разразилась оглушительными криками.

Первым их поздравил Коннор.

— Пусть ваша жизнь будет долгой и спокойной.

Шилес сжала руку Йена. Учитывая разгоравшееся восстание и побег Хью, о спокойной жизни можно было не мечтать. Оставалась надежда на долгую жизнь вместе.

— Пусть ваша старость будет добродетельной и богатой, — выразил Дункан еще одно традиционное пожелание.

Когда очередь дошла до Алекса, тот сказал Йену:

— Взяв жену из Макдональдов, ты уберег себя от тысячи проблем. Как говорится, «если женишься, берешь за себя весь клан».

— Хорошо, что ты напомнил об этом. — Коннор положил руку ему на плечо. — Именно по этой причине нужно, чтобы ты женился на какой-нибудь девушке из другого клана. Скоро я напомню тебе об этом твоем долге.

— Только не я. — Алекс поднял руки и отступил назад. — Я живу по принципу: «Умный поест из каждой миски».

Все они предпочли сделать вид, что не слышат, как скандалят друг с другом отец с матерью Алекса в углу двора.

Праздник устроили под открытым небом. Помещение для стражи не вместило бы всех гостей. Погода стояла холодная, но ясная, а еда, которую разносили женщины, была вкусной и обильной. Все согревались танцами. Каждый мужчина, целуя Шилес, дарил ей пенни. Так продолжалось до тех пор, пока Йен не положил конец этой особой традиции.

— Пойдем, найдем священника, — шепнул он ей на ухо.

Отыскав отца Брайана среди гостей, они тихо ускользнули ото всех так, чтобы никто не заметил. По крайней мере все сделали вид, что не обратили на них внимания. Когда они подошли к спальне, которую Йен временно устроил на верхнем этаже надвратной башни, он поднял Шилес на руки и перенес через порог.

В спальне он поставил ее на ноги, и они подождали, когда отец Брайан окропит кровать святой водой.

— Делай усердно свое дело, — подмигнув, сказал священник Йену, — и у тебя будет куча очаровательных детишек.

Стоило Йену закрыть дверь за отцом Брайанов, как Шилес звонко расхохоталась.

— Я уже повесила под кроватью амулет плодовитости, которым меня снабдила Тирлаг.

Йен привлек ее к себе.

— Амулет — это хорошо, но давай и сами как следует постараемся.

Эпилог

Девять месяцев спустя

Вообще-то чувство страха было незнакомо Йену.

Мать постоянно спускалась вниз, чтобы доложить, что жена чувствует себя прекрасно, что все, что нужно делать, делается. Но, несмотря на ее уверения, непривычное состояние, близкое к панике, овладевало им каждый раз, когда на лестнице раздавались ее шаги.

— Сядь, Йен, и отдохни, не то ты сотрешь свои новые полы, — посоветовал Алекс.

Зачем он сделал Шилес ребенка? И о чем он тогда только думал? Не о детях, это точно. Ведь ее мать умерла при родах, не дай Бог!

— Она — крепкая девочка, — успокоил его отец. Он глядел на него с сочувствием. Отец хорошо понимал его в отличие от тех, кто пока не был женат.

Шилес снова закричала, и у Йена остановилось сердце.

— Вот если бы она не кричала, тогда следовало беспокоиться. Это означало бы, что она настолько слаба, что у нее нет сил на крик.

Отец, конечно, мог обманывать его, но сила, **314** звучавшая в голосе Шилес, обнадеживала.

— Мне послышалось, что она ругается. — Дункан выглядел таким же обеспокоенным, как Йен. — Вроде бы, это добрый признак, как вы думаете?

— Сколько это будет длиться, отец? — Кругами ходя по комнате, Йен схватился за голову. — Зачем мы привезли ее сюда, в замок Нок. Вдруг тут порча?

— Сначала ты привез сюда отца Брайана, который залил святой водой все углы и закоулки, — фыркнул Алекс. — Потом ты три дня заставлял бедную старушку Тирлаг читать здесь заклятия от нечистой силы.

— Это все ради спокойствия Шилес, — сказал Йен. Он не стал обращать внимания на их смешки.

— Если вам обоим здесь было плохо, — заговорил Коннор, — тогда вы очень умело это скрывали.

Нет, они здесь были счастливы! Йен боялся, что их счастье могло вызвать ревность у фей.

— Йен, — позвала его мать от двери. — Теперь можешь подняться.

Когда он в три прыжка преодолел лестницу, Бейтрис отошла с прохода, уступая ему дорогу. Йен влетел в спальню и увидел Шилес, сидевшую на кровати, опираясь на подушки. По бокам стояли Айлиза и Дайна.

Вид у жены был усталый, но она вся словно светилась. Слава Богу! Он ни за что больше не решится пережить такое еще раз.

Айлиза отошла в сторону, и Йен занял ее место у кровати.

— Мы оставим вас одних, — сказала она. — Если что потребуется, кликните меня.

— Я с вами попрощаюсь, потому что вот-вот придет Гордон забрать меня. — Дайна похлопала себя по округлившемуся животу и подмигнула им. — Он исключительно... внимательный муж.

Когда Йен попросил Гордона присмотреть за Дайной, он даже предположить не мог, что все так сложится. Судя по всему, это тоже была любовь. Серьезность, свойственная Гордону, положительно повлияла на Дайну, а свойственное ей легкомыслие добавило ему живости. Хотя скандалы между Дайной и матерью Гордона все равно стали притчей во языцех.

Дверь за ними закрылась, и тогда Йен погладил жену по щеке.

— С тобой все в порядке, моя любовь?

— Вполне, — ответила она.

— Видно, что ты намучилась.

— Конечно, намучилась. — Но Шилес улыбнулась, и сердце подпрыгнуло у него в груди. Вся наполненная внутренним светом, жена предстала ему настоящей красавицей.

— Ты ведь еще не видел, — сказала она.

Уголок одеяла прикрывал лицо спеленатого ребенка, которого она держала на руках.

— Кто это? — спросил он. — Мальчик или девочка?

Йен надеялся, что на свет родился мальчик, поскольку мысль о том, что у него появится дочь, пугала его до полусмерти. Что, если девчонка пойдет в мать и тоже будет попадать во все немыслимые переделки? К тому времени он-то уже станет стариком.

— Возьми дочь на руки, — сказала ему Шилес.

Приняв сверток из ее рук, Йен подумал, что малышка совсем ничего не весит.

— Ты подумай, какая крохотная! — Йен откинул одеяло с ее личика, и все. С этого момента он оказался у нее в плену. — Ах, какая хорошенькая! И у нее будут такие же оранжевые волосы, как у тебя.

— У меня волосы не оранжевые.

Конечно, оранжевые, но он не стал спорить.

— А на второго ребенка не хочешь посмотреть? — спросила Шилес?

— Как? Еще?

— Только один. Вернее, одна. Еще одна девочка.

Йен не заметил, что на другой руке жена держала еще один сверток из одеяла.

316

— У этой тоже будут твои волосы, — сказал Йен, рассмотрев свою вторую очаровательную дочурку. И усмехнулся жене. — Намучаемся мы с ними.

— Наверняка. — У нее был довольный вид. — Ты станешь чудесным отцом.

Шилес всегда верила в него.

— Как мы их назовем? — спросил он.

— Я хочу назвать одну Бейтрис, в честь твоей матери, — сказала Шилес. — Что, если вторую назовем Александрой, в честь Алекса?

— Отлично! — Йен улыбнулся малышке. — Дункан и Коннор — такие имена вряд ли подойдут девочке.

— Мальчишек родим потом, — заверила она его. — По меньшей мере четверых.

— Четверых сыновей? Зачем нам вообще сыновья? — Радуясь дочерям, он совсем не хотел вновь подвергать риску жизнь жены.

— Мы назовем их Коннором, Дунканом, Пейтоном и, конечно, Ниллом. — Она коснулась его руки. — Я была одна у матери, поэтому мне хочется целый дом детей.

Он кивнул, надеясь, что в следующий раз роды пройдут легче, и, понимая, что этого не будет.

— Если будем рожать двойнями, тогда быстро управимся.

Йен услышал хрустальный смех над собой, поднял голову и увидел женскую фигурку в светло-зеленом платье, плывущую по воздуху.

— Это Зеленая леди. Она вернулась. — Шилес явно понравилось, что привидение снова объявилось. — Я еще ни разу не видела, чтобы она смеялась.

Подумав, Йен пришел к выводу, что сможет ужиться со смеющимся привидением. Чего только не сделаешь ради счастья жены.

Когда с двумя детьми на руках Йен наклонился, чтобы поцеловать жену, он был готов поклясться, что Зеленая леди подмигнула ему.

ИЗДАТЕЛЬСКАЯ ГРУППА аст

ПРИОБРЕТАЙТЕ КНИГИ ПО ИЗДАТЕЛЬСКИМ ЦЕНАМ В СЕТИ КНИЖНЫХ МАГАЗИНОВ БУКВА

МОСКВА:

- м. «Алексеевская», Звездный б-р, д. 21, стр.1, т. (495) 323-19-05
- м. «Алексеевская», пр-т Мира, д. 114, стр. 2 (Му-Му), т. (495) 687-57-56
- м. «Алтуфьево», ТРЦ «РИО», Дмитровское ш., вл. 163, 3 этаж, т. (495) 988-51-28
- м. «Бауманская», ул. Спартаковская, д. 16, стр. 1, т. (499) 267-72-15
- м. «Бибирево», ул. Пришвина, д. 22, ТЦ «Александр», 0 этаж, т. (499) 206-92-65
- м. «ВДНХ», ТЦ «Золотой Вавилон - Ростокино», пр-т Мира, д. 211, т. (495) 665-13-64
- м. «ВДНХ», г. Мытищи, ул. Коммунистическая, д. 1, ТРК «XL-2», 3 этаж, т. (495) 641-22-89
- м. «Домодедовская», Ореховый б-р, вл. 14, стр. 3, ТЦ «Домодедовский», 3 этаж, т. (495) 983-03-54
- м. «Каховская», Чонгарский б-р, д. 18а, т. (499) 619-90-89
- м. «Коломенская», ул.Судостроительная, д. 1, стр. 1, т. (499) 616-20-48
- м. «Коньково», ул. Профсоюзная, д. 109, к. 2, т. (495) 429-72-55
- м. «Крылатское», Рублевское ш., д. 62, ТРК «Евро Парк», 2 этаж, т. (495) 258-36-14
- м. «Марксистская/Таганская», Большой Факельный пер., д. 3, стр. 2, т. (495) 911-21-07
- м. «Новые Черемушки», ТЦ «Черемушки», ул. Профсоюзная, д. 56, 4 этаж, пав. 4а-09, т. (495) 739-63-52
- м. «Парк культуры», Зубовский б-р, д. 17, т. (499) 246-99-76
- м. «Перово», ул. 2-я Владимирская, д. 52, к. 2, т. (499) 306-18-98
- м. «Петровско-Разумовская», ТРК «XL», Дмитровское ш., д. 89, 2 этаж, т. (495) 783-97-08
- м. «Пражская», ул. Красного Маяка, д. 2б, ТЦ «Пражский Пассаж», 2 этаж, т. (495) 721-82-34
- м. «Преображенская площадь», ул. Большая Черкизовская, д. 2, к. 1, т.(499) 161-43-11
- м. «Сокол», ТК «Метромаркет», Ленинградский пр-т, д.76, к.1, 3 этаж, т. (495) 781-40-76
- м. «Теплый Стан», Новоясеневский пр-т, вл.1, ТРЦ «Принц Плаза», 4 этаж, т. (495) 987-14-73
- м. «Тимирязевская», Дмитровское ш., 15/1, т. (499) 977-74-44
- м. «Третьяковская», ул. Большая Ордынка, вл.23, пав. 17, т. (495) 959-40-00
- м. «Тульская», ул. Большая Тульская, д.13, ТЦ «Ереван Плаза», 3 этаж, т. (495) 542-55-38
- м. «Университет», Мичуринский пр-т, д. 8, стр. 29, т. (499) 783-40-00
- м. «Царицыно», ул. Луганская, д. 7, к.1, т. (495) 322-28-22
- м. «Щукинская», ТЦ «Щука», ул. Щукинская, вл. 42, 3 этаж, т. (495) 229-97-40
- м. «Юго-Западная», Солнцевский пр-т, д. 21, ТЦ «Столица», 3 этаж, т.(495) 787-04-25
- м. «Ясенево», ул. Паустовского, д.5, к.1, т.(495) 423-27-00
- М.О., г. Железнодорожный, ул. Советская, д.9, ТЦ «Эдельвейс», 1 этаж, т. (498) 664-46-35
- М.О., г. Зеленоград, ТЦ «Зеленоград», Крюковская пл., д. 1, стр. 1, 3 этаж, т. (499) 940-02-90
- М.О., г. Клин, ул. Карла Маркса, д. 4, ТЦ «Дарья», 2 этаж, т. (496) (24) 6-55-57
- М.О., г. Коломна, ул. Советская пл., д. 3, ТД «Дом торговли», 1 этаж, т. (496) (61) 50-3-22
- М.О., г. Люберцы, Октябрьский пр-т, д. 151/9, т. (495) 554-61-10
- М.О., г. Сергиев Посад, ул. Вознесенская, д. 32а, ТРЦ «Счастливая семья», 2 этаж
- М.О., г. Лобня, Краснополянский пр-д, д. 2, ТРЦ «Поворот»

Регионы:

- г. Архангельск, ул. Садовая, д. 18, т. (8182) 64-00-95
- г. Астрахань, ул. Чернышевского, д. 5а, т. (8512) 44-04-08
- г. Белгород, Народный б-р, д. 82, ТЦ «Пассаж», 1 этаж, т.(4722) 32-53-26
- г. Владимир, ул. Дворянская, д. 10, т. (4922) 42-06-59
- г. Волгоград, ул. Мира, д. 11, т. (8442) 33-13-19
- г. Воронеж, пр-т Революции, д. 58, ТЦ «Утюжок», т. (4732) 51-28-94
- г. Иваново, ул. 8 Марта, д. 32, ТРЦ «Серебряный город», 3 этаж, т. (4932) 93-11-11 доб. 20-03
- г. Ижевск, ул. Автозаводская, д. 3а, ТРЦ «Столица», 2 этаж, т. (3412) 90-38-31
- г. Екатеринбург, ул. 8 Марта д. 46, ТРЦ «ГРИНВИЧ»,3 этаж, т. (343) 253-64-10
- г. Калининград, ул. Карла Маркса, д.18, т. (4012) 66-24-64
- г. Краснодар, ул. Головатого, д. 313, ТЦ «Галерея», 2 этаж, т. (861) 278-80-62
- г. Красноярск, пр-т Мира, д. 91, ТЦ «Атлас», 1, 2 этаж, т. (391) 211-39-37
- г. Курск, ул. Ленина, д. 31, ТРЦ «Пушкинский», 4 этаж, т. (4712) 73-45-30
- г. Курск, ул. Ленина, д.11, т. (4712) 70-18-42
- г. Липецк, угол Коммунальная пл., д. 3 и ул. Первомайская, д. 57, т. (4742) 22-27-16
- г. Орел, ул. Ленина, д. 37, т. (4862) 76-47-20
- г. Оренбург, ул. Туркестанская, д. 31, т. (3532) 31-48-06
- г. Пенза, ул. Московская, д. 83, ТЦ «Пассаж», 2 этаж, т. (8412) 20-80-35
- г. Пермь, ул. Революции, д. 13, 3 этаж, ТЦ «Семья», т. (342) 238-69-72
- г. Ростов-на-Дону, г. Аксай, Новочеркасское ш., д. 33, ТЦ «Мега», 1 этаж, т. (863) 265-83-34
- г. Рязань, Первомайский пр-т, д. 70, к. 1, ТЦ «Виктория Плаза», 4 этаж, т. (4912) 95-72-11
- г. С.-Петербург, ул. 1-я Красноармейская, д. 15, ТК «Измайловский», 1 этаж, т. (812) 325-09-30
- г. Ставрополь, пр-т Карла Маркса, д. 98, т. (8652) 26-16-87
- г. Тверь, ул. Советская, д. 7, т. (4822) 34-37-48
- г. Тольятти, ул. Ленинградская, д. 55, т. (8482) 28-37-68
- г. Тула, ул. Первомайская, д. 12, т. (4872) 31-09-22
- г. Тула, пр-т Ленина, д. 18, т. (4872) 36-29-22
- г. Тюмень, ул. М. Горького, д. 44, ТРЦ «Гудвин», 2 этаж, т. (3452) 79-05-13
- г. Уфа, пр-т Октября, д. 34, ТРК «Семья», 2 этаж, т. (347) 293-62-88
- г. Чебоксары, ул. Калинина, д.105а, ТЦ «Мега Молл», 0 этаж, т. (8352) 28-12-59
- г. Челябинск, пр-т Ленина, д. 68, т. (351) 263-22-55
- г. Череповец, Советский пр-т, д. 88, т. (8202) 20-21-22
- г. Ярославль, ул. Первомайская, д. 29/18, т. (4852) 30-47-51
- г. Ярославль, ул. Свободы, д. 12, т. (4852) 72-86-61

Литературно-художественное издание

Мэллори Маргарет
Страж моего сердца

Роман

Редактор Ю.В. Ярова
Ответственный корректор И.М. Цулая
Компьютерная верстка: Е.В. Аксенова
Технический редактор О.В. Панкрашина

Общероссийский классификатор продукции
ОК-005-93, том 2; 953000 — книги, брошюры

Широкий ассортимент электронных и аудиокниг
ИГ АСТ Вы можете найти на сайте www.elkniga.ru

ООО «Издательство Астрель»
129085, г. Москва, пр-д Ольминского, д. 3а

Издание осуществлено при техническом участии
ООО «Издательство АСТ»

Типография ООО «Полиграфиздат»
144003, г. Электросталь, Московская область, ул. Тевосяна, д. 25